KB108333

1000만 독자를 가진
형가리 국민작가의 첩보 스릴러

# 사는 것은 위험하다

이스트반 네메레(ISTVÁN NEMERE) 지음
박미홍(Donkiĥoto) 옮김

**사는 것은 위험하다**

인　쇄 : 2022년 5월 2일 초판 1쇄
발　행 : 2022년 5월 13일 초판 2쇄
지은이 : 이스트반 네메레(ISTVÁN NEMERE)
옮긴이 : 박미홍(Donkiĥoto)
표지디자인 : 노혜지
펴낸이 : 오태영(Mateno)
출판사 : 진달래
신고 번호 : 제25100-2020-000085호
신고 일자 : 2020.10.29
주　소 : 서울시 구로구 부일로 985, 101호
전　화 : 02-2688-1561
팩　스 : 0504-200-1561
이메일 : 5morning@naver.com
인쇄소 : TECH D & P(마포구)

값 : 13,000원
ISBN : 979-11-91643-52-7(03890)

1000만 독자를 가진
형가리 국민작가의 첩보 스릴러

# 사는 것은 위험하다

이스트반 네메레(ISTVÁN NEMERE) 지음
박미홍(Donkiĥoto) 옮김

진달래 출판사

<원서 안내>

==============================

Language : Esperanto
Publisher : Hungara Esperanto-Asocio
Publication Date : 1989
Number of Pages : 183
ISBN : 9635712863
ISBN-13 : 9789635712861

==============================

ISTVÁN NEMERE

Vivi
estas danĝere

# 목 차

# 1. 작전개시

내가 한 번도 잊어 본 적이 없는 그 사건이 수요일에 일어났지. 어떤 이유로 영원히 내 기억에 남는 실세로 경험한 사건이었지. 덧붙여서 말하자면, 11일 수요일인데, 11일만 되면 항상 나에게 그런 조짐이 비치지.
여름철 거의 끝날 무렵, 이제는 나쁜 일이 더 생기지 않겠지. 그렇게 믿으면서 집안에 혼자 남아 조심스럽게 문빗장을 확인하곤, 냉수를 마실 수 있도록 준비하고 서류철을 훑어보고 있었지. 사진이랑 복사된 서류를 쳐다보니 기분이 좋아진다. 다음 주일 내가 아프리카 유명한 통신사에게 이것을 틀림없이 보낼 수 있을 테고. 수중에는 돈이 얼마 없지만, 이것을 보낸 대가로 약간의 금전적인 여유가 생기겠지. 그렇게 되면 서로 '누이 좋고 매부 좋은 격' 이 되겠지. 그 사람이 충분한 사례를 나한테 해 주면, 나 또한 가을철에 몇 주일 동안 어디론지 훌쩍 떠날 수 있겠구나. 하루도 빠짐없이 시끄러운 소리가 들리는 이 대도시를 벗어나게 되면 그곳에서 자연과 조화를 이루면서 살고 싶은 미지의 땅, 내가 정녕 가고 싶은 곳. 산꼭대기에 옛날에 지은 성채가 있는데 지금은 폐허가 되었지만, 그 위에 석양이 깃들고, 아래쪽 강 근처에는 빽빽하게 우거진 산림 속에 촌락이 깊숙하게 자리 잡은 곳. 맞아, 가끔 나도 감상주의 성향이 있지. 하지만 이렇게 생각하는 것이 어쩌면 내 분야에서 약간의 윤활유 역할도 가끔 하지. 전화기가 울리는 소리 때문에 내 꿈은 산산조각이 났다. "웬 놈인가··?"

친구는 분명히 아니다. 영 마음이 내키지 않지만, 플라스틱 전화기에서 기분 나쁘게 소리가 나는데, 어 참말로 11일이네. 항상 불길한 예감이 나타나는 바로 그 날인데.

"데니엘 스카겐 선생님 계십니까?" 어떤 사내가 묻는데 목소리로 봐서는 젊은 것 같다.

"예. 그렇소. 제가 데니엘 스카겐이요."

순간 내 여비서 마리가 우리 집 전화번호를 이 친구에게 가르쳐 주었는가. 그런 생각이 들었다. 그러나 나는 내 여비서에게 절대로 우리 집 전화번호를 가르쳐 주지 말라고 신신당부했지.

"신사 한 분이 선생님과 이야기를 나누고자 지금 승강기를 타고 위쪽으로 올라가고 있습니다만 총도 안 가진 채 오직 그분 한 사람뿐입니다."

이것이 무슨 조화란 말인가. 함정이 아닐까? 자물쇠가 채워진 문을 쳐다보니 아무런 이상이 없다. 본능적으로 나는 벽에 숨었다. 반대파 애들이 나를 제거하려고 전문가 몇 명을 고용했을 때는… 아니야 그러면 그 녀석들은 절대로 전화질을 안 해. 나는 이때까지도 수화기를 손에 잡고 있었다.

"올라오는 그 사람 이름은 무엇입니까?"

"자기소개를 그분께서 직접 하실 것이며, 또 그분께서는 선생님과 상의하고자 하시니, 아무런 걱정을 안 하셔도 될 것입니다."

일방적으로 전화를 끊는다.

승강기가 위쪽으로 올라오더니 시끄러운 소리와 함께 멈추는 소리를 듣고 있었다. 늙은이가 세 들어 사는 복도 쪽에서 자박자박 인기척이 나자마자, 나는 벌써 벽에 몸을 숨긴 채 총을 꺼내 들고 서 있었다. 나는 심호흡을 두 번씩 했다. 내가 문에 감시 사진기를 설치했더라면, 문 앞에 무슨 일이 벌어지는지 잘 볼 수 있었을 텐데, 구두쇠처럼 투자를 너무 안 한 것이 후회스럽다. 그러나 나처럼 이런 분야의 전문가들은 앞날을 전혀 예측할 수가 없으므로 항상 비상금을 비축해야 하지. 더 머뭇거리지 않고, 문 틈새에서 쳐다보니 이 친구는 아위었고, 이 친구를 제외하고는 복도에 아무도 보이지 않는다. 차례차례 자물쇠를 풀고 문을 열고 난 뒤, 권총을 잡고서 문 뒤에서 반쯤만 얼굴을 내밀었다.

이 친구가 웃으면서 "데니엘 스카겐 선생님입니까?"

아, 이런 표정은… 이 친구가 어떤 계통의 사람이라는 것을 이 표정만 보고도 나는 당장에 알지. 그래 맞아. 이런 친구들은 갑자기 총을 뽑아 들고 나한테 덤벼들지는 않지. 나는 사람 보는 눈이 있지.

깡마른 체구에 쉰 다섯 살 정도 보이며, 나보다도 나이가 조금 더 되는 것 같다. 벌써 백발이고 특히 관자놀이에는 주름살이 가득하다. 매몰차게 생긴 얼굴 하며, 푸른 눈동자, 금발 머리카락을 쳐다보면서 '왕년에는 여자들 꽤 울렸겠구나.' 내가 이 친구를 의심하지 못하도록 하는 고도의 처세술은 아닐까? 내가 알 수 없는 운명의 장난이 참말로 여기에서부터 시작되는가? 천천히 그리고는 머리에서 발 끝까지 살피고선 "예, 제가 데니엘 스카겐이요. 누군가로부터 당신의 방문 사실을 전화로 연락받았소." 호주머니에서 신문을 꺼내 들고 서 있는 두 팔은 힘없이 축 처져 있었다.

"나가겠소."

총구를 이 친구의 옆구리에 갖다 대었다. 동료 몸뚱이에 원격 플라스틱 시한폭탄을 던지는 그런 미친 녀석은 분명히 아니구나. 그 이유로 그런 미친 녀석은 절대로 한 명이 아니고, 진짜로 악마처럼 마음씨가 고약하거나 복도에 또 다른 애들이 숨어 있어야 하기 때문이지. 만일 그놈들이 지붕에서 밧줄을 타고 아슬아슬하게 매달려서 밑으로 침투하더라도 우리 집은 운 좋게도 발코니가 없고 또 바깥벽은 매우 미끄럽잖아…. 그래서 나는 창가에는 절대로 안 가며 한 시라도 총을 내 손에서 놓은 적이 없지.

"의심스러우면 내 몸을 뒤져보시오." 하면서 두 팔을 벌리며, 몸수색하기 좋도록 벽 쪽으로 얼굴을 돌린다. 이 친구 말 따라 몸수색하니 조금 놀라는 기색을 한다. 권총은 아무리 찾아도 보이지 않는다.

쌀쌀맞게 "방문 목적이 무엇이오?"

"거래하고 싶소." 이 친구는 간이 부어도 여간 부은 것이 아니다. 내가 이 친구를 해치지 않는다는 그 사실을 아는 것이 오히려 내가 더 불안하다.

"당신은 누구요?"

손가락 두 개로 호주머니에서 신문을 꺼내는데, 그것은 프랑스와르였다. "그저께 신문이요." 표지에 사진이 있다. "이 사진이 제 신상명세서입니다. 저는 피에르 게라디 특별검사입니다."

갑자기 내 머리가 전봇대에 부딪힌 것 같아서 이 순간 어안이 벙벙하였다. 신문에 실린 그 사진이 거짓말 할 리 만무하므로 이 검사는 확실히 바른 데로 설명해 주었다. 검찰청을 떠나기 전 이틀 전에, 게라디 특별검사 사진을 신문에 실었다. 나도 사무실에서 이 신문을 다 읽었는데, 먼저 것보다 이 소식이 나한테 더 재미있었다. 내 분야에서 활동하고 있는 애들에게 이런 단신 기사는 정말로 흥미를 끌 만하지. 이름을 사용 안 하는 대신, 연락처를 남겨 놓을 수 있는 전화번호 혹은 뒷골목 술집 이름으로써 서로 연락을 주고받고 하지. 진짜 전문가 녀석들은 지명을 의미하는 "엘랑", "마라케쉬" "잠베지", "마닐라" 따위의 용어를 사용하지. 이 기사 내용에 유명한 어떤 갱에 대해서 사건을 다루고 있는데, 다 읽어보지는 못했다. 지금 싸늘하게 눈웃음치면서 특별검사가 내 앞에 버티고 있다.

총을 밑으로 내리면서, 어색하게 의자를 가르치면서 "잘 알겠소 검사님, 앉으시지요. 그 사건이 왜 일어났나 하면… 그런데… 이런 누추한 곳을 다 찾아 주시다니?"

"벌써 말씀드린 바와 같이 거래하자고 이곳을 왔지요."

"무엇을 마시겠소?"

"고맙습니다만, 괜찮습니다."

만약 불의의 습격을 받을 때를 대비해서 쏜살같이 도망칠 수 있도록 만반의 준비를 한 채로 의자에 앉았다. 또한, 손에는 총을 잡고서 조심스럽게 "지금까지 특별검사들이 나를 삐딱하게 보고 있더군요. 나는 두 번이나 프랑스 법정에 섰는데, 그때마다 당신 같은 사람들의 너무나 오만무례한 행동 때문에 밥맛이 싹 가더군요.”

“저도 잘 압니다. 저도 선생님의 재판기록을 모두 읽어보았습니다.” 약간 심각한 어조로 “정확히 말해서 그 일 때문에 선생님께 제가 온 거지요.”

가만히 생각해보니, 그 일에서 손 씻을 때 이미 나는 별 서너 개를 가지고 있었지. 그 후 아프리카로 날아가서 그곳에서 몇 년 동안 국가 원수의 야망을 품고 있는 사람 밑에서 경호원 역할을 했지. 그 대가로 한밑천 잡았지.

파리로 되돌아오고 난 후, 다시 한번 찬 밥 신세가 되었지. ‘밑 빠진 독에 물 붓기’ 식으로 내 돈이 살금살금 바닥이 났지. 맨 처음 옛날 동료와 함께 합작회사를 차렸는데, 그 녀석이 회사 공금을 야금야금 먹어 치울 줄 나는 전혀 눈치 못 챘지. 법원에서 [illegible] 무죄를 인정받았지만, 신문의 첫 쪽을 대문짝만하게 장식한 내 이름에 사람들은 등을 돌렸다. 남아 있는 돈을 모조리 다 긁어모아서 두 번째에는 닥치는 대로 일을 시작했지. 그때 직업소개소를 설립했지. 그러자 웬 놈이 내가 인신매매한다고 하며 내무부에다 고발했지. 내 경쟁업소가 틀림없지만….

나를 신문한 후 또다시 나는 무죄판결을 받았지. 솔직히 말해서 개발도상국에 경호원 또는 선량한 사람들만 골라서 소개해주었는데도. 물론 전쟁을 치르다 보면 내가 소개한 사람들도 가끔 죽었다는 소식에 내 가슴이 찢어지지. 이런 경우에 대법원까지도 갈 수 있지.

“염려할 것 없소. 이 장난은 선생님을 제거하려고 고발한 것이 아닙니다. 아마 이 사건에는 어떤 구린내가 납니다. 따라서 선생님의 적극적인 협조가 필요하지요.”

조심스럽게 “저는 단지 전직 직업군인에 불과하오. 검사께서도 알고 계시다시피 십 년 전 테러리스트 진압부대에 근무했고, 가끔 거물급의 경호원이 되었지요….”

“스카겐 선생, 무슨 겸손의 말씀을. 선생님께서는 전직 경호원이

시고 백전노장이십니다. 또한, 선생님께서는 아프리카에서 돈 받고 전투를 벌이는 백인 용병과는 질적으로 봐도 다르지요. 또 프랑스 및 프랑스령 아프리카 국가원수 경호원이었으며, 그 일도 한 두 번 하신 것도 아니며 심지어는 좌익 인사까지도… 그런 일은 접어 둡시다. 저는 선생님의 모든 사항을 머리끝에서 발끝까지 샅샅이 알고 있다는 점만은 분명히 밝혀드리겠습니다. 스칸디나비아 출신이고, 이십 년 전 파리로 이사했으며, 그 사이에 가끔 프랑스를 떠나 계셨고, 아프리카에서도 생활했으며, ×××의 사무실이라고 조금 전에 언급한 그 사무실을 가지고 계시며….”

“사업자등록증을 가진 회사를 말씀하십니까?”

“그렇습니다. 법적으로는 아무런 이상이 없습니다. 선생님 회사에서는 유럽에서 소위 ‘제삼 세계’ 인 개발도상국에 노동력을 중계하고 계시지요. 선생님께서는 ‘전문가’ 만 취급하시지요. 선생님께서는 스무 살에서 마흔 살가량의 건강한 체구의 사나이들만 소개하시는데 그 사람들은 무기를 자유자재로 다룰 수 있다는 것도 저희는 알고 있습니다. 그들 신상명세서에는 한 사람도 빠짐없이 도로 건설 기술자, 주로 사업전문가 등등으로 적혀 있더군요. 하지만 그들의 면허증은 어디서나 찾아볼 수 없지만, 나중에 그 사람들은 아프리카와 아시아 국가원수의 경호원이 되고 나중에는 그 사람의 심복이 되지요…. 불가피할 때는 귀신처럼 총을 쏘지요.”

아까처럼 다시 생각하니 이 녀석은 귀신처럼 내 속을 꿰뚫고 있다. 이런 일 때문에 나를 찾아온 것은 아니다. 그래서 핵심을 말할 때까지 끈덕지게 듣고만 있었다. 이 특별검사를 쳐다보니 처음에는 다른 어떤 것에 연막을 치고 나중에 가서야 본론을 말하는 그런 화법을 쓰고 있다. 게라디 역시 그 점을 확실히 짚고 있었다.

약간 뜸을 들인 뒤에 말을 잇기를 “스카겐 선생, 이제 이 일은 여기서 마무리하고, 선생께서 거금을 벌 수 있는 문제에 관해 이야기해 봅시다.”

유쾌하게 "벌써 구미가 당기는데요."

"우리 두 사람이 서로 거래가 성립될 때 선생께서 돈도 받게 되고 전에 발생한 모든 사건도 종결시켜 드리겠소."

"그래요?"

"직업소개소 때문에 시 당국과 경찰이 더 선생님을 괴롭히지 못하게 하고 또 편안히 일할 수 있도록 제가 방패막이 될 것입니다."

"때맞추어 특별검사께서 그런 제안을 했음에도 불구하고, 저도 그 문제는 법적으로 아무런 연관이 없다는 것을 알고 있었지요."

머리를 끄덕거리면서 "스카겐 선생, 당신 말이 맞소. 이 일을 사람들이 알게 되면 저의 모든 인생은 끝장나오."

자세히 보니 심사숙고한 후 말하는 것 같다.

"하지만 내가 무엇 때문에 목숨을 걸어야 하는지 그 이유를 설명해 주시오."

나는 그 대답을 듣기 위해 기다리면서, 그럼 악행을 저질러야 하나… 어떤 비공식 임무? 아니면 이 검사 녀석의 사생활을 해결해야 하나?

"스카겐 선생, 이미 짐작하셨겠지만, 이 임무는 국가정보원이나 특수 수사대도 할 수 없는 그런 일입니다." 그러면서도 또 내 생각을 꿰뚫어 보면서 "만약에 이 임무에 실패할 때 정부에 대해서 말해서도 안 되고, 또 야당에도 빌미를 주지 않기 위해서 외국 사람으로만 구성되어야 합니다. 우리는 정확히 말해서 선생을 선택했소. 선생은 진짜로 프랑스 사람이 아니고, 둘째로는 선생께서는 용감하지만, 굉장히 신중하게 일을 처리한다고 들었소. 목적이 뚜렷해야지만 행동을 옮긴다고…."

"말을 돌리지 말고 단도직입으로 말씀하시오!"

"좋소, 탁 터놓고 말하겠소. 이십 년 전 우리 앞에 무슨 사건이 일어났는지 아시오? 선생은 알제리 전쟁에 관해서 들었던 이야기가 있소?"

"그것에 대해 조금 알죠."

"그럼 됐소. 젠장 모두 선생께 이야기하고 싶지 않소. 선생세대에서는 한물 지난 이야기이지요. 선생께서도 어쩌면 그 사건을 영화관에서 보셨을 텐데요. 그렇지요…? 제가 우리 일만 연관 지어서 이야기한다면 좀 지루하게 들릴 것이요. 비밀군대 조직의 약자인 오에이 에스에는 샬레, 주오, 젤러 및 살랑 프랑스 대장 네 사람이 지휘하고 있었지요. 프랑스 정부가 알제리에서 철수하고 대신 아랍사람에게 정권을 이양하는 것에 대해 그 당시 프랑스인들은 용납할 수 없었기 때문에 1961년 봄, 대장 네 사람이 노골적으로 반란을 진두지휘하기 시작했지요. 살랑과 그의 동료들은 '프랑스인을 보호한다' 라는 구실로 행동 개시했지요. 선생께서 더 많은 관심을 가지시려면 역사 교과서를 읽어보시오. 이 일에 선생께서 흥분하지 않는다면, 스카겐 선생. 당신은 진짜로 프랑스 사람이 아닙니다. 이미 이십년 전 이야기라, 그래서 못 믿겠단 말이요. 하긴 피비린내 나는 슬픈 이야기인데…." 골몰히 생각한 뒤 계속 이야기를 하는데 "대장들이 지휘하던 시대는 벌써 지나갔어도. 휴전 전이나 후에도 그 부하들이 저지른 만행을 우리는 결코 잊을 수가 없소. 수많은 학살사건, 플라스틱 폭탄으로 암살과 테러를 자행하고, 수많은 의문사 등등… 프랑스 국가에서도 이런 만행을 저지르는 인간 백정을 청소하고, 전 세계에서도 이들에게 치욕을 주도록 했지요. 그 이유로 그놈들은 더 많은 죗값을 충분히 치러야 하고 말고요."

"그렇소, 하지만 이 모든 것이 다 과거지사 아니오."

"스카겐 선생, 당신이 생각하는 것처럼 그렇게 단순하지는 않소. 우리는 전쟁을 진두지휘한 우두머리를 몇 명 체포했지요. 그러나 중간 보스나 끄나풀은 지금도 뻘건 대낮에 활개 치며 돌아다니고 있소. 장군 휘하에 그 당시의 인간 백정을 숨겨놓았기 때문에, 사람들은 이들에 대한 소문이나 나중에 무슨 일을 하는지 전혀 오리무중이지요. 그들 중 몇 놈은 죽었고, 프랑스에서 몇 명을 체포했지만, 교활한 변호인단 측 농간 때문에 감옥에 갇혀 있는 이 녀석들을 석방해 주게 되었지요. 그래서 지금까지 자유롭게 활보하고 있는 이 녀석 중 한 놈이 현재 우리에게는 너무나 결정적인 단서를 가지고 있는 놈이지. 알제리에서도 이 녀석을 받아들이려고 혈안이 돼 있다면, 스카겐 선생, 무슨 뜻인지 아시겠소? 그러므로, 프랑스와 알제리는 그 녀석을 서로 데리고 오려고 힘겨루기를 하고 있습니다. 그런 이유로 우리 정부는 몇 주 동안 지금까지 상상도 못 할, 아주 큰 거래를 알제리 측과 시도할 것입니다."

"그 녀석은 양 국가 사이에 어떤 연관이 있습니까?"

"여러 가지 측면에서. 그래서 제가 선생께 죽은 지 얼마 되지 않았는데도 지금 멀쩡히 살아서 돌아다니는 유령에 대해 말씀드리도록 하겠소. 게오르그 클레버라고 불리는 그 사내가 알제리에 있는 오 에이 에스 단체에서 근무하면서 자신의 정체를 숨기기 위해 가짜 이름 여러 가지를 사용했지요. 24살이라는 나이에도 불구하고, 그놈은 벌써 이 불법단체에서 고위층까지 올라간 비상한 놈이죠. 전쟁이 일어나기 전, 이놈은 공수부대에서 근무하다가 군기를 자주 어겨서 부대에서 불명예제대를 했지요. 전쟁이 일어난 지 얼마 되지 않아서 그놈은 즉시 반란군 지도자 중 한 놈이 된 관계로 정부 전복에 가담했지요. 맨 처음 오랑에 머무를 때, 이놈의 애들이 여기서 수십 명의 어린이를 포함해서 알제리인 백 사십여 명을 무차별 살해했고, 그 소문을 전해 듣고 사람들은 이 녀석을 보면 무서워하며 알제리로 갔지요. 그래서 이놈을 '인간 백정' 이라고 불렀지요. 이 녀석은 무고한 사람들조차도 체포해서 자기 마음대로 고문을 자행하고, 아랍인이나 프랑스 사람들도 막무가내로 살해했지요. 물론 프랑스령 알제리는 아니지마는, 이 살해된 사람들은 분명하게도 프랑스에서 이곳으로 온 사람들이죠. 물론 여기에는 드골을 지지하는 많은 사람도 있었고, 또 오 에이 에스 애들이 저지르는 테러 방식에 등을 돌리며, 선량하고 정치에 관심 없는 많은 사람도 또한 있었지요. 이런 짓을 그놈들이 저질렀지요…. 클레버와 그의 잔당들은 장사꾼들이 자기들을 보면 공포에 벌벌 떨게 하도록 상점 서른 채 정도 폭발시켰지요. 이때 죽은 사람들 숫자를 세어보니 백사십여 명이 더 된다고 하더군요."

"검사 양반, 그 이야기를 나한테 말하는 목적이 도대체 뭐요?"

"선생께서는 곧 아시게 될 거요. 에비앙에서 몇 주일 동안 화해하는 사이, 전쟁은 곧 종식될 것이라고 하는 이 '잿더미의 땅'에서 오 에이 에스측에서 계략을 꾸몄지요. 사실 이때, 오 에이 에스는 프랑스 정규군과 알제리 해방군 사이에서 진퇴유곡에 처해 있었지요. 그래서 오 에이 에스가 붕괴하는 것은 시간문제였지요. 집단 탈주병, 노상강도, 파시즘 당원 및 광신적인 장교들까지도 종말이 온다고 생각했지요. 최후 발악하려고, 클레버 일당들은 정치가, 무역업자뿐만 아니라 좌익 인사로 명성이 자자한 갑부 변호사나 배우들조차 모조리 살해했지요. 물론 나중에 우리가 밝혀낸 사실이지만…."

"그놈들 중에 '우리 애들도' 있단 말이요?"

"제가 법무부 조사 일원 중 한 사람이지요. 클레버 녀석이 희생자 재산을 약탈했는데, 그것은 금괴, 보석 그리고 거금을 긁어모았다는 사실을 조사하다가 알아낸 사실이지요. 그때 이 녀석은 도망갈 궁리를 확실히 해 둔 것 같습니다. 오 에이 에스가 붕괴할 때 알제리에 있는 대도시에서 이 우두머리들은 지구상에서 영원히 숨을 수 있는 도피처를 찾기 시작했지요. 중간보스들도 그 '조짐'을 알아채자 알제리에 있는 오 에이 에스 단체는 급속도로 붕괴하였지요. 이백 명을 살해하고 자신의 부대를 해산시키면서 도주시킨 클레버를 조사위원회에서 책임을 추궁하려고 했지요. 수많은 사람이 이놈을 체포하려고 노력했지만, 그때마다 이놈은 신출귀몰하게 어디론가 꼭꼭 숨어버렸지요. 소문이 나기를 그놈의 패거리 중 한 녀석이 이놈을 경주용 비행기에 태우고서 튀니지로 날았다고도 하고, 다른 정보에서는 모로코로 갔다고 합니다. 물론 이놈은 위조 여권을 사용하며 거금도 가지고 있지요. 그것은 희생자나 희생자 가족으로부터 강제로 약탈한 보석도 또한 함께 가지고 도망쳤을 것입니다. 이것은 이십 년 전에 일어난 사건입니다. 그 사이에 우리는 몇 차례 클레버의 뒷조사를 했지요. 국가정보원에서도 몇 번 클레버의 은신처를 찾아냈지요. 처음에는 호주에 모습을 나타내고, 조금 지나니 아르헨티나에 있다가 훨씬 뒤에는 놀랍게도 필리핀 군도에 있었지요. 도망 다니는 사이에 이놈은 영어를 능수능란하게 사용한다는 사실을 알아내었으며, 언젠가는 영어권 나라에서 마지막 여생을 보낼 것을 추측해 볼 수 있었지요. 그래서, 우리 쪽에서는 국가정보원이 이 녀석을 놓친 원인 몇 가지를 분석해 보았는데, 어느덧 십 오 년이라는 세월이 흘러갔지요. 지금 우리에게 절호의 기회가 왔지요. 이틀 전, 우리는 클레버가 지금 사는 곳을 알아냈지요."

스카겐은 숨을 죽이면서 가만히 듣고만 있었다. 우리 두 사람의 공통분모는 무엇이란 말인가. 그러나 더 구체적으로 알고 싶어서

"프랑스 정부가 클레버를 범인 인도 협정에 따라 공식적으로 요청하도록 공문을 발송하면…."

"… 이미 클레버 녀석은 그 나라의 국적을 취득하고 있는 관계로 우리나라의 범인 인도 요청을 거절할 테니까요. 그 녀석의 지금 이름은 게오르그 깔레이며, 그 당시 희생자들 증언에 따르면, 합법인지 불법인지는 잘 몰라도 무역상으로 가장해서 그 나라에 있는 많은 관료를 매수했지요. 그 나라에 사는 이 악당 녀석은 우리나라에서 망명한 범인 인도 요청 사실을 불을 보듯이 뻔히 알게 될 거고, 프랑스 정부가 이 녀석의 최근 은신처를 그 나라에 알려주는 것도 즉시 알아차릴 것이지요. 그러면 '얼씨구 좋다' 하면서 또다시 신출귀몰한 홍길동처럼 잠적해 버릴 거요. 심지어 우리가 그놈을 잡으려고 그 은신처에 몇 분 정도 늦게 도착하게 되면, 그사이에 바람처럼 어디론가 숨어버려서 우리는 또다시 허탕을 쳐야 하고, 그리고는 전

처럼 수년 동안 그놈을 찾으려고 노력해야…"

"범인 인도 요청은 결론적으로 말한다면, 별 볼 일 없다 그 말씀이지요."

"때마침 그것을 계획하고 있는 대통령님과 법무부 장관인 이 실세에게 그 계획의 부당성을 설명했지만 불가항력이었지요."

"언제였습니까?"

"팔 일 아니면 열흘 전 일이죠. 그래서 저는 가능한 그 일을 지연시켰지만, 결국 범인 인도 요청서를 발송하기로 해 버렸지요."

"그리고 보니 시간이 촉박하겠네요."

"스카겐 선생, 시간이 없습니다."

우리 두 사람은 이심전심이었다. 산전수전 다 겪은 우리 두 사람일지라도 어떤 공통점을 가지고 있었지. 이 친구 역시 끈질긴 추적자이구나.

이 친구들은 아랍 측에 클레버를 선물하기 위해서는 이 녀석이 꼭 필요하다는 것이 확인되었지요. 그때 아랍 측에서 프랑스에 유전 탐사 의정서에 서명하기로 되어 있었고, 수백만 세제곱미터 매장량을 지닌 가스관을 개발하고 싶었으나 그 당시 아랍 측은 자금이 부족한 상태였지요. 다 이해할 수 있지만,

"그렇게 믿어야만 합니다만…"

"무슨 근거로 당신은 나를 선택했소?"

"선생은 갱도 아니고 용병도 아니잖소. 또 왕년에 선생께서는 프랑스 군인이어서, 선생이 누구이신지 우리는 상세하게 알고 있습니다. 덧붙여서 말하자면, 선생은 전문가이시니까요. 스카겐 선생, 선생께서는 프랑스 태생이 아니라도 우리는 선생을 믿소."

"검사 나리, 믿어 주니 고맙소." 조심스럽게 "동지들이 필요하오. 돈만 충분히 준다면 어떤 일도 마다하지 않고 일을 할 그런 애들이지요. 그리고 검사 나리께서는 어떻게 하실 작정입니까?"

이 녀석은 또다시 의미심장한 미소를 띤다. 나를 놀리나? 아니야

그 반대로 생각하나? 아니야, 나는 돈 때문에 일하는 '그런 녀석'이 아니라고 이 친구가 조금 전에 말했잖아. 신경 쓸 필요 없어, 지금 그것은 대수롭지 않다.

"그럼, 성공 사례금으로 얼마 주겠소?"

"십만 프랑이면 되겠소?"

나는 머리를 끄덕이면서

"비용은 별도요."

이 친구는 잠시 머뭇거리더니

"좋소."

"우리가 실패할 때는?"

눈썹을 곤두세우면서, 그 점에 대해 생각해본 적이 없다는 말투로

"실패한다는 그 말이 무슨 뜻이죠? 스카겐 선생, 당신이 실패한다고요? 이 분야에서 선생을 '위대한 스카겐' 선생님이라고 부르며, 전설적인 인물인 양 그렇게 묘사하고 있는데도 그렇습니까?"

"비행기 태우지 마시오. 나에게도 예측 불가능한 일이 일어날 수 있지요."

"그런 일이 일어나지 않도록 모든 일을 사전에 용의주도하게 처리하면 되지 않소. 그리고 어떤 일이 일어나더라도, 클레버 그놈을 프랑스로 데리고 와야 합니다."

"산 채로?"

내 질문에 당황한 듯 얼른 답변하지 않다가, 잠시 내 눈을 쳐다보더니 혼자 생각에 잠긴 채

"야당은 정부 측에게 클레버 사건에 관해 사사건건 물고 늘어졌었지. 그 돌파구로서 정부 당국은 몇 주일 동안이나 텔레비전에 출연해서 대국민 홍보 방송을 했지. 내무부 장관은, 처음에 프랑스 전역에 사는 가정마다 클레버를 법정에 세우기보다 가장 '고상한 방법'으로써 클레버에 대한 항의 표시로 국민운동을 전개하도록 계획을 만들었지. 그가 알제리에서 죄를 저질렀기 때문에 알제리로 그를

보내야 하며, 그렇게 되면 아랍 동맹 측에서 호의적인 반응을 보일 테니까.”

“올리브. 올리브… 그리고 가스, 가스라! …” 웃음이 다 나온다.

“그렇소. 또 이 일이 성사되면 프랑스 연방 국가 또한 지지를 보낼 거요. 그 당시에 희생된 가족들도 정부에게 사의를 표하게 됨은 두말할 것도 없지요.”

“그리고 정부 당국도 검사 선생님께 감사를 표하게 되겠지요.”

“스카겐 선생, 물론, 물론이고 말고요. 그러나 저는 선생님과 선생님의 동지들에게 감사해야 하지요.”

“국고금으로 사용해도.”

“선생과는 별개의 문제죠.”

다시 원점으로 돌아와서 “좋소. 그럼 그놈을 산 채로 데리고 오면 되지요?”

“선생께서 성공하신다면, 아니 성공하고 말고요. 그러나 선생 손아귀에 그놈이 있더라도, 그놈의 옛 동지들이 그놈을 석방하려고 온갖 방해 공작도 있을 수 있으며, 또 어떤 외국 고위층과 얽히고설키는 위험에 처할지도 모르는 일입니다. 그때에는… .”

목에 손가락을 갖다 대면서 “선생께서 스스로 방법을 찾으십시오.” 라고 말을 맺는다. 자결하라는 말이지.

농담조로 “당신은 정말로 대단한 사람이군요.”

우리 두 사람은 마치 한 우리에 갇힌 범 두 마리가 왔다 갔다 하듯이 방 안을 어슬렁거리고 있었다.

“비용은 일만 프랑이요.”

“언제 주겠소?”

“당장 드리겠소.” 안 주머니에서 지폐뭉치를 끄집어낸다. 그래 맞아. 이 친구는 우리 두 사람 거래가 성사될 것을 미리 알고 만반의 준비를 해서 여기에 왔어. 돈다발을 책상 위에 올려 놓아두지만, 나는 이 돈의 액수를 확인하지 않았다. 게라디와 스카겐처럼 이런 부류의 사람들은 백 프랑 혹은 이백 프랑 때문에 서로 불신하는 그런 사나이들이 아니다.

"그런데 몇 가지 전제 조건이 있소."

"본인 또한 그렇소. 먼저 선생께서 말씀하시오."

"제가 필요한 사람을 직접 고르겠소. 만약 내가 고른 애 중에서 여권 기간이 만료될 때 검사께서 이 일을 처리해 주시고, 당신이 어떻게 생각하더라도 저는 정직하고 유능한 전직 경찰관 출신이나 경호원 그리고 그와 유사한 업종에 있으면서 하늘을 쳐다보아도 한 점 부끄러운 일이 없는 그런 사람하고만 일할 거요? 그런 친구에게는 많은 보수를 지급해야 하지요. 부언하자면, 그 친구들은 두뇌 회전이 굉장히 빠르죠. 우리끼리 만난 지 한 일, 이년이 지났기 때문에, 그들 중 몇 명은 아마 최신 정보를 제공해 줄지 누가 압니까? 안 그렇소? 검사께서는 그런 애들이 마음에 안 들더라도 저는 조금 쓸모 있는 사람, 용병, 깡패 심지어 청부살인업자조차도 팀을 구성해서 클레버 녀석을 잡으러 떠나야 할 형편입니다. 존경하는 검사 나리, 또 내가 자는 동안 그 어느 녀석도 내 울대뼈를 못 자르게 나를 주야로 감시하는 애들 한두 명이 필요하고요."

"좋소, 선생께서 하고 싶은 대로 다 하시오."

"그렇게 하겠소. 참! 한 가지 청이 더 있소. 이 일을 할 동안 전화 걸 수 있도록 전화번호 한 개를 저에게 주시오. 아마 그것이 긴요하게 쓰일 수 있을 테니까요."

"더 필요한 것은 없소?"

"그렇소."

"잘 알겠소. 그럼 내 조건도 말하겠소. 이 일은 절대로 다른 사람한테 알려주면 안 되오. 심지어 선생 애들한테도 목적지가 어딘지, 무슨 일 때문에 가는지 절대로 알려 주어서는 안 되오. 마지막 단계에서만 선생님의 애들에게 알려 주시오. 만약 그 임무를 수행하다가 선생이 체포될 때 우리 정부나 저는 당신과는 아무런 관계가 없다고 딱 시치미를 떼시오.”

“당연하고 말고요.” 두 사람은 서로 탐색전에 들어갔다.

“그리고 보니 선결문제가 하나 더 있군요. 지금 가까운 곳에서 검사님을 기다리고 있는 그 친구인데. 우리가 이야기하고 있는 것에 대해서 알고 있는지요?”

“그렇소. 그러나 그 친구는 확실히 믿을 만하오.”

“검사께서는 그렇게 쉽게 말씀하지만…. 그럼 벌써 이 일에 대해서 세 사람이나 알고 있다는 사실에 신경 쓰이는군요.”

“그 친구도 선생과 함께 갈 거요.”

“뭐, 뭐라고요?” 나는 갑자기 뒤통수를 한 대 얻어맞은 기분이었다. “그럼 그 친구도 어느 정도 쓸만합니까?”

게라디가 쓴웃음을 지으면서

“그 친구는 클레버 녀석을 너무나 잘 알기 때문에 선생에게는 꼭 필요한 친구이지요. 옛날에 클레버 녀석이 성형수술을 해서 얼굴 모양을 딴 사람으로 바꿔도 이 친구는 그놈을 귀신같이 찾아냈지요.”

“좋소. 검사께서 정 그러하니 그 친구도 함께 가도록 하겠소. 그래도 클레버 녀석 사진 몇 장이 필요하오.”

“적당한 시기에 선생께서는 그 사진을 받게 될 거요.”

“출발 시기는 언제입니까?”

“선생께서 필요한 사람을 모집하는데 스물네 시간 드리리다.”

“시간이 너무 촉박한데요.”

“그만한 시간이면 충분하오.”

두 사람은 서로 신경전을 벌이고 있다가, 게라디 검사는 문에 다가가면서

“내일 같은 시간에 여기를 다시 찾아오겠소. 스카겐 선생, 모레 아침에 그 일을 시작하는 거로 아시오!”

“오늘 저녁에 필요한 애들을 찾기 위해 전화 걸 작정이니 그 일은 이미 시작된 거나 다름이 없소.”

그 대답에 검사는 잠시 멈춰서 나를 쳐다보고는 작별인사도 하지 않고 떠난다. 나는 문을 조심스럽게 닫고는 전화기 옆에 가서 앉았다.

내일 오전까지 나는 작전 계획을 짜야 하겠구나.

창밖을 쳐다보니 차량 물결이 복잡한 도로에서 달리고 있고, 행인들이 가기도 하고 서기도 하는구나. 내 사무실 진열장을 쳐다보는 사람이 없구나. 그곳에는 단지 여러 가지 광고 종이만 보인다. - 유럽 - 아프리카 직업소개소 - 라고 적혀 있는 글자가 사람을 꼬드기고 있구나. 요즈음 실업자 몇 명이 띄엄띄엄 내 사무실을 찾아왔지. 내 여비서가 주로 그 일을 처리했지. 마리는 공손하지만, 결정은 하지 않지. 우리 사무실에서 무슨 일을 하는지 그 내용을 속속들이 잘 알지. 우리의 진짜 고객한테는 주소나 전화번호를 친절하게 가르쳐 주지. 때때로 세계 곳곳에서 온 '애들도' 소식을 전해주기도 하지. 다카로, 리오, 런던, 마르세유에서 온 '폭력배' 애들로부터 전화가 걸려오지만, 탕헤르, 홍콩, 베이루트에서도 전화호출이 왔지. 이 친구에게는 안부만 묻고 전화를 끊고서 생각해보니 내가 사는 이 도시에도 몇 명이 있다는 계산이 나오는군. 저녁때 나는 술집에서 혹은 계집질하다가 몸도 돈도 모두 탕진한 애들 몇 명을 기다리고 있었지. 요즈음 그들 중 몇 명은 은행 돈을 호송하는 일에 종사하거나, 부자의 개인 경호원으로 채용되었고, 심지어는 글쎄 경찰관이 되어 있는 애들도 있지. 예감이 좋지 않다.

마리가 "사장님, 뜻대로 일이 잘 되어 가십니까?" 내가 수십 번 즐겁게 애무했던 그녀의 블라우스 밑에 있는 하얀 피부를 훔쳐보았지만, 지금은 여기에 신경 쓸 겨를이 없다. 시간은 흘러 벌써 열 시다. 한 녀석이 모습을 보인다. 그 사이에 마리는 또 다른 애들에게 전화를 건다. 방문자를 데리고 내 방으로 들어간다.

"데니, 자네 한 건 했지. 맞지? 우리 맞는지 내기할까?"

루버는 항상 내 기분을 맞춰 주지. 키는 보통 정도이며, 나보다 몇 살 아래지만, 우락부락한 사나이지. 불그스름한 머리칼이 군데군데 삐져나오고 있구나. 정권으로 단련된 주먹으로 붉은 벽돌도 두 동강 낼 수 있는 그런 괴력의 사나이지. 맨 처음 아프리카에서 이 친구를 만났고 그 당시에 우리 두 사람은 모처의 경호원이었지. 더 정확하게 이야기하자면, 업무상 국가 이름을 밝힐 수 없지만, '요즈음 그곳에서 태풍이 자주 발생하는 나라이다' 라는 것만은 말할 수 있지. 나중에 우리는 서로 헤어졌지만, 루버가 파리에 올 때는 늘 나한테 놀러 왔지. 때마침 이 친구가 내 사무실을 찾아오자 늘 하는 방식대로 악수하면서

"루버, 갑자기 하늘에서 수만 프랑이 굴러들어왔어. 단지 팔 일 혹은 십 일만 일하면 되네."

"자네에게 미리 말해 주지만, 나는 다음 주일 아프리카로 갈 걸세."

"그렇게 해야만 되네. 이 일은 진짜 전문가들만 할 수 있는 일로서 속전속결로 처리해야 하는 일이지."

"장소는?"

"차차 알게 될걸세. 유럽은 아니다는 사실은 확실해. 자네도 가겠나?"

"데니, 자네도 물론 가겠지?"

"그렇고 말고, 내가 대장이지."

파안대소하면서 "좋지, 데니! 그럼 나도 갈 거다."

특별하게 이 녀석은 내 마음에 안 들지만, 나를 따르는 것과 천성이 착한 것이 내 마음에 들었다. 내가 이 친구를 믿는다는 그 자체가 우리 조직에서는 매우 큰 힘이 되지. 이런 믿음이야말로 우리 조직세계에서 살아갈 가치를 가끔 일깨워주곤 하지.

"밤 열 시에 메리디안 호텔 술집에 가 있게. 내일 아침을 대비해서, 자네는 그 호텔에다 방을 예약하게."

"대장, 그러면 방값은 어떻게 하고…."

내가 돈을 주자, 이 친구는 돈에 목말라하는 사람처럼 돈을 숨기

고선 작별인사한 뒤 떠났다. 사무실에 다시 들어가자마자

"어이, 마리, 다른 소식은 없어요?"

"브랑코가 곧 올 것입니다."

브랑코! 내가 이 친구를 너무나 잘 알지. 내가 이 친구만 설득시키면, 이 일은 벌써 성공한 거나 다름없지. 루버, 브랑코 노 게라니가 언급한 그놈, 나 모두 합하면 네 명이 되는군. 네 명 중 확실히 세 명은 겁이 없는 친구들이지. 오전에 다소 소심하며 주근깨가 있고 젖비린내 나는 애송이 영국인 두 명이 왔는데, 그중 한 녀석은 왼손잡이였다. 얘기를 들어본즉슨, 부모님 집이나 협소한 갈리지에 숨어 있더라도 멀리서 귀신같이 찾아낼 수 있으며, 비록 나이는 많지 않지만, 가지고 있는 여권도 보여주는데, 한마디로 말해서 아직도 세상에 때 묻지 않은 천진난만한 애들이다. 얘기를 듣다 보니 이 애송이 녀석들은 경호원에 대해서, 특수테러진압부대 이야기며, 용병 또 '용맹한 자의 전투' 따위에 관한 책을 읽거나 귀동냥으로 알고 있었다나…. 이 분야에 내 이름이 알려져서, 이 친구들이 아무 데서나 내 분야와 비슷한 곳을 물어보니 이쪽으로 가르쳐 주어서 왔노라고 한다. 내가 이 친구들과 '면담'을 하면서, 이 친구들은 첫 전투가 시작되면 한번 따끔한 맛을 꼭 보게 되겠군. 내 앞에 서 있는 꼬락서니가 집 잃은 갈매기 두 마리 같다. 수중에 일전 한 푼이 없는 처지여서 가능한 아프리카로 떠나고 싶지만, 싸움할 수 있는 곳이라면 어디라도 가고 싶다고 나한테 선생님이라면서 통 사정을 한다.

"마리, 이 두 분께 마실 것 좀 갖다 드리고, 잠시 기다리도록 하시오."

그 방에서 나와서 페르난데스에게 전화를 걸었다. 그래 맞아, 우리 두 사람은 맞수이지. 이 친구 역시 나처럼 유사한 '전문가 집단 중개 사무소' 사장이며, 여기서 수천 킬로미터 떨어진 센강 어떤 해안가에 살고 있지. 우리는 주로 사무적인 말만 하지. 나, 데니 스카겐은 천지에 무서워하는 놈이 없는데, 페르난데스 그놈 같은 녀석

은 좀 다르지. 차라리 내게 겁주는 녀석은 광신적인 정치 집단이지. 아르메니아 비밀부대, 바스크족, 시아파, 다히하도, 이란인, 쿠르드족 따위이지. 이런 집단에서 언젠가 자기 소신을 밝힌다면 '우리들의 임무는 적에게 대항해서 언제든지 폭탄을 던질 수 있다' 라고 하겠지. 나는 그런 놈과 원수진 일은 없었으므로, 나와 마리가 근무하고 있는 내 사무실에 폭탄을 던져서 날아가게 하지는 않겠지만, 만약 그 반대라면 몇 분도 채 안 되어서 우리 두 사람은 몰살되겠지. 그런 일을 대비코자 내 거주지를 절대로 남에게 알려주지 않았지. 또 매일 매일 나는 다른 길을 옮겨 가면서 집으로 가지. 언젠가 내가 경호 대장이 되어서, 그때도 대도시 도로 한가운데 서서 대통령의 경호 차량을 인솔할 때처럼 말이야. 페르난데스는 테러리스트가 아니고 또 정치에 관여하지 않는 인물이지. 그래서 우리 두 사람은 몇 차례 함께 저녁을 하면서 필요한 정보교환을 하곤 했지….

"안녕하십니까? 스카겐입니다."

"안녕하시오. 데니! 뭐 좋은 소식이라도 있소?"

"당신이 필요로 하는 애들 두 놈이나 여기 있소."

"제기랄, 당신은 신수가 훤한 모양인데?"

"무슨 말씀을. 공짜로 애들 두 명을 당신에게 줄 수가 없소."

페르난데스가 벌써 알고 있다는 듯이 "나도 벌써 감 잡았소."

사실 우리 두 사람은 오래전부터 서로 잘 아는 사이였다. 우리 두 사람은 이십여 년 전 잠베지 해안가에서 처음 만났지.

"두 녀석 다 프랑스 애요?"

"둘 다 영국 애들이지요. 열대 지방에 보내기에 안성맞춤이지요…. 아시아에 있는 당신 고객에게서 받는 보수만큼, 그만큼 받을 수 있는 그 분야의 전문가들이지요."

"당신의 요구조건은 무엇인지 말해 보시오."

"열흘 동안 쓸 수 있는 진짜 전문가 한 명이면 족하오. 그놈이 죽지 않는다면, 나중에 되돌려주겠소."

"데니, 그럼 당신 혼자만 소풍 가신다고, 거 참 군침이 당기는데!"

"떡 줄 사람은 꿈도 안 꾸는데, 미리 김칫국을 마실 수 없지 않소. 내가 빨리 되돌아와야 당신은 나 같은 맞수와 싸울 수 있지 않소. 당신께서 적당하게 애 한 놈 물색해 주시오."

"틀림없이 내가 찾아주겠소. 참 데니, 영국 애 두 놈은 어떻소?"

"백 년 전 백작 부인처럼 순하고 별도 하나 없소. 당신은 미키마우스 군대가 보르네오섬 상륙작전에 투입되어 적과 전투한 이야기를 이 녀석에게 물어보면 될 거요…."

"좋소. 데니, 삼십 분 지나서 나는 우리 애들 데리고 당신한테 가도록 하겠소."

"그럼 그때 봅시다."

나는 사무실에서 아직도 나를 기다리고 있는 이 영국 애 2명에게 위스키 두 잔을 갖다 주라고 마리에게 부탁하면서, 나는 조금 있으면 당신 두 사람은 진짜 용병이 되기 위해서 계약서에 서명해야 한다고 이 친구들에게 기쁜 소식을 전하자, 좋아서 어쩔 줄 모른다. 마리가 나를 쳐다보면서 "그래, 맞아요. 일상생활에서 도박이 삶의 활력소가 된다는 것을 모두 스스로 터득하지요."

반 시간이 지날 무렵 페르난데스가 탄 자동차가 내 사무실 앞에 멈춘다. 작은 물체 뒤에서, 약간 갈색 피부인 것 같은 남자가 느릿느릿하게 차에서 나오는데, 굉장히 신중한 녀석이다. 페르난데스가 차 문을 닫기도 전에 이 녀석은 모든 주변을 살핀다. 내가 보건대, 그 동작은 무의식적이며 본능에서 나오는데, 이 녀석은 진짜 전문가가 틀림없다. 확실히 용의주도한 놈이구나. 내가 진열장 창문을 통해 그 녀석을 쳐다보는 이 짧은 순간에도, 우리끼리 서로서로 쳐다보기 위해서, 이 친구 또한 나를 쳐다보았을 것이다. 조금 지나서 페르난데스 뒤에서 같이 들어온다.

"어이, 데니… 여기는 파드로니."

악수해 보니 단단하고 패기에 차 있었다. 나는 페르난데스를 영국애한테 데리고 갈 동안, 마리는 파드로니를 내 방으로 안내했다.

나는 그사이에 페르난데스에게 "그 친구 이탈리아인 맞소?"

"헛다리 짚었어. 시칠리아 사람이야."

파드로니는 아주 강하게 이탈리아 남부 억양으로 말을 하는데, 듣는 편이 더 낫다는 식으로 말은 별로 하지 않았다. 시칠리섬 사람들은 입 다무는 데는 선수인 것 같다. 우리 두 사람은 일반적으로 이야기만 주로 했다.

파드로니가 "이 순간부터 저는 자유의 몸입니다. 이 일을 하면 얼마 주십니까?"

"한 사람마다 최소한 만 프랑입니다. 더 많이 줄 수도 있습니다. 당신이 필요하다면, 당신 친구도 함께 일할 수 있게 해 드릴 수 있습니다."

잠시 생각하더니

"선생님께서는 두려움을 모르고 또 무기를 잘 다루는 그런 사람이 필요하시겠지요?"

"물론이죠."

"그 사람 역시 제가 받는 만큼 똑같이 주십니까?"

"우리는 모두 똑같이 나눌 것입니다."

그러자 이 친구는 어디론가 전화를 건다.

오후에 프랑코가 왔다. 내가 그의 환한 미소를 보자마자. 모든 일이 잘될 것 같았다. 이 일에 대해 전혀 아는 바가 없더라도 이 친구라면 기상천외한 체포조를 만들 테지. 그렇게 되면 만사태평이 되고 말고, 심지어 내가 필요한 인원수를 다 채우지 못하더라도

브랑코는 벌써 몇 번이나 파리에 있는 내 사무실을 찾아오곤 했지. 이 친구는 자기 집처럼 내 서랍에서 술병을 꺼내더니 한 잔을 가득 채우면서

"데니, 내가 요즈음 얼마나 술을 마시고 싶은지 자네는 내 심정을 모를 거야."

"그래, 쭉 마시게. 지금은 마음대로 마실 수 있으나, 내일 아침에는 술주정 부리면 곤란하네."

"그건 그렇고, 도대체 무슨 일인데?"

나는 이 친구를 믿지만 지금 이 친구에게도 더 말해 줄 수가 없어서 "저녁때쯤 자네는 차차 알게 될 걸세." 그리고는 나는 이 친구한테 메리디안 호텔로 가 있도록 했다. 조금 지나서 파드로니가 친구 한 명을 데리고 왔다. 이 시칠리아 녀석은 키 크고, 깡 마른 체구에다 검은 머리카락을 휘날리며, 짧게 콧수염을 기르고 있는 머베이라는 사나이와 함께 들어온다. 들어오자마자 나는 머베이라는 친구에게 몇 가지 물어봤다. 그러자 사진 몇 장을 나한테 보여주며, 내가 잘 알고 있는 애들과 함께 지금 이 순간까지 수단, 차드 그리고 오만에서 일했단다. 파드로니 이야기는, 머베이 이 친구는 사나이 중 사나이가 틀림없다고 어머니 이름을 걸고서 맹세할 수 있단다. 그러나 머베이 이력서는 파란만장한 경력의 소유자였다. 자기 스스로 터키인이라고 주장하지만, 여권을 살펴보니 레바논에서 발급받았다. 나는 이 두 사람 모두 메리디안 호텔로 가 있으라고 했지. 그때부터 나는 이 일 때문에 동분서주하고 있었지. 게라디가 왜 이 일이 새어나가는 것을 두려워할까. 그래서 해답을 찾아보니 : 클레버 그 녀석은 돈을 많이 챙겨서 숨어 있을 테고, 또 그 녀석 주변에는 개인 경호원들이 상당히 우글거리겠구나. 그 녀석은 경호원을 몇 놈이나 거느리고 있을까? 여섯 명 정도 된다면, 다시 말해서 우리 측에서도 최소한 여섯 명 정도는 되어야 하겠구나. 그 외에도 참 게라디가 이 일에 강제로 합류시킨 낯선 그놈이 영 내 마음에 안 드는데. 이용가치가 별로 없는 그 젊은 놈이 우리 일을 망칠지 그 누가 장담하겠나. 점심을 느지막이 먹고서 내가 사무실에 다시 들어오는데, 마리가 나한테 이야기하길

"공항에서 전화 건다고 하면서 일자리 하나 알아보고자 어떤 사람한테서 연락이 왔습니다. 그 사람은 지금 프레토리오에서 비행기 타고 공항에 도착했는데, 내용을 들어보니 돈이 아주 필요한 모양입니다."

"그 사람 이름은 모르오?"

"모르겠습니다. 제가 지금까지 그런 목소리는 처음 들어보았습니다. 참 이쪽으로 곧 도착한다고 했습니다."

시간이 좀 지나니 모든 것이 조용하다. 마리는 담배 동냥을 하러 온 모로코 문전걸식 노동자 몇 명을 쫓아내고 있었다. 더 지원자는 없어, 아니면 곤잘레스가 자기 조직을 위해 이 친구를 중간에 채어 가겠지 하는데, 그때 택시가 내 사무실 앞에 찌-익 소리를 내면서 급하게 정지한다. 차에 탄 손님은 보이지 않고, 운전석에서 스물 다섯 살 정도 보이며, 말쑥하게 차려입은 젊은 녀석이 나오더니 내 사무실로 들어온다. 발걸음 소리만 들어봐도 우리 조직에 있는 애들이 틀림없다.

토론토 발음으로 "스카겐 선생님 계십니까?"

솔방울만큼 큰 푸른 눈동자며, 매우 착해 보이는 얼굴이구나. 시원스럽게 차려입은 와이셔츠, 몸에 딱 맞는 양복, 왼손에 밝은 색상의 외투를 걸치고….

"그렇습니다. 제가 스카겐입니다. 선생님께서는 택시기사입니까?"

"아닙니다. 제가 공항에서 택시를 훔친 것입니다."

"그럼 무엇 때문에 선생께서는 훔친 택시를 제 사무실 앞에 갖다 버리십니까?"

"적당한 장소가 없어서 그러니 절 너그럽게 용서해 주십시오."

"하여튼, 들어오시오." 나는 이 친구를 내 방으로 안내했다.

"비행기에서 내려 파리 시내를 여행하려고 했는데 수중에는 동전

한 닢이 없었습니다. 예의에 벗어나는 줄 알지만, 전화상으로 초면인 선생님께 얼마 정도 돈을 꾸어 쓸까 하는 중…

"선생님께서는 처세술에 능한 것 같은데, 무일푼이라니 이해가 잘 안 되는군요?"

"단도직입적으로 말씀드리겠습니다. 지난수 어떤 녀석이 애를 열두 명으로 단체를 만들었습니다. 우리는 아프리카에서 교관이 된다고 호언장담을 했지요. 이 말에 약간 의심하였지만, 그래 좋다. 그러나 아프리카 정부군은 교관을 텍사스 개인 탐정 사무소에 의뢰하지 않았습니다. 그러나 많은 선금을 미리 받았기 때문에, 우리 일행 모두는 **프레토리오**로 이동했습니다. 우리가 도착하자 텍사스 사람이 운영하는 그 사무실에 폭탄이 떨어져서 사장과 사무실은 공중분해 되었지요. 그래서 저는 파리까지만 올 수 있는 비행기 삯만 가지고 있었답니다. 그러는 순간에 텍사스에 있는 어떤 애가 선생님의 주소를 저에게 가르쳐주길래…."

"자네 이름은?"

"**모리슨**입니다. 그러나 모두가 저한테 **'알렉스'** 라고 부릅니다."

"좋아, 알렉스. 자네가 전투했던 장소는?"

"엘네뇨에서 두 달, 그 전에는 모리나에서 약 일 년 동안 일했습니다."

"지휘관들은?"

"'프레네자 믹크' 또 '바르바 프레디' 입니다."

"자네 일하고 싶은가?"

주저 없이 "예, 일자리 때문에 제가 여기 왔습니다." 하면서 천진난만한 표정으로 나를 쳐다본다. 나는 이놈보다 더 거짓말 잘하고 처세술이 능한 녀석은 이 파리 시내에 없다는 결론을 오후 내내 하면서, 그래 우리 일을 완수하기 위해서는 이런 애들도 이용가치가 있을 테니까.

그 날 저녁에 게라디는 일 초 오차도 없이 정확하게 시간을 맞춰 나를 다시 찾아왔다. 그를 안으로 들어오게 하면서 복도를 살펴보니 개미 새끼 한 마리 없다.

“혼자 오셨소?”

“그렇습니다.”

“그리고 참, 젊은 그 친구, 이름이 무엇입니까?”

“오늘 점심 무렵, 그 친구는 벌써 그 임무 때문에 목적지를 향해 비행기 타고 떠났소. 외교관 여권을 휴대한 채, 어디든지 세관원이 함부로 열 수 없는 커다란 외교 행낭 두 개도 가지고 떠났지요.”

“검사 나리, 당신이 정말로 용의주도한 사람이라는 것을 비로소 처음 알았소.”

“아시다시피, 저는 이 일을 성공시키기 위해서 만반의 준비를 해야 하는 것은 당연하지요. 참, 선생께서는?”

나는 지금까지 일어난 일에 대해서 이 검사에게 설명해 주었지. 지금 게라디는 마르틴 반 잔을 쭉 다 마시고서.

“스카겐 선생, 선생 의도대로 그만큼 애들을 모았다는데, 저는 반대하지는 않소. 결국, 선생이 진짜로 지휘관이 된 셈이군요. 내일 아침에 출발하도록 하십시오.”

자기 사무실에 전화해 달라고 나한테 부탁한다. 이 친구는 누구하고 상의하는지 나는 전혀 모르는 일이다. 하지만 패기 찬 목소리로 봐서는 오늘 아침에 떠났다는 그 녀석한테 어디선가 서로 연락을 주고받고 있는 것만은 틀림없다. 지체 말고 내일 아침에 출발할 수 있도록 비행기 표 6장을 예매해 놓으라고 한다. 그러고는 안락의자 곁으로 다시 오면서 말을 계속하는데 :

“선생께서 타고 갈 비행기는 10시 20분발 **오를리** 항공이 될 것입니다. 3시간 30분이면 선생께서는 목적지 상공에 있게 됩니다.”

“무슨 뜻입니까?”

“**바린고스** 섬 공중이죠. 또 수도라고도 하지요. 선생께서는 그 섬에 체류한 적이 있습니까?"

"아직 한 번도 그곳에 가본 적이 없습니다만, 그 섬이 있다는 것을 알고 있지요. 그다지 큰 섬은 아니지만, 카리브해 쪽에 붙어있는 옛날 영국 식민지이지요."

"클레버 그놈이 그곳에 숨어 지내지요. 수민 모두 흑인종이며, 산업은 초기 단계며, 주로 커피나 사탕수수를 생산하며, 또 고기 잡는 일에도 종사하지요. 많은 관광객이 그곳을 방문하기 때문에, 내 짐작으로는 선생 같은 사람들을 관심 있게 살피지는 않지요."

"저도 동감입니다. 그런데, 어디에서 우리는 오늘 아침에 떠난 그 친구를 만나게 됩니까?"

"공항에서 선생 일행을 마중할 것입니다. 벌써 선생님의 얼굴은 아니까요."

"비용 관계는?"

게라디가 호주머니에 손을 집어넣어 지폐 다발을 꺼내 그것을 책상 위에 놓으면서

"이 돈이면 일주일은 충분히 지낼 거요. 내 동료도 돈을 가지고 있소. 선생께서는 오를리행 비행기 표를 내일 아침에 받게 되는데, 그것은 프랑스 항공 12번 창구에서 선생님의 성함이 적혀 있는 봉투 속에 들어있을 것입니다. 저 역시 그곳에 가 있을 것입니다."

"당신은 우리가 비행기 타는 것조차 확인합니까?"

심각한 표정을 지으면서 고개를 끄덕거린다.

"스카겐 선생, 이 일을 하기 위해서 우리는 많은 예산을 투자했소. 선생께서 하시는 일은 우리가 일거수일투족 알아내더라도 놀라지는 마시오. 사적으로 말하자면 제 목숨이 걸린 문제입니다."

"아마 당신이 어떤 일을 하는지 당신만 아실 테니까."

"저야 물론 알고 있지요."

매몰차고 결의에 찬 목소리다. 이 점에 관해서 나는 더 물을 필요조차 없지.

밤하늘이 유별나게 아름답구나. 네온 가로등이 **에뜨왈리** 창공을 비추는 그곳에서 별 서너 개가 반짝이고 있네. 따뜻한 여름 날씨 가운데 우리 두 사람은 서 있었지. 음식점을 나온 뒤, 나는 마리한테 작별인사를 하면서

마리한테 입맞춤해 달라고 하면서 "잘 있어."

"저한테 신경 쓰지 마세요. 사장님께서는 목적지가 어딘지 저한테까지 숨길 필요가 있겠습니까?"

"말 못 할 사정이 있소. 누가 나를 찾거든 **마롤카**에 여름휴가 떠났다고 그렇게 전해주시오. 그럼, 나중에 또 봅시다."

**메리디안** 호텔 술집에는 손님이 별로 없었다. 알렉스 모리슨 녀석은 종업원 여자를 꼬드기고 있고, 한마디 말도 하지 않고 술잔 두 개만 놓여 있는 탁자 앞에 **파드로니**와 **머베이**가 앉아 있다. 죽마고우인 **브랑코**와 **루버**는 최근에 겪은 자신들의 경험담을 서로서로 주고받으면서 담소의 꽃을 피우고 있다. 이 친구들은 휘황찬란하게 비치는 조명등이 흔들리도록 파안대소한다.

"어이 친구들 내가 돈을 지급했으니까, 날 따라서 오게!"

알렉스는 아쉽지만, 종업원 여자와 멀어져야 한다. 이 친구 모두를 내 방으로 안내하면서

"겁 없는 친구들. 자 모두 앉게… 내가 아는 데까지만 전해주겠소. 술 먹는 것은 좋은데, 내일 아침에는 전부 맨정신으로 여기 머물게. 우리는 정각 7시 공항으로 떠날걸세." 브랑코가 "목적지는 어디고?"

"멀리 있는 곳"

알렉스 녀석이 짓궂게 웃으면서 "이것이야말로 진짜 정보다."

아직도 몇몇 녀석들은 서로서로 못 믿어 경계의 눈초리를 번득거린다. 이 친구들은 한 시간 전만 해도 술집에서 서로 마주 보고 있다가 지금에 와서야 이들 모두 한배에 탄 선원이라는 것을 알았지.

알렉스 녀석은 이 모험에 참여하는 것이 신바람 나는 것 같다. 과거지사는 잊어버리고 현재 돈 몇 푼 받을 수 있다는 사실에 그저 싱글벙글거린다. 또 이런 조직의 사람들과 어울리는 것 자체가 자기 생활에 커다란 활력소가 된다고 믿는지도 모르겠다. 그 외 녀석들은 오직 돈벌이 때문에 내 제안에 동의했겠지. 예를 들어 파드로니 같은 친구는.

시칠리아 인답게 딱 부러지게 "보수는 얼마나 주실 작정입니까?"

"총금액은 모두 십만 프랑이오. 우리 임무가 성공될 경우, 총금액에서 똑같이 나누게 될 거요."

머베이가 놀라면서 "한 사람에게 최소한 만 프랑이네, 단지 일주일만 일하고도?"

내가 이 일을 아는 것처럼 다소 모호하게 "어떤 말 못 할 사정 때문에 신속히 이 일을 진행해야 합니다." 그러나 이 친구들은 내가 주의하라고 하는 말에는 아랑곳하지 않고, 오직 눈앞에 어른거리는 만 프랑이나 되는 지폐 뭉치만 생각한다. 머베이가 내 무릎을 '탁' 치면서 "데니, 그만큼 큰 액수라면 지구 끝까지라도 자네를 따라가겠네!"

다음 날 아침 우리 일행 모두 오를리 공항으로 출발했다. 게라디는 거짓말을 하지 않았다. 프랑스 항공 12번 창구에서 나는 비행기표 6장을 받았는데; 봉투에 내 이름이 적혀 있어서 그것을 받기 위해 서명을 해 주었다. 우리 조직에서 잔뼈가 굵은 애들은 누가 시키지 않아도 스스로 창구 곁에 줄 서고 있었지. 짐보따리가 없는 우리를 보고 사람들이 조금 의아해한다. 이 조직에서 아주 옛날에 사귄 브랑코만 유독 열대지방에서 입을 수 있는 옷 몇 벌만 챙겨 가방에 넣고 있었지. 그래, 맞아. 카리브 지역은 열대 기후가 아니잖아. 그러므로 여행객들이 그곳에서 득시글거리지. 브랑코, 루버 그리고 나는 여권에 아무런 문제가 없어서 검사대를 무사히 통과했고, 심지어 파르도니도 제복을 입은 세관원이 파르도니 여권을 살피고선 의아해 하면서도 그를 통과시켜 주었다. 나중에 내가 놀란 사실이 하나 있는데, 그것은 이 이탈리아 여권에는 자기가 모시는 주인과 함께 수십 개국을 여행한 사실이 이 여권에 기재되어 있는 것이지. 이 직인에서 세관원들은 아주 멀리 떨어진, 미수교 나라에서 적혀진, 알아볼 수 없는 글자며, 지도상에 나타나지 않는 나라라는 것조차 사실 눈치채고 있었지. 플라스틱 손지갑에 들어있는 파드로니 여권에는 열대지방, 채석장, 전선, 사막을 여행한 기록이 적혀 있고, 불바다, 무기고 폭파, 수많은 전투 따위가 이 여권에 내포되어 있었지.

검사관 몇 명이 알렉스한테 몇 가지 질문하자. 이 녀석의 천진난만한 푸른 눈동자를 보더니 그냥 통과시킨다. 이 검사관들은 유독 머베이가 수상쩍어서 이 친구 몸수색을 하려고 두 번씩이나 적외선 검사대를 통과시키고 결국, 발밑에 숨겨 놓은 단도를 찾아낸다. '만약을 대비해서' 머베이는 자나 깨나 이 단도를 발밑에 숨겨 놓는다는 것을 나는 나중에 알게 되었지. 그런데 일이 잘 안 풀리려고 이 친구 여권조차 검사관한테 의심을 받고 있다. 발밑에 숨겨 놓은 단도 때문에 이 친구를 테러리스트로 생각하는 모양이다. 이 찰라. 경보기가 울린다.

그때 나는 게라디를 발견했다. 그는 정복을 입고 있는 장교 옆, 유리 벽 뒤쪽에서 우리하고 별로 멀지 않는 곳에 서 있었다. 검사가 두 마디만 이야기하자, 옆에 있는 장교가 검사관 여러 명이 있는 곳으로 가더니 귓속말로 "머베이를 통과시켜라." 내가 이 일을 처리한 것으로 생각했는지 터키인은 나보고 빙그레 웃는다. 부하들이 자기 대장이 능력이 있고 발바닥이 넓다는 것은 이 애들한테 득이 있으면 있지 그리 해될 것 같지 않아서 머베이한테 사실을 말해 줄 필요가 없었다.

비행기에 탑승하기 위해 복도를 가기 전, 잠시 나는 뒤를 돌아다보니, 게라디 검사는 아직도 유리 벽 뒤에 숨어있었다. '성공' 이라는 V자 모양을 나타내는 손가락 2개를 그가 추어올리는 것을 나는 어렴풋이 알아볼 수가 있었지. 나는 고개만 끄덕거리고는 애들 뒤에서 걸어갔지.

## 2. 전투

바린고스는 삼복더위다. 와이셔츠가 등에 찰싹 들러붙어서 떨어지지 않을 만큼, 그처럼 날씨가 덥다. 원주민조차도 일사병에 걸려 의식을 잃을 만큼 더운 날씨 때문에, 우리가 탄 비행기는 정확하게 점심시간 무렵에 착륙했다. 이 비행기 탑승객은 350명이 되지만 모두 더위에 주눅이 들고 세관원들도 오수에 젖어 있으며, 업무를 기계적으로 처리하고, 관광객한테는 무표정으로 일관한다. 머베이의 수상쩍은 여권조차도 여기에서는 무사통과다. 그런 식으로 우리 일행은 신속하게 검사대를 통과했다. 맞이방에 도착해서 나는 주위를 두리번거리며 살펴보았다. 곳곳에 울긋불긋한 옷을 입고 있는 관광객들이 넘쳐 흐른다. 나도 격자무늬가 수 놓인 와이셔츠를 입고 있어서 이 관광객과 똑같구나. 애들은 내 뒤에 늘어서 있다. 확성기에서 남자 가수가 기타 반주로 남쪽 연가를 부르는 노랫가락이 흘러나온다. 벽면에는 삼색으로 된 포스터가 붙어 있는데 그 내용인즉 :

'바린고스에 오신 것을 환영합니다.

- 웰컴 - 비엥브뉴 - 빌콤멘 '

'바린고스 섬 - 일 년 내내 태양이 열 석 달이 있는 곳!'

갑자기 땅 밑에서 솟아난 것처럼 흰 와이셔츠를 걸치고 광대뼈가 툭 튀어나오며 근육이 우람하게 생긴 날씬한 녀석이 나타난다. 자세히 보니 어림잡아서 서른두 살쯤 되는 것 같다. 갈색 머리카락 하며, 갈색 눈동자, 면도한 깔끔한 외모, 이 친구가 아기처럼 약간 어설프게 움직이면서 ;

"스카겐 선생님, 안녕하십니까?"

나는 이 친구에게 악수를 청했다. 브랑코가 정거장을 감시하고 있는 장면이 내 눈에 잡힌다. 좋았어. 그렇게 해야 하고 말고, 의심 갈 만한 일은 아무것도 없었다.

"이쪽으로 오십시오. 제가 차 두 대를 빌려 놓았습니다."

바깥에서 또다시 태양이 작열하자, 내가 열대지방을 여행한 지가 벌써 수년이 지나서 내가 이처럼 더위를 먹는구나. 날씨가 뜨겁거나 말거나 애들은 신경 쓰지 않고 묵묵히 자기 임무에 최선을 다한다.

건물 앞에는 놀라 자빠질 정도로 푸른 종려나무 몇 그루가 있는데 그 그늘에 화려한 의상을 걸치고 있는 흑인 여자와 흑인 혼혈아들이 옹기종기 모여 있었다. 이 임시 장터에서 사람들은 탈바가지, 옷감, 그릇 및 과일 따위를 팔고 있다. 이 시장 아래쪽에는 좌판을 벌여 놓고 대만과 홍콩제품인 텔레비전이나 라디오를 가지런히 진열하고 있는 것을 나는 옆으로 지나가면서 쳐다보았다. 밀수품이 확실하다.

자동차 주차장에는 흰색과 녹색인 최신형 임파라 두 대가 대기하고 있었다.

낯선 친구보고 "우리 차 타고 가면서 이야기 좀 합시다."

이런 이유로서 나는 브랑코가 차를 운전하고 있는 녹색 자동차에 가서 다 같이 타고 가라고 애들한테 명령했지.

낯선 젊은이는 흰색 자동차 운전석에 앉고 나는 그 곁에 앉았다. 우리가 출발하자, 브랑코가 우리 뒤를 쫓아온다.

이 낯선 친구가 먼저 말문을 연다. "저는 **시몽 갈랭**이라고 합니다. 지금 서른 살이지요. 제 직책은 낙하산 부대를 관장하고 있습니다. 또 테러 진압부대에서 근무하며 많은 실전을 쌓았습니다."

사실 그렇게까지 하고 싶은 생각은 없었는데도 내가 짓궂게

"게라디 특별검사님께서 뒤를 봐 주고 있소?"

그러나 시몽은 태연한 채 "아마 지원해 주지 않아도 어쩌면 이 일은 성공할 수도 있을 것입니다. 그러나 이 일은 선생님뿐만 아니라 저 역시 연관이 있습니다."

"당신 말에 전적으로 동감이요. 시몽, 이제부터 우리 두 사람은 흉금을 터놓고 사나이 대 사나이로 얘기해 봅시다. 애들은 나보고 데니라고 부릅니다."

"좋습니다. 데니."

"시몽, 그럼 현재에도 당신은 군인 맞습니까. 안 그래요?"

"외형적으로 그렇습니다만, 그것은 아무런 의미가 없습니다. 게라디께서는 열흘 동안 유효한 외교관 여권을 저에게 빌려주시면서 해외 출장 명령을 내렸습니다. 그래서 저는 우리나라에서 최연소 외교관이 된 셈이지요." 그러면서 씁스레 웃고는, "물론 저 또한 위조 여권 서너 장을 지금까지도 가지고 있습니다."

길이 확 뚫리도록 잘 건설된 고가도로로 우리는 신나게 이 도시를 향해 달렸다. 브랑코도 우리 뒤에서 잘도 따라온다. 바린고스는 하얗게 색칠된 고층건물이 빈민가를 둘러싸고 있는 형상이 어느 일반 도시와 다를 바가 없다. 호화스러운 호텔 앞마당에 있는 수영장에서 빛이 반사되어 푸르게 반짝거린다.

"게라디께서 저에 대해 선생께 언급한 적은 없소?"

"예, 있습니다. 선생님께서 이 임무를 총지휘하시는 대장이라고 말씀하셨습니다."

사실 나도 그 말을 듣고 싶었지. 그 대답을 듣고 나니 나는 기분이 좋았다.

"자네는 우리보다 먼저 하루 전, 여기에 도착했는데 그동안 알아낸 정보는 무엇인가?"

"단순한 몇 가지 일밖에는 하지 못했습니다. 그러나 오늘 오후에 저는 중요한 사실 몇 가지를 얻게 될 것입니다."

자기 스스로 알아서 처리하므로 그 정보 제공자가 누구냐고 시시콜콜 묻는 것을 나는 단념했다. 우리들의 목표는 다 같으니까. 추측해 보건대, 이 친구 역시 **클레버**를 찾는 데 혈안이 되어 있는 것은 사실이다.

우리는 **'플라밍고** 호텔' 이라는 이 글자가 띄엄띄엄 떨어져서 현관 입구 위쪽에 붙어 있는 조그마한 호텔에 도착했다. 보잘것없는 이 둥지에 우리 몸을 튼다면, 안성맞춤이구나. 주먹깨나 쓴다는 어깨들이 이 호텔을 주로 이용하지만…. 내 고객한테 들은 정보에 따르면, 돈을 많이 가지고 와서 이 호텔에 묵으면서 불법 밀수 자금으로 그 돈을 투자한다나.

"여기를 보니, 우리가 몸풀기는 좀 어렵겠는데."

시몽은 잠자코 서 있다. 우리 일행은 수차장 안에 자를 그대로 세워놓고는 뿔뿔이 헤어져서 어스름한 호텔 안으로 각자 들어갔다. 시몽은 우리가 묵을 수 있는 방을 예약해 두었지. 이 층인데 한 방 건너 한 방씩 방을 배당받았다.

"친구들 푹 쉬게나, 조금 있으면 힘 좀 써야 될 거야."

시몽의 방에서 우리 두 사람은 시몽이 가지고 온 가방을 열어보니; 게라디가 빈틈없이 준비한 내용물이 그 속에 들어있는데, 식료품 안에 기관단총 7벌, 수류탄 서너 발, 방독 마스크 또 소형권총이 들어있었다.

시몽이 "모두 병기고에서 가지고 온 것입니다." 내가 바라보건대 이 친구도 총을 잘 쏘는 것 같다. 조금 있으니까 이 친구가 나에게 종이쪽지를 주면서 "비밀로 해 주십시오. 주야로 당직자들이 보초를 서고 있는 게라디 비밀전화번호입니다."
또 그놈의… 사진까지도 나한테 건네준다.

이 친구는 '그놈' 이라는 말을 유별나게 강조한다. 이 사진을 쳐다보니 몇 년 전에 찍은 사진이 틀림없다. 게오르그 클레버는 눈 밑에 광대뼈가 조금 튀어나왔고 머리카락은 짙고 이마가 높은 사내였다. 눈을 쳐다보니 두뇌 회전이 상당히 빠른 놈이구나.

"이놈은 영리하게 생겼는데"

"유감스럽게도, 그렇지 않습니다."
이 친구 역시 이 사진을 쳐다보는데 갑자기 주먹을 불끈 쥐는 것을 나는 알아차렸다. 시몽 이 친구도 클레버를 저주할, 말 못 할 사연이 있구나. 그것은 내 직감이지. 개인감정이 앞서다 보면 큰일을 그르칠 수가 있는데 …

저녁때 나는 예상되는 문제점을 한 가지 한 가지 짚어 보았다. 시몽은 아직도 무엇을 조사하는지 함흥차사다. 몇 시간이 지났지만, 나는 애들한테 입 한 번 벙긋하지 않았다. 확실히 애들은 참는데 이력이 난 모양이다. 땅거미가 진 후에 비로소 만족하게 일광욕을 호텔수영장에서 즐기고서 한둘씩 모습을 보인다. 이 친구들은 벌써 동료의식을 가진 것 같다. 심지어 파드로니조차도 이미 긴장을 풀고 있었지. 머베이는 모든 애에게 형처럼 서로서로 감싸주면서 호의를 베풀며 분위기를 부드럽게 해 주고 있다. 유독 브랑코만은 일편단심 주변을 감시하며, 조심스럽게 그 무언가를 기다리고 있다. 루버, 그 친구는 늘 그러하듯이 지금도 매 마찬가지로 도색잡지를 쳐다보거나 술 마시는 것을 생각하고 있겠지. 이 친구는 살아서 돌아와야만 손에 거금을 움켜쥘 텐데. 알렉스 이 녀석은 호텔 교환 아가씨를 꼬드기는 데 성공했는지 모르지만, 조금 후 수영장 곁에 서성거리고 있는 아가씨 수십 명이 있는 곳으로 간다. 만약 어떤 놈이 우리를 감시하고 있다면 마침내 그놈은 우리를 보고는 평범한 관광객쯤으로 생각하겠구나. 알렉스 이놈이 도대체 무엇을 잘하는지 그것을 전혀 모르겠다. 나는 아직도 이놈이 얼마나 이용 가치가 있는지 통 감을 잡을 수가 없구나. 우리가 배가 터지도록 저녁을 실컷 먹고 난 후 나는 비로소 시몽이 이곳에 와 있다는 것을 깨달았다.

"밖에 어떤 녀석이 기다리고 있습니다. 아마 그놈은 우리하고 모종의 거래를 하고자 하는 눈치입니다."

나는 어깻죽지에 호신용 권총을 만지면서 "자, 모두 가보자! 왜 쓸데없이 자네는 그놈을 여기로 데리고 왔어? 이 일은 우리한테 아무 소득이 없잖아."

"제가 그놈을 데리고 온 것은 아닙니다. 그놈이 근교에서부터 절 따라왔어요. 제가 그놈을 만나지 않는 것처럼 그렇게 행동하면서, 그놈은 도망쳤을 것으로 생각하며 별이 네 개 있는 호텔 안으로 들어갔어요. 제가 그놈을 찾으려고 이 호텔 저 호텔 수색할 것이라고 확실히 그놈은 그 점을 노리고 있겠지요. 몇 분도 채 안 돼서 그놈이 겁 없이 저한테 말을 걸어왔어요. 제가 클레버에 대해 수소문한다는 이야기를 들었답니다. 소문에 이 녀석도 그만한 능력이 있답니다. 그래서 저는 이 녀석이 클레버를 본 적이 있는지 궁금했죠."

"어, 그럼 시몽 이 녀석도 햇병아리는 전혀 아니잖아"

창백한 표정을 지으면서 오십 살 정도 되는 사나이가 뿌연 조명이 비치는 주차장에 서 있다. 이 친구를 쳐다보니 불안에 떨고 있고 자신의 노출을 꺼리는 것 같다.

나는 단도직입으로 이 친구에게 다가서면서 "우리끼리 이야기 좀 합시다." 이 친구는 머리로써 시몽을 가리키며 "제가 듣기로는 이 젊은 청년이 프랑코에 관해 수소문한다고 이야기했습니다."

내가 시몽을 쳐다보자 의미심장한 표정으로 고개를 끄덕거린다. 그럼, '프랑코' 가 클레버란 말인가. 그래, 맞아, 그놈이 바린고스에 왔을 때 어느 정도 영어를 구사할 수 있었지마는, 자기 본토 발음인 프랑스식 억양은 감출 수 없었겠지. 이 녀석 친구, 고객 또는 전과자들과 어울릴 때 그놈 보고 '프랑코' 라고 줄여서 부르는 것만 봐도 충분히 알 수 있지.

우리를 의식했는지 "선생님들은 틀림없이 미국인이시니까. 그 사람이 그렇게 속여도 완벽한 영어 발음이 아니라는 것을 당장 눈치챌 것입니다."

"제가 들은 이야기인데, 프랑코와 그 악당들이 밀수입한 담배 때문에 미국 선장 한 사람과 심하게 말다툼을 했지요…."

나는 재빨리 "프랑코 애들은 모두 몇 명이나 있소?" 그러나 이 낯선 친구는 잠자코 서 있다. 나는 다른 목소리로 "노형, 확실한 정보를 가르쳐주며 우리는 노형께 그에 따른 대가를 지급해 줄 수 있소. 그러나 먼저 나는 노형이 누구신지 또 프랑코와 어떤 연관이 있는지 그 점을 알고 싶소." 그러자 화가 나는지 씩씩거리며 "그놈과 저는 아무런 연관이 없습니다."

내가 이 친구한테 프랑코에 대해 아무런 정보를 얻지 못한다 해도 이 친구가 방금 말한 그 말이 내 마음에 딱 든다. “저는 그놈을 죽일 수 있다면 죽이고 싶은데…. 저는 항구 거리에 가게를 가지고 있으면서 주로 담배와 기호품을 팔고 있었지요. 어떤 갱단이 저의 가게에 물품을 공급해 주고 있었지요. 그때까지만 해도 모라레스가 이 지역을 장악하고 있었음에도 작년 프랑코 녀석이 새로운 영역을 확장코자 모라레스를 공격했지요. 프랑코 녀석은 공무원 그리고 모든 사람을 매수했지요. 어느 날 우리 가게에 물건을 공급하는 사람이 사라지고, 대신 프랑코 애들인, 다른 놈이 왔지요. 하지만 그때부터 그놈들은 나보고 아주 비싸게 물건을 사라고 강요했지요. 한술 더 떠서 그놈들은 ‘보호’ 라는 핑계로 일주일마다 백 파운드씩 지급하라고 명령하면서, 만약 내가 고분고분 말을 듣지 않을 경우, 내 가게를 모두 박살 내겠다고 공갈, 협박했지요…. 저는 돈을 주지 않았지요. 그 일이 있고 난 뒤 열흘째 되는 날, 어떤 미친놈이 문 뒤에서 휘발유병을 던져서 가게와 상점은 모두 불타고 재만 남았지요. 저는 구사일생으로 살아남아 화상을 치료하기 위해 병원에서 두 달이나 입원했습니다. 그래서 저는 수중에 동전 한 닢도 없는 빈털터리 신세로 전락했지요. 현재 저는 항구에서 밀수업자들과 같이 일을 해야 합니다. 밀수업은 올바른 삶이 아니길래 지금 괴로워하고 있습니다. 이 지역에서는 매일매일 밤마다 살인사건이 일어나고 놈들끼리 세력다툼을 하므로 무법천지라는 표현이 적당할 것입니다 ….”

“잘 들었소.” 이 친구 말을 전적으로 다 믿을 수는 없지만, 어떤 면은 수긍이 가기도 한다. 나는 지금까지 들었는 이야기를 종합적으로 분석하고 나서 “노형께서도 잘 아시겠지만, 저희는 정확히 말해서 미국 선장께서 보낸 친구들이죠…. 참, 갑자기 생각이 안 나는데, 그 선장 이름이….”

“글로리아.”

“예, 맞습니다. 글로리아. 프랑코 그놈은 그분을 눈엣가시처럼 생각했지요. 우리는 어디 가면 프랑코 그놈을 찾을 수 있겠소?"

"한 번은 모라레스에 있다가, 어떤 때는 여기 있는 이 도시에 있기도 하고, 때때로 이 섬을 여행하기도 합니다."

"그놈은 일정한 주거지가 없다는 말씀입니까?"

"저는 그 점에 대해 아는 바가 없고, 다만 밀수업사들은 주로 점조직으로 구성돼 있어서 그놈의 심복만 주소를 알고 있을 것입니다."

"그놈의 심복 이름과 주소를 알려 주시오."

"**비스토**입니다만 그놈이 어디에 사는지는 아무도 모릅니다. 그 점은 내게 영 마음에 안 드는군."

"노형께 얼마를 드리면 그놈의 주소를 알려 주시겠소?"

"선생님, 저는 돈 받으려고 하지 않습니다. 선생님께서나 누구든지 그 저주받을 프랑코 놈을 죽여 주신다면 소원이 없겠습니다. 그렇게 되면, 저는 제 가게를 다시 차릴 수 있을 것 같습니다만…"

나는 고액권 수표 몇 장을 이 친구에게 보여주면서 그 수표를 그의 호주머니 속에 집어넣어 주며 "가게를 다시 차리려면, 밑천이 필요할 거요. 내일 이 시간, 이 장소에서 노형을 기다리겠소. 그때 비스토 그놈 주소를 우리한테 가르쳐 주신다면 저는 백 프랑을 노형께 드리겠소…. 우리는 집으로 갈 테니, 내일 다시 뵙도록 합시다."

'집' 이라는 말에 시몽이 알쏭달쏭한가 보다. 이 말에 의아해하면서 내가 우리가 묵고 있는 호텔 방향으로 똑바로 가지 않는 것을 보면서 내 뒤를 따라온다.

한참 걷고 난 뒤 나는 시몽에게 설명해 주기를

"우리가 어디에 묵고 있는지, 자네가 이 술집에서 나를 찾은 것을 나중에는 이 도시 모든 곳을 뒤져서 나를 찾았다는 것을 그 친구가 믿도록 하려고 일부러 '집' 으로 가자고 했지."

꽃향기가 밤하늘을 수놓고 있었고, 바다에서 시원한 바람이 우리 쪽으로 불어오고, 딱딱한 종려나무 이파리가 부스럭거리면서 휘날리고 있구나.

시몽이 탄성을 올리면서 “이 섬은 정말로 멋있다.” 그 사이 우리 두 사람은 빙 둘러서 다시 플라밍고 호텔 근처에 와서 뒤를 돌아보니 미행하는 놈은 아무도 없었다.

나는 속으로 대답하길 ‘끝내주지만 우리는 일하러 왔지, 관광하러 온 것은 아니잖아.’ 우리 두 사람이 아무런 이야기도 하지 않고 홀연히 사라졌기 때문에 조바심 나서 호텔 앞에 브랑코가 우리를 마중한다.

브랑코가 “호텔 전부 살펴보니 뒤쪽에 출입구가 2개 있고, 주방과 창고 가운데 1개 있고, 또 다른 하나는 비상용 계단인데, 이 층에서 지하주차장으로 통하고 있네.”

“수고했네, 브랑코, 자 다리 쭉 뻗고 자러 가세.”

승강기 안에서 시몽이 “내일은 어떻게 할 작정입니까?”

“모라레스로 갈 생각이네.”

내가 카리브 지방을 좋아하게 된 동기는 날씨가 항상 일정하고, 가끔 치는 폭풍우를 제외하고는 변함없이 태양이 이글거리며, 이곳 사람들은 비가 와도 조금도 무서움을 타지 않지. 또 나는 이 햇빛을 숭배하지.

다음 날 아침 차 두 대에 편승해서 우리 일행은 여행을 떠나기 시작했지. 몇 년 전에 이 섬에 끝내주는 길을 만들었지. 우리 차량은 해안선을 따라 북쪽으로 달렸지. 바린고스는 분지에 둘러싸여 있고, 하늘에는 가끔 뭉게구름만 한가롭게 떠다니고 있구나. 해변에는 여행자 전용 방갈로가 여러 채 지어져 있고 나무 울타리가 쳐진 뒤쪽에는 별장 벽만 여기저기에 하얗게 색칠을 해 놓았다. 수도에서 얼마 떨어지지 않는 어촌이야말로 환상적이군. 아마 이 어촌 사람들은 외국 사람들을 상대로 장사해서 먹고 살아가는 것 같구나.

1호 차에 탄 시몽과 브랑코는 때마침 그런 이야기를 주고받고 있었다.

특별검사가 파견한 젊은 친구가 "밀수업 때문에 이들은 생계를 꾸려간다는 사실을 잊어서는 곤란하지요. 이 지역에서는 수백 년 전부터 밀수업이 가장 수지 타산이 좋은 장사이지요. 물론 이 전통적인 '산업'이 다소 완화되었지만, 수량은 소량이고, 방법도 각양각색이지요. 베네수엘라, 파나마, 바베이도스 그리고 또 다른 카리브섬 국가들이 비슷하지만…. 비행기를 만들고 난 뒤부터는 멕시코, 브라질 심지어 미국까지도 그 나물에 그 밥이지요. 어제와 그저께 나는 거금을 지출하며 정보를 얻었는데 그중에 무시무시한 역사 이야기를 얻어들었는데…."

나는 약간 걱정스러운 목소리로 "짐작하건대 자네가 그렇게 민감하게 반응할 필요가 없네."

"그렇게 되면 얼마나 좋겠습니까. 사실 저는 프랑코 그놈이 여기에서 저지른 만행에 대해서 생각보다 많이 알게 되었습니다. 그놈은 몇 년 전에 여기에 도착했는가 봅니다. 그놈이 무슨 돈이 그다지 많은지 사람들이 놀랐다고 그 사실을 제 정보원한테서 엿들었습니다. 처음 그놈은 지역 유지와 유명인사를 시킬 때까지는 조용히 지냈답니다. 프랑코 그놈은 일찌감치 그 점을 알아차리고 '고위층' 또 '말단공무원'까지 우리가 생각하는 것보다 더 많이 사귀었지요. 그래서 정부 관료들을 매수하고, 그런 식으로 범죄 조직의 거물급도 매수했지요. 이 녀석은 얼마나 교활한지, 국제사회에서 자기한테 이목이 쏠리지 않게 하려고 절대로 불법적인 사업에는 손대지 않았지요. 이 나라에서 자기가 추방되면 다른 나라에서 억압당하게 될 것을 미리 알았기 때문에 그런 모험을 하고 싶어도 못한 것이지만….

어쨌든 바린고스 국민이 되고 난 뒤부터는 거금을 가지고 어떤 밀매조직에 가입했지요. 초창기에 이 녀석은 주로 고급술만 취급하다가 나중에 가서는 그 조직의 두목을 살해하고 자기 스스로 새로운 우두머리로 변신했지요. 지금 이 녀석은 오래전부터 경찰을 비롯해 이 도시에 큰 영향력을 미치고 있는 정치인들과도 좋은 친분을 유지하고 있지요. 아마 그놈… 다시 말해서, 이 프랑코 놈은 이 나라에서 이미 뿌리를 깊이 내렸다고 생각해서, 바린고스에서 좀 '난다, 긴다' 하는 모든 놈을 모조리 매수해 놓은 상태이지요."

브랑코는 말없이 가만히 듣고만 있고, 시몽은 원래 원칙대로 차를 운전한다. 나는 여태까지도 게라디가 파견한 이 친구를 다 믿을 수가 없지만, 이 시몽이라는 인간이 약간 불가사의한 사나이처럼 비치며, 이 친구는 어떤 말 못 하는 사연이 있다는 것을 꿰뚫어 보고 있었지. 우리 차가 시골길에 접어들자, 큰 도로는 해변 쪽에서 점점 멀어져 간다. 우리는 사탕수수 나무와 드문드문 관상수가 심겨 있는 산길을 달리고 있었지. 놀라울 정도로 온 천지가 푸르러지자, 나는 높은 산봉우리와 계곡을 계속 보면서 환호성을 질렀다.

도로변에 있는 다방에서 먹거리를 찾고자 차에서 내렸다. '모라레스까지 35㎞' 라고 적혀 있는 도로표지판을 나는 보고 있었다. 나는 지도를 사서 탁자 위에 놓으면서

"친구들, 여기를 좀 봐."

여섯 명 모두 머리를 숙이고서 지도를 쳐다본다. 그 순간 또다시 내가 이 친구들 대장이라는 사실을 깜박 잊었다는 사실이지.

"가만히 생각해보니 지금까지 모라레스까지 오는데 우리를 제외하고는 그 어떤 놈도 코빼기조차 안 보인다. 내 생각인데 우리 모두 이 도시에서 흩어지자 그리고 각자 능력껏 정보를 수집하라. 그런 다음 점심때 다시 만나서 다음 일을 상의해보자."

알렉스가 "웬 놈들이 자기 뒷조사를 하고 있다고 프랑코 놈은 확실히 알고 있을 것입니다."

머베이가 "만약에 그놈이 첩첩산중에 꼭꼭 숨어서 일주일 동안 모습을 드러내지 않으면, 우리는 도대체 무엇을 해야 하나? 그렇게 되면 나는 그놈을 영영 못 찾게 될 수밖에 없잖아."

브랑코가 틀렸다고 고개를 휘저으며

"그렇게 생각할 수도 있겠지. 그놈이 어디에 있는지 우리가 재빨

리 찾아내게 되면 그땐 전광석화처럼 기습하면 되잖아. 그놈이 눈치 채기 전에 우리가 먼저 선수 쳐서 그놈을 잡으면 되지."

파드로니는 변함없이 묵묵히 듣고만 있는데, 루버가 가소롭다는 듯이 피식 웃으면서

"나는 중앙통 술집에서 그놈에 대해 알아보겠다."

시몽이 의심스러운 눈치로 "형님께서는 모라레스에 있는 중앙동 술집이 어디에 있는지 아십니까?"

루버가 더 가소롭다는 듯이 비아냥거리는 말투로

"카리브 읍 전체가 중앙통 술집이지. 모라레스라고 예외는 아니다. 우리 내기할까…? 자, 내기할 사람 없나?"

루버는 옛날이나 지금이나 변한 것은 하나도 없구나. 이 친구가 내기 놀음을 좋아하는 '영국병' 을 아직도 버리질 못했구나, 이것은 아무것도 아니지. 심지어 생사가 오락가락하는 판국에서도 이 친구는 내기 놀음을 하니까.

반 시간 달려서 우리는 모라레스에 도착하고는 중앙통에 차를 세웠다. 먼 거리에서도 우리는 술집을 찾을 수 있었기 때문에 루버 말이 참말이다. 이놈의 도시는 오전인데도 햇살이 얼마나 세게 비치는지 미칠 지경이다.

"파드로니, 자네는 차 곁에 남아있게. 알렉스, 너는 나하고 같이 가고, 다른 사람은 정각 12시에 여기에서 만나도록 하세."

소문에 프랑코 보금자리인 이 도시에서 각자 뿔뿔이 헤어졌다.

우리 두 사람이 길을 걷고 있는 사이에, 알렉스가 "대장님, 왜 하필 많은 사람 중에서 제가 대장님과 함께 가야 합니까?"

"자네의 영어 발음이 유창하기 때문일세."

"아, 그러면, 우리를 보고 미국인 맞수가 보낸 사람이라고, 프랑코 애들은 믿게 되겠는데요?"

"그렇고말고. 자 지금부터 입 닥치고 또 길가는 여자를 옆눈으로

힐끔 쳐다보지도 마라…."

'여자' 라는 말에 이 녀석은 기분이 좀 잡친 모양이다. 내가 길 가는 행인에게 "지방 신문사가 어디에 있지?" 그것을 묻자 이 친구는 몹시 놀라는 눈치였다. 조금 지나서 우리 두 사람은 이층집으로 가고 있었다. 카리브 일상생활이 도로에서 시작되는 것처럼 옹기종기 장사치 아주머니들이 자신이 직접 만든 물건을 팔고 있고, 덩치가 큰 흑인 여자는 등에 커다란 광주리를 짊어지고 있는 모습도 보인다. 꼬마 녀석들은 천방지축 뛰어다니고, 고물 자동차는 시끄럽게 소리를 내고, 또 온천지가 커피 냄새로 범벅이 되고 있다.

편집실은 이 보잘것없는 가옥 1층에 있었다. 이 집은 칸막이 방 여러 개로 지어져 있고, 안쪽에는 빛이 절반만 내리쪼인다. 우리는 여기에서 중년의 깡마른 체구의 사나이만 찾았다. 지방 신문인 '모라레스 파발꾼' 은 확실히 별 볼 일 없는 신문이었다.

자기 책상 뒤에서 한 사내가 나오면서, "선생님께서는…?"

"안녕하십니까! 저희는 편집 담당하시는 분과 이야기 좀 하려고 합니다."

"어느 분의 부탁이라도?"

"저희는 범죄 소굴에서 알아낸 정확한 정보를 가지고 왔습니다."

"죄송합니다만… 출처가 어디인지?"

"범죄 소굴입니다. 범죄 기사만 전문으로 취급하는 기사가 이 신문사에 확실히 있다고 들었습니다. 그렇습니까?"

이놈은 나를 날카롭게 노려보더니, 조금 지나서 입가에 엷은 미소를 띤다. 조금 전 나는 이 녀석의 이빨 두 개가 빠진 것을 보았고 지금은 덧니 빠진 노파처럼 보여서 마치 이 표정은 배우 같다. 이 녀석은 제 자리에 앉으며 손짓을 하면서

"앉으십시오. 제가 지방에서 일어나는 일반적인 범죄사실을 취급하는 전문기자입니다."

"프랑코에 대해서도 역시 취급합니까?"

이렇게 질문하자 몹시 놀라는 표정을 짓는다.

"프랑코는 어떤 분입니까?"

"잘 아시고 계실 텐데. 선생께서는 그분을 확실히 잘 알고 있지 않소."

아주 심각한 어조로

"선생님께서는, 제가 보기로는 확실히 이 도시 사람 같지 않습니다만…."

"그럼, 선생님께서는 그 프랑코를 아시죠. 선생님께서는 저희한테 그분의 주소를 좀 가르쳐주십시오?"

"하지만, 선생님!" 하면서 갑자기 겁먹은 표정을 짓더니, 속눈썹은 안절부절못하고 경련을 일으킨다.

"여기에… 어떤 오해가 있습니다. 선생님께서 정보를 제공해 주신다는 그 말씀은…"

"확실히 오해일 수도 있겠지요. 저는 문제를 일으킬 마음은 추호도 없습니다. 그러나 선생께서 저희와 대화를 나눈 그 사실만은 없도록 해야 하겠습니다. 선생께서 프랑코를 알고 계시죠?"

"절대로 모릅니다." 하면서 시선을 문 쪽으로 돌린다.

이놈이 거짓말하고 있다는 것을 우리는 잘 알지. 지금 이놈이 겁을 먹게 되면 한 마디조차 토할 것 같지 않은데…. 그 프랑코 녀석이 이놈조차 매수한 것이 명백한 사실이구나.

"프랑코 놈이 이 도시에서 가장 질 나쁜 날강도인데, 당신이 그 놈을 모른다고? 그것도 모르면서 당신은 민중의 목탁에서 밥 빌어먹고 산다고?"

말을 더듬으면서 "저는… 단지… 그분에 관해서 들었습니다." 내가 꽥 소리를 지르면서 "그놈 사는 곳이 어딘지 말 못 하겠나?" 입술조차 부르르 떨면서 "저는 절대… 절대로 그분을… 본적이 없습니다."

나는 전화기를 보는 순간 한 가지 묘안이 떠올랐다. 나는 "조만간 다시 오겠다. 그때 당신은 우리한테 모든 것을 다 불어! ”

그렇게 협박을 하면서 알렉스를 보고 나가자고 신호를 보냈다. 알렉스는 의아해하면서도 내 말에 순종한다.

문지방을 건너가서는 약간 열린 문에 기다리면서 귓속말로 알렉스 보고

“바깥문을 꽝 닫고 30초 후 다시 들어와. 나는 그사이에 숨어서 기다리고 있겠다.”

알렉스가 시끄럽게 나가면서 문을 꽝 소리가 나도록 닫는다. 나는 숨죽이고 문 틈바구니 안쪽을 쳐다보고 있는 줄도 모르고…

우리가 떠나자 이 기자 녀석은 즉시 전화기 쪽으로 몸을 돌리더니, 신경질을 부리면서 재빨리 다섯 개 번호를 누르면서 전화기를 입 쪽으로 갖다 댄다.

그 찰라. 나는 번개처럼 그 방 쪽으로 날아가서 전화기 가까이 멈추고서 전화기 연결구를 뽑아 버렸다. 내가 어디서 갑자기 여기 나타났는지 통 감을 잡을 수가 없어서 이 기자 녀석은 넋 나간 사람처럼 멍하게 서 있다. 나는 이놈의 멱살을 잡고 몇 번 흔든 뒤

“자, 그 전화번호를 말해! 빨리!”

처음에는 더듬기만 한다. 그러나 알렉스조차 다시 나타나자 이 녀석은 체념한 듯 가만히 있다. 알렉스가 이 기자 녀석을 잡더니 이 녀석의 목덜미를 몇 번 조르고 있다.

질 것을 뻔히 알면서도 결국 이 친구 입에서 “311…0…2 ”

알렉스가 이 친구에게 박치기하자, 이빨이 2개나 빠진 이 신사분은 마룻바닥에 쿵 소리를 내며 쓰러진다.

내가 이미 전화 교환국에 연결된 전화기를 잡으면서 “이 녀석은 얼마 동안 있으면 의식이 돌아오나?”

“적어도 두 시간 이상입니다.”

“가능한 이놈을 늦게 발견할 수 있게끔 장롱 속에 숨겨 놓는 것이…”

"여보세요, 교환이죠? 전화번호는 300국 02번입니다만 그 주소를 알려고 합니다."

"그것은 킹스톤과 콤파니오 회사 전화번호이고, 주소는 말리 스트리이트 44번지입니다."

"고맙소, 아가씨." 하고는 혹시 이 이빨 빠진 녀석이 생각보다 일찍 의식을 차릴 수 있을지 모른다는 생각에 전화선을 두 동강 내었다. 그래야만 이 녀석이 킹스톤 회사에 전화질 못 하게 될 테니까. 볼일을 다 본 우리 두 사람은 쏜살같이 도로 쪽으로 뛰어나왔다. 중앙통에 도착해서는 말리 스트리이트가 어디에 있느냐고 꽃 장사치에게 물어보니 '그곳은 가까운 거리이다' 라고 가르쳐준다. 알렉스보고 즉시 그곳으로 가보라고 하고서 나는 술집으로 급하게 들어가자, 루버가 나를 쳐다보고는 돈을 지급하고 나오면서

"대장?"

"자네가 알아낸 정보가 무엇인지, 빨리 말해 보게나?"

"그래, 말하지. 많은 사람은 프랑코 그놈을 알고 있더구먼. 또 그놈이 밀수업자라는 것도 다 알고 있었지. 그러나 그놈이 어디에 사는지는 아무도 모르고 있다네. 소문에 그놈은 여기에서 합법적인 기업체 여러 개를 거느리고 있다고 하더군."

"이를테면 킹스톤이나 콤파니오 회사 말이군."

"그래 맞아. 그것도 포함되지."

파드로니는 자동차 2대를 잘 지키고 서 있었다. 머베이, 시몽 그리고 브랑코 세 사람은 아직도 돌아오지 않고 있구나. 나하고 루버는 차를 타고 말리 스트리이트 쪽으로 차를 몰았다. 우리가 도로 위쪽으로 천천히 차를 운전할 때는 벌써 열한 시 삼십 분이 지났다. 알렉스가 어떤 구석에 숨어 있어서 우리는 이 녀석을 겨우 알아보고 손을 흔들면서 답례를 한다. 우리는 알렉스가 있는 곳보다 집 두 채 더 건너서 차를 세웠다.

알렉스가 "대장, 이 건물은 뒤쪽 출구가 없습니다.! 앞은 주차장이

고, 위층은 사무실입니다. 소문에 이 회사는 커피를 수출한답니다."

"수고했네. 주차장에 무슨 일이 일어나는지 잘 감시해. 루버, 가세."

2층에 가보니, 지독하게 못생긴 젊은 아가씨가 우리를 맞이한다. 이 아가씨 인상을 쳐다보니, 주먹코에다가 여드름이 군데군데 생기고, 기름기가 뺀질뺀질한 머리카락을 가지고 있었다. 내 생각으로는 이 곳에서 절대로 사업상 거래는 하지 않는 것 같다. 무역회사라면 당연히 이런 외모를 갖춘 여성은 절대로 고용 안 하기 때문이지.

나는 마음에서 우러나오는 미소를 짓고서 이 아가씨와 이야기 좀 하려고,

"아가씨, 수고가 많습니다. 저희는 사업상 킹스톤 선생님을 좀 뵈었으면 합니다."

"죄송합니다만, 지금 킹스톤 선생님께서는 여기에 계시지 않습니다."

"그러시다면 그분의 친구분이라도?"

"그분도 역시 없습니다. 제가 선생님을 어떻게 도와드려야 될지?"

나는 대답하는 대신에 루버에게 손짓을 했다. 이 친구는 사무실이 꽉 찰 정도 체구인데, 자신의 커다란 두 손으로써 이 못생긴 아가씨를 밀쳐버리고는 문을 열어보니, 우두머리가 거처하는 방에 진짜로 한 놈도 없다.

그러자 이 여비서는 기절초풍하면서, "선생님 지금 무슨 짓을 합니까‥?"

나는 침착하게 검은 신분증 한 개를 꺼내 보이면서 "경찰이오."

사실, 이 신분증은 내가 파리 사교모임에 들어가는 단골 출입증이지만….

이 아가씨는 "경찰이라고요?" 하더니 얼굴이 새파랗게 질린다.

"15분쯤 전화기가 울리며, 그때 아가씨가 수화기를 들어 보니까. 전화기에서 아무런 소리가 들리지 않았지요." 이 아가씨는 "예, 그, 그렇습, 습니, 니다." 하면서 귀신같은 나를 쳐다보면서, 내가 그것을 어떻게 알아냈는지 그 점이 많이 헷갈리는 모양이다.

"웬 놈이 아가씨를 통해서 프랑코에게 연락을 취하려고 했소."
내가 족집게로 집듯이 정확하게 의표를 찌르면서 아가씨 얼굴을 바로 바라보니 백지장처럼 되고 있다.

앓는 소리로 "프랑코 선생님께서는…"

나는 기분 좋은 목소리로 "우리도 마침 그 사람을 추석하고 있었지요."

그러나 이 아가씨한테는 내 이야기가 한마디도 들리지 않는 모양이다.

"그 사람이 어디에 있는지 우리한테 사실대로 이야기해 주시오?"

"저, 저는 사장님에 대해서 아무것도 모릅니다."

"킹스톤 말씀입니까?"

"예, 그렇습니다. 킹스톤 사장님께서는 늘 오후에 오십니다. 그때 제가 사장님께 선생님들의 이야기를 전해드리도록 하겠습니다. 그분은 나중에 이 이야기에다 조금 더 살을 붙이고…."

"프랑크에게도."

"그렇습니다." 이렇게 대답하는 아가씨를 자세히 살펴보니 영락없이 겁먹은 두꺼비 얼굴이다. 이 지역에 있는 이런 파충류는 두목에게 절대복종하는 철칙이 있지. 루버가 나를 쳐다보며 눈치를 주자, 벌써 내가 할 일이 무엇인지 알지. 그래서

"오후에 우리는 다시 이곳을 방문하겠소. 우리가 전화를 도청하고 있으니 허튼수작은 하지 마시오. 아가씨, 나중에 또 봅시다."
우리가 계단을 타고 밑으로 내려오니 어느덧 열 두 시가 다 되었다.
알렉스가 입구에서 기다리면서

"주차장에는 포드-네온 녹색 자동차 한 대만 서 있습니다."

루버가 "지금 우리들의 할 일은 무엇인데?"

"알렉스, 광장으로 뛰어가서, 다른 애들과 다 같이 오너라. 우리는 여기서 기다리고 있을 테니."

우리 두 사람은 차 속으로 들어가서 앉아 있었다. 킹스톤과 콤파

니오 회사 주변에는 개미 새끼 한 마리조차도 얼씬거리지 않는다. 내가 혹시 헛다리 짚은 것이 아닐까…? 그 계집이 전화질한다면, 모든 것이 다 도루묵이 안 되나. 루버가 "애들이 차 몰고 오고 있다." 파드로니가 운전하고 있었다. 시몽과 브랑코는 우리 차에 탔다. 지금까지 알아낸 정보가 무엇인가를 내가 시몽한테 묻자

"별 볼 일 없는 것뿐입니다."

브랑코도 고개를 가로저으면서 "나도 허탕 쳤어."

사무실 문에서 못생긴 여비서가 모습을 보이더니, 주위를 살핀다. 도로변에 차가 많이 주차해 있어서 그런지 이 아가씨는 우리를 알아채지 못하고 있다. 이 아가씨는 재빨리 주차장에서 차를 몰고는 빠져나온다.

루버가 "저 계집이 프랑코 녀석에게 가는지 안 가는지 내기할 사람 없나!" 그러나 아무도 이 친구하고 내기 놀음하는 애들은 없다.

내가 "자, 저 계집을 쫓아가자!"

먼저 파드로니가, 다음번에 우리 차가 포드 녹색 자동차를 차례차례 쫓아가고 있었다. 벌써 원주민들이 낮잠 자는 시간이 되었는데도 불구하고, 꽤 많은 차량이 도로를 달리고 있었다. 가게 문은 대부분 닫았고, 길가는 보행자도 한 사람조차 보이지 않는구나. 태양이 이글거리며 불을 뿜고 있다.

이 여비서는 남부지방으로 달리고 있고, 우리는 골목길과 오솔길로도 달렸다. 하얗게 벽칠 하고, 비취색 잔디며, 날씬한 관상수 또 묘판에 여러 종류의 꽃들이 알록달록 피는 가옥 몇 채가 진짜 보석 같구나. 이 여자는 돌담으로 둘러싸인 별장 앞에 차를 세우고 커다란 정문 안쪽으로 성큼성큼 걸어간다. 나는 차를 천천히 몰면서 이 별장을 스쳐 지나갔다가 언뜻 보니 사내 두 놈이 문 입구를 지키고 서 있었다.

브랑코가 자기 경험에 비추어 볼 때 "저 녀석들은 반드시 총을 가지고 있어."

시몽도 맞장구치면서 “여기서 두목이 살고, 애들이 두목을 보호하려고 보초 섰겠지.”
파드로니는 우리 차보다 조금 더 먼 곳에 차를 세운다. 이 친구가 멀리서 큰 대문을 살필 때, 나는 그동안 천천히 차를 몰면서 이 별장을 한 바퀴 돌고는, 온 사방에 담벼락이 아주 높게 둘러쳐져 있는 것을 확인했다. 루버가 눈썹을 찡그리면서 이 담장 꼭대기를 살피고 나서 하는 말인즉,

“데니, 내가 자네를 실망하게 할 수는 없잖아. 제기랄 이 꼭대기에는 적외선 감지장치가 설치되어 있단 말이야… 낮, 밤 상관없이 눈치채지 않고 여기에 누가 들어가겠나. 못 들어가겠나. 나하고 얼마 걸고 내기할 사람 없나?”

브랑코 역시 “여기를 포위하려면 군대 병력을 총동원해야 하겠는걸.”

나는 “좋다. 여기에서 기다려보자. 한 대는 이 도로 구석에, 다른 차는 저쪽 구석에 세워라. 그 계집이 도망쳐도, 지금 우리한테는 별 이용 가치가 없다. 그러나 우리가 기다리다 보면 마침내 이 별장에서 누가 나와도 나올 것이다. 안 그런가?”

그리고 우리는 무작정 기다렸다.

오늘 오후에 내가 실수한 것이 무엇인지 몇 차례 곰곰이 생각해보았다. 어제 24시간 동안 나는 이미 시행착오를 겪었다. 내가 지금까지 클레버 그놈을 잡기 위해 앉아서 기다리고 있지는 않았잖아. 이 악당 중 어떤 놈인지 모르지만, 우리 애들이 여기에 왔다는 사실을 이미 알고 있거나, 옛날 우리하고 한 패였지만 지금은 클레버 악당이 된 놈 중에서도 웬 외국 놈들이 자기를 추적하고 있다는 사실을 알려 주었을지도 모르잖아.

나는 오직 클레버 녀석이 우리가 자기를 추적하고 있다고 해도 별로 신경 쓰지 않기를 바랄 뿐이다. 바린고스에 터전을 잡은 밀수업자와 악당들 사이에 쉴 새 없이 전투가 벌어지고 있었다. 그놈의 맞

수인 미국인이, 애들 몇 명을 여기로 보내 앙갚음하는 그 '오해'라는 그 문제 때문이지. 자기가 옛날에 저지른 만행 때문에 우리가 온 것은 절대 아니다. 그렇게 생각하면서 두 다리 쭉 뻗고 편안하게 지내면서 우리에게 전혀 의심의 눈길을 보내지 않겠구나. 이놈이 여기에 세력을 펴고 있는 게오르그 깔레 휘하에 들어가서 바린고스 국적을 얻었지마는 자기가 과거 알제리에서 무슨 만행을 저질렀고 이곳에 온 사실을 아는 사람은 하나도 없는 것이 어쩌면 당연한 사실일 수도 있겠구나.

점점 저녁이 다 되어도 별장 근처에는 쥐죽은 듯이 조용하다. 오후 내내 한 놈도 별장에서 나오지 않는다. 내가 브랑코 얼굴을 쳐다보니 그 표정에는 이 일이 영 마음에 안 든다고 쓰여 있다. 시몽도 가끔 몇 마디 하더니, 지금은 잠잠하다. 다른 애들은 아무래도 좋다는 식으로 기다리고 있다.

이 친구들은 이미 몸에 뱄지. 사실 이 친구들은 정글 속에서도 아랍인의 토호 저택에서도, 터널에서도, 대통령 전용 헬리콥터에서도, 배속에서도 또 은신처 따위의 모든 곳에서도 참말로 잘 참고 견디지. 우리는 이야기를 서로 주고받고 했지. 이런 이야기하는 과정에서 나는 처음으로 파드로니가 이미 몇 번이나 볼리비아에서도 일했다는 사실을 알았었지. 라 파즈에서 활동하고 있는 쿠데타 어떤 세력이 자기를 고용했다고 하면서, 건너편 별장 대문이 열릴 때까지 꿈쩍도 하지 않고 기관총 옆에 앉아서 2~3일 동안이나 볼리비아인들과 같이 빈 집에 수십 번이나 앉아있었다고 한다. 그러다가 별장에서 나온 장군과 참모진 모두를 사살시켰단다. 파드로니는 왜 이 일에 스스로 가담했는지는 끝내 말하지 않았다. 추측해 보건대, 이 친구는 자기 동료한테조차도 배신당하고 있는 정치지도자에게 가서도 개인 경호원으로 일할 놈 같다.

나는 "우리 애들은 벌써 시체를 너무나도 많이 보았겠구나!"

그럼 우리 애 중에서도 살인마가 있다는 생각이 번쩍 든다. 하지만 지금 운명이 그렇게 되도록 정해졌다면 고귀한 목적을 위해 우리는 살인을 해야 한단 말인가. 아무리 그렇다 하더라도…? 가능하다면, 산 채로 우리는 무시무시한 괴물을 잡아야 하겠구나. 한 번, 나는 아프리카에서 흑인들이 그물로, 치타 사냥하는 것을 보았다. 그물에 잡힌 맹수는 날카로운 이빨을 드러내면서 발악하고 있었지….

그렇다면 클레버 그 녀석도 이렇게 될까. 이놈을 잡는 일은 예삿일이 아니다. 자기가 그물에 걸렸다고 생각한다면, 이놈은 필사적으로 발버둥 치겠는데, 그렇게 되면 우리 중에서 한 놈조차도 살아서 유럽으로 돌아오지 못하겠는데. 우리 중에 어떤 놈이 여기에서 영원히 눕게 되나? 이 섬에 내리쬐는 태양도, 백사장도, 흔들흔들 움직이는 종려나무도, 참호 2m 깊이에 숨어 있는 우리를 비애에 젖게 하는구나.

나는 이제 프라밍고 호텔 주차장에서 만난 그놈을 생각해보았다. 그 친구가 오늘 또 왔다면, 우리한테 귀중한 정보 몇 가지를 알려줄지도 모르잖아. 즉시 나는 판단을 내렸다. “루버, 머베이 그리고 알렉스 브랑코는 여기에 계속 남으라.”
그리고는 다른 차를 타고 바린고스를 향해 질주했다. 시몽은 자기 정보원이 뭔가 알아내어서, 우리 두 사람에게 그것을 이야기해 줄 것을 은근히 바라는 눈치였다. 거무스름한 파드로니 얼굴을 쳐다보니 돌비석처럼 흔들림이 전혀 없다. 작은 콧수염 때문에 영화 속에 나오는 마피아 단원처럼 보인다. 우리 친구인 이 시칠리아 인은 무슨 목적으로 우리 일행과 합류해서 여기까지 왔는지 알 수 없다. 그러나 이런 이유는 이 친구에게 관심사 밖의 일이다. 오직 원리 원칙대로 차분하게 차 운전하는 데 온 정신을 집중시키고 있다. 점점 주위가 어두워지고 있는 산길을 벗어나자 우리는 점차 속력을 높여나갔다. 도로변에 있는 촌락에서 불빛이 새어 나온다. 자전거를 타고 있는 흑인 여러 명이 술집 앞에 머무르고, 고물 자동차 여러 대가 식물원에서 나오고 있구나. 차 위에는 백인 노동자들이 초라한 복장을 하고 있으며 또 애들도 가득 타고 있다. 마침내 바린고스가 보이기 시작한다. 차를 타고 오면서 본 경치와 고층건물이랑 휘황찬란한 항구를 비교해 보니 여기가 진정 수도 같아 보인다.

우리는 호텔로 들어가지 않았다. 호텔 방에 무기를 놔두고 다닐 경우, 위험한 상황에 부닥치게 되면 즉시 무기를 사용할 수 없기에, 우리 차 속에 무기를 넣어 두고 다녔지.

주로 햇병아리들만 그런 방식을 쓰다가 경찰의 손아귀에 잡히지. 캄캄한 주차장 속에 세워놓은 컴컴한 자동차 안에서 우리는 기다렸지. 한 번은 시몽이 내가 또 한 번 주차장을 돌아가면서 살펴봐도 아무런 이상한 조짐은 없었다. 호텔 술집에서 흥겨운 음악이 흘러나오고, 수영장에서 여인네 서너 명이 비명을 지르고 있다. 해안 도로 쪽에서 차들이 오지만, 이 차 중에서 가끔 한두 대가 플라밍고 호텔로 들어온다. 별로 좋은 호텔이 아닌데도 불구하고… 어디선가 이탈리아 선원 여러 명이 술주정하면서 산타루치아를 부른다. 바다 위쪽에는 아지랑이가 모락모락 피어오르고, 항구의 불빛이 파르르 떨고 있구나. 무더운 날씨다.

우리들의 침묵도 잠시 후 모두 끝이 났다. 5시 정방향에서 웬 놈이 나타난다. 그놈이 점점 우리 쪽으로 가까이 올 때쯤 빛이 이 녀석의 얼굴을 비춘다. 그 친구는 어제 우리와 만났던 그 사람이었다. 그러나 그 사람 뒤에는 불빛을 모두 불을 끈 자동차 한 대가 살며시 정지하고…

시몽이 “웬 놈들이 저 사람을 미행한 것 같습니다.” 과잉반응하니까, “아니야 우리도 그것을 보았지.”

“저분이 지나치게 프랑코 일당에 관해 뒷조사하고 있다는 것을 저놈들이 틀림없이 눈치챘을 것 같습니다.”

파드로니가 “아니면, 저놈이 우리를 배신하고, 지금 자기 애들을 데리고 올 수도 있잖습니까?” 나는 신속히 결정 내리길

“파드로니, 자네는 저놈의 차를 맡고, 시몽, 자네는 날 엄호해!”

차에서 나오며 나는 그렇게 소리쳤다. 내가 빛이 있는 곳에 다가서자, 그 사람은 나를 용케 알아보더니, 내 쪽으로 다가온다. 긴장된 우리 정보원의 얼굴을 보자마자

"선생님…!"

나는 "쉿, 조용히 하시오." 하고는 우리 차 2대 사이로 이 사람을 잡아당겼다.

"선생님께서는 어떤 정보를 알아내었습니까?"

"그렇습니다만, 돈부터 먼저…"

"예, 그리고 말고요."

그 순간 이 친구는 정보 제공한 대가로 얼마를 요구해야 하는지, 아니면 훨씬 더 많아야 하는지 그 점을 생각하는 눈치였다.

나는 백 프랑 지폐를 꺼내 보이면서 "여기 돈 있소."

이 친구는 숨넘어가는 목소리로 주위를 살피면서 "좋습니다."

비록 이 친구가 자기를 미행하는 놈을 보지는 못했어도, 본능적으로 뭔가 꼬였다는 것을 눈치채는 것만은 확실하다. 그런 사실을 나는 미리 알고 있으면서도 아직 이 친구에게 주의는 주지 않았지.

"무슨 말을 먼저 해야 할지 잘 모르겠습니다만…."

"빨리 말해 보시오!"

이 사람은 귓속말로 "저는 비스토 애인 주소를 알아내는 데 성공했습니다. 비스토 그놈은 프랑코 오른팔이며, 밤마다 하루도 빠짐없이 그 애인 곁에 놀다 갑니다. 그곳에서 선생님께서는 그놈을 잡을 수 있을 것입니다."

돌멩이 굴러가는 소리가 가까운 곳 어디에서 톡톡 난다. 시몽인가, 아니면…? 나는 온 신경을 집중해 가며 귀를 기울였다. 우리 두 사람이 마주 보고 서 있는 차 중간에는 캄캄하다.

이 녀석이 계속 말을 하길

"그 여자 이름은 **마리 발란**입니다. 처음에 그녀는 프랑코 애인이었는데, 나중에 그 두목인 프랑코 녀석이 비스토한테 그녀를 선물한

것입니다.”

나는 또다시 부스럭거리는 어떤 소리를 들었다. 이놈들이 어디에 숨었나…? 아주 날렵한 시몽도 아무런 반응이 없는데, 잘못 하다가는 나까지도 여기서 개죽음당하겠구나….

이 친구가 갑자기 내 손을 붙잡고는 “제발 그 프랑코 놈을 죽여주십시오!” 나는 복수에 불타는 이 남자의 두 눈을 똑바로 바라보고 있었지. 그러나 해야 할 일이 있으므로 더 여기에 머무를 시간이 없었는데….

어떤 물체가 공기를 가르며 쉬익 - 소리를 내면서 날아온다. 나는 쏜살같이 땅바닥에 착 달라붙고는 차 밑으로 굴렀다. 내가 2년 동안 경호원을 하면서 모시던 오유카 대통령님이 그 찰라. 떠오른다. 모반할 것이라는 소문이 있어서 나는 그분 옆에 서 있다가, 단독으로 연단 가장자리 쪽으로 그분을 안고 뒹굴었지. 그것 때문에 우리 두 사람은 상처만 약간 났지, 하지만, 우리를 향해 던진 수류탄 때문에 수행원 열 한 명이 목숨을 잃었지. 오유카 대통령님께서 나한테 너무나 고맙다며 그분의 개인 돈으로써 나는 파리에 내 개인 사무실을 차렸지만…

손에 권총을 움켜쥐고 나는 벌써 차 밑에 누웠는데, 이런 생각이 주마등처럼 내 머리를 스쳐 지나간다. 풍선에서 바람 빠지는 소리같이 괴상한 신음을 내며 몸뚱이 한 개가 땅바닥으로 쿵 꼬꾸라지는 소리를 나는 듣고 있었다. 조금 떨어진 곳에서 발소리가 요란하게 들리고, 웬 녀석이 고함지른다. 땅바닥에 뻗어있는 정보 제공자에게 나는 조심스럽게 포복 자세로 그에게 다가갔다. 심장 쪽에 칼이 박혔지만 나는 이 광경을 보고도 전혀 놀라지 않았다. 전문 칼잡이가 이 친구에게 심장으로 칼을 던졌어도 아직은 숨은 붙어 있었지.

이 친구 입에 내 입을 바짝 대고, “그 여자가 사는 곳은 어디입니까?” 마지막 숨을 몰아쉬면서, “스트…리이트 그로스…베느…십…육” 하더니 조금 지나자 입에서 피를 토하고는 잠잠하다. 영원토록.

시몽이 차 가운데 보여, 내가 휘파람을 불자 내게로 다가온다.

이 친구는 침착하게 "그분은 죽었습니까?"

"조금 전, 그놈들이 도대체 정체가 무엇인가?"

"제가 칼 던지는 놈한테 한 방 먹이려고 했는데, 섭섭하게노 몇 초가 늦었습니다만… 파드로니가 다른 놈을 차 옆에 꼬꾸라뜨렸습니다." 실전 경험이 부족한 이 친구가 나는 약간 걱정이 되었지만….

시몽 말이 맞았다. 선혈이 낭자한 젊은 녀석이 자기 차 앞에 뻗어 있었다. 두서없는 말로 파드로니가 설명하길

"제가 이놈을 덮치고는 조용히 있으라고 했는데도, 몸부림치면서 칼을 뽑아 들고 나한테 대항하길래… 이놈 대갈통에 총 손잡이로 한 방 내리쳤습니다."

내가 중얼거리면서 "말 뒷발에 한 방 먹은 것처럼, 그렇게 자네는 단 한방에 이 친구를 잠재웠다 그 말이군."

주차장 근처에서 낯선 사람들이 나타난다. 사람들이 떠들면서 여러 명이 호텔에서 나오는데, 여자들도 몇 명 보인다. 이 사람들이 경찰에 우리를 신고하려면 몇 분 걸릴 테지. 그래서 내가 "여기에서 모두 도망치자!" 우리는 벌써 멀리 도망가고 있었지. 우리가 도망치기 시작한 그 순간에 여자가 비명 지르는 소리가 아직도 내 귓가에 맴돌고 있구나. 사람들은 틀림없이 시체를 발견하겠지. 그다음 몇 분 지나서 경찰 역시 그 현장에 도착할 거다.

손에 칼을 쥐고 죽은 사람과 총신에 머리가 터져 죽은 두 사람이 서로 치고받고 결투를 벌이다가 죽었다고 도망간 녀석이 경찰에서 설명하는 것이 우습다.

시몽이 "경찰에게 자기 애들을 풀어주라고 프랑코 그놈은 뒤에서 공작하겠지요." 이 말을 듣고 보니 이 친구도 나하고 이심전심이구나. 게라디 특별검사가 이 친구를 무엇 때문에 총애하는지 그 이유는 잘 모르겠지만, 어쨌든 이 친구가 점점 내 마음에 든다.

우리는 어렵게 고생을 하면서 불빛이 환하게 빛나는 시내 안으로 들어오니까 무슨 차들이 이렇게 많은지 깜짝 놀랐다. 이 기후에 잘 적응한 원주민들은 주로 밤에 시내로 나가서 새 삶을 충전한다. 차량 행렬이 모였다 헤어졌다. 그렇게 반복한다. 술집이나 상점 또는 영화관에 설치된 광고 조명이 사람들을 유혹하는구나. 음식점 발코니에서 관현악단의 부드러운 선율이 흘러나오고 있다. 날씨는 덥다. 몹시 덥구나.

나는 길거리 판매점에서 잡지 파는 곳에 차를 세우면서

"시몽, 이 도시 지도 한 장 좀 사게나."

**그로스베느** 가는 길은 항구와 교육지역 중간쯤 되는데, 이 도시의 중심지 안으로 뻗어져 있었다. 런던 시내에 있는 전통지역에 있는 집처럼, 가옥들이 2층이나 3층으로 줄지어 지어져 있구나. 잠시 차들이 정지하는 바람에 우리는 겨우 그로스베느 지점을 찾았다.

집 16번지는 다른 집하고 똑같다. 어떤 예감이 들기를 칼 맞고 죽은 정보원 그놈이 나를 배신했을 경우 우리는 또 하루를 허송세월로 보내야 하겠구나.

파드로니는 해안에 머물게 하고, 집안에 마리 발란 여인이 진짜로 있다는 것을 알고서는 천천히 우리 두 사람은 2층으로 올라갔다. 이런 경우에 승강기를 이용 않는 편이 상책이지.

붉은 양탄자가 복도 바닥에 깔렸고, 옆에는 흑단 나무로 만든 문들이 줄지어 서 있다. 확실히 여기는 부자 놈들만 사는 것 같다. 문 위에 '발란' 이라는 이름표가 보인다. 문 위에는 텔레비전 감시카메라가 없다. 시몽하고 나하고 문 앞에 가서, 시몽이 초인종을 누른다. 나는 벽 쪽에 바짝 몸을 숨기고 이 친구는 천진난만한 애들 표정으로 바꾸더니 눈망울만 이리저리 굴리면서 문이 열리길 기다린다. 결국, 문이 열린다.

그 순간 역시 앞치마를 걸치고 문지방에 서 있는 하녀를 보았지. 나는 이 하녀가 나를 볼 수 없도록 벽에 착 달라붙어서 숨소리조차

내지 않고 서 있었지. 우리가 신사적으로 방 안에 들어가지 못할 경우, 강제적으로 방 안에 들어가야 하겠는데.

하녀가 "선생님, 안녕하십니까?"

"안녕하십니까. 프랑코 선생님께서 비스토 씨한테 가보라고 저희를 보냈습니다. 비스토 선생님께서는 안에 계십니까?"

이 하녀가 잠시 망설이더니 어설프게 대답하길

"확실히 잘못 아시고 찾아오신 것이 분명합니다만… 저희는 비스토 선생님이 누구인지 전혀 모릅니다."

내가 이 여자 얼굴을 아마 보게 되었다면, 그 말을 그대로 믿었을지도 모르지만, 목소리 속에서 거짓말하고 있다는 것을 눈치챘지. 내가 행동 개시하자 나에게 자기 위치를 양보하려고 시몽도 재빨리 자리를 비켜준다. 사실 이 여자는 거짓말하고 있었지. 그 찰라. 시몽도 내 뒤를 따라서 안으로 잽싸게 뛰어들어간다.

나는 한 손으로 이 여자의 입을 틀어막고, 다른 손으로 허리를 껴안았다. 이 여자는 무서움 때문에 벌벌 떨고 있었다. 나는 사랑채 벽에 대고 이년을 내동댕이쳤지. 시몽은 문을 닫고 방안으로 뛰어들어간다. 나는 이 여자에게 "네 년이 소리 지르면 목졸라 죽이겠다." 협박을 하자 말조차 제대로 못 하면서 죽을상이다. 눈빛으로 시키는 대로 하겠다고 대답한다. 나는 이 여자를 놓아주면서 ;

"집에 어떤 놈이 있소?"

"마담만 계십니다." 카리브 전통은 안주인을 "마담"이라고 부르지.

"마리 발란입니까?"

신음을 내면서 "예… 그렇습니다."

"주방으로 나를 안내하시오."

네온 불빛이 비치는 깨끗한 주방 안에서 나는 제일 먼저 이 여자에게 바깥에서 우리를 보지 못하도록 장막을 치라 한 다음 이 여자를 의자에 묶었지. 소리는 절대 지르지 않기로 다짐을 받았기 때문에, 입에 자갈을 물리지 않았지.

그 사이 거실에서 시끄러운 소리가 나고, 무거운 물건 떨어지는 소리도 나더니, 조금 지나서 조용하다. 시몽은 푹신한 의자에 걸터 앉아서, 긴 머리 소녀 같은 여인을 묶고 있는데, 이 여자는 안 묶이려고 고래고래 소리 지르고, 고양이처럼 손톱으로 할퀴며 앙탈을 부리고 있다. 마룻바닥을 보니, 오래된 꽃병 한 개가 산산조각이 나서 난장판 같다. 이 여자는 "죽일 놈들! 이 무슨 지랄이고?"

나는 침착하게 창문 장막을 닫았다. 밖은 초저녁인데도, 흡사 한 밤중 같다. 시몽은 의자에 이 여자를 앉히고 보니, 마리 발란은 정말로 미인이다. 스무 살 정도 같고, 요염한 입술을 쳐다보니, 옛날 내 아내가 생각난다. 이 여자의 얼굴 하며, 검은 눈동자를 쳐다보니 도전적이다. 그러나 현재는 눈에 불똥을 튀며 욕설을 퍼붓고 있다.

식식거리며 "네놈들은 어디서 굴러온 개뼈다귀고, 제기랄!"

내가 부드럽게 "조용히 해 주십시오." 그러자 이내 조용하다. 지금 이 여인은 자기 남편처럼 그런 조직의 일당일 것이라고 그렇게 우리를 생각한 모양 같다. 나는 침착한 어조로 이 여인에게 말하길 "우리는 당신 때문에 용무가 있어서 여기 오지 않았으니, 조용히 계시오. 당신이 아무 탈 없이 행복하게 사시려면 순순히 묻는 말에 대답하시오. 비스토가 오늘 저녁 여기에 옵니까?"

지랄하면서 "천만에!" 그래도 그놈이 제 남편이라고 되게 봐주고 있네. 나는 겸손하게 "그래도 상관없소, 그 사람이 올 때까지 우리는 여기서 기다릴 테니까."

그러나 이때 이 여자의 눈에서 처음으로 두려움에 떨고 있다는 것을 알아내었다. 속눈썹도 파르르 떨고 있었지. 그래서 내가 말을 계속하길

"마리, 말씀해 주시오. 우리는 사실 비스토와는 아무런 상관이 없소. 다만 그분에게 몇 가지만 여쭈어본 다음, 즉시 우리는 여기를 떠나겠소. 그분이 오늘 밤에 오십니까?"

이 여자는 내 말에 반신반의하는 눈치였지. 그러나 입술을 지그시 깨문다. 금팔찌, 금귀고리, 벽에 걸려 있는 그림이랑, 양탄자 등등… 두목의 애첩답게, 이 년은 확실히 부자다.

이 연인은 결국 귓속말로 "그분은 오실 것입니다."

"언제입니까?"

"열 한시 전에 옵니다."

시몽과 나는 서로서로 얼굴을 쳐다본다. 곧 열 한시가 된다. 그럼 몇 분만 있으면 비스토가 들이닥치겠구나.

"그는 항상 혼자 옵니까?"

이 여자가 "그분은 절대로 혼자 오지 않습니다." 그러는 말투 속에서 나는 이 집시의 검은 눈동자 속에서 짓궂은 웃음이 약간 비치는 것을 찾아냈지. 작전 계획을 짤 시간이 별로 없구나. 시몽이 커다란 장롱을 열더니 "이 여자를 여기에 숨기면 안성맞춤인데요." 바로 그때 문에서 초인종 누르는 소리가 들린다. 나는 부엌으로 뛰어가서 하녀를 풀어주고는 :

"문을 열되… 입 한번 벙긋하다가는! 총구멍이 당신을 겨누고 있을 테니!" 나는 총을 꺼내 들고 "웃어…!"

아니꼽다는 표정을 지으면서 하녀는, 성질을 내면서 벌써 두 번씩 초인종을 누르고 있는 문 쪽으로 간다. 나는 반쯤 닫힌 부엌 뒤에서 있으면서, 그 틈새로 입구 쪽을 주시하고 있었지.

하녀가 문을 열어준다.

첫 번째 놈이 인사도 받지 않고 들어오는데 키가 크고 어깨가 딱 벌어진 사내다. 내가 그놈 얼굴을 미처 보기도 전에, 응접실 쪽으로 걸어간다. 멀리서 쳐다보니 아직도 두 놈이 더 들어오는데 그렇고, 그런 놈이다. 이놈들은 비스토 개인 경호원 두 놈이 분명하다. 부엌 쪽을 쳐다보면서 응접실로 들어가는 방향에 등지고 있는 경호원 두 녀석 때문에 공격하기가 여간 힘들지 않겠구나. 이 녀석들은 기다릴 동안 분명히 냉장고에서 음료수를 꺼내 가지고 목을 축일테고, 그 사이 침실로 들어간 놈의 두목은 예쁜 마리와 재미 보겠지.

안에서 비스토는 사흘 굶은 들짐승처럼 포효하기 시작한다. 경호원 두 놈이 몸을 돌리고 침실로 뛰어가는데, 내가 멍청하게 부엌문을 열고서

"어이, 친구들, 꼼짝 말아! 총 버려!"

나는 응접실에서 시몽의 긴박한 목소리를 들었다. 시몽도 나처럼 은신처에서 나와서 비스토한테 총을 겨누고 있는데….

내가 장난치는 것이 아니라고 생각해서 이 두 녀석은 눈만 어깨너머로 보고 있었다. 동시에 순순히 응하면서 각자 쥐고 있는 총 두 자루를 마룻바닥에 떨어뜨린다. 내가 "친구들! 발로 총을 차서 구석으로 밀어 넣어라." 내가 시키는 대로 고분고분하다.

"두 팔을 앞으로 쭉 뻗고, 방바닥에 엎드려라."

이미 방바닥에 엎드려 있는 이 친구 주변을 돌면서 구석에 놓여 있는 총 두 자루를 내가 줍고 응접실 내부를 쳐다보았다. 마리 발란은 고함을 질러 보지만 의자에 앉아서 쓸데없이 몸부림치고 그 옆에는 두 손이 결박된 거구의 사나이도 서 있다.

나는 시몽에게 "이놈의 총도 뺏어라." 비스토 역시 무장해제시키고 두 다리는 앞쪽으로 쭉 뻗고 푹신한 의자에 앉으라고 말했지. 우리가 잠깐 한눈팔 때, 이놈이 육탄 박치기를 못 하도록 그렇게 확실히 해 두었지.

"비스토 선생, 다 끝났소. 우리 이야기 좀 합시다."

쉰 목소리로 "당신들은 도대체 누구요?" 이놈은 덩치는 커 보이나 흡사 원시인처럼 되게 못생겼구나. 어떻게 보면, 술집 문지기 같기도 하고 백정 조수 같기도 하구나. 두 눈깔이 툭 튀어나와서 도깨비 형상이다. 이 여자가 도대체 무엇 때문에 이놈을 좋아하는지 나는 이유를 종잡을 수 없다. 아니면 이놈이 마음에 안 들지만 돈 때문에 이놈을 좋아하는지도 모르겠다.

나는 점잖게 "프랑코 선생님과 이야기 좀 하고 싶소."

이때 클레버 오른팔을 신문하려면 어떤 계략을 꾸며야 할까? 그 점을 곰곰이 생각하는데, 미처 생각지 못한 일이 벌어졌다. 나는 차가운 금속성 총구가 내 목덜미에 닿는 것을 순간 감을 잡았지. 내 머리끝이 쭈뼛하는 것 같았다. 내가 클레버 그놈하고 질적으로 전혀 다른 이놈한테 클레버 그놈에 관해 묻는 그 자체가 쓸데없는 짓이었지. 이 순간 나는 이 금속 총구 때문에 사지가 마비되고, 전율을 느끼면서 죽음의 그림자가 나를 짓누르는 것 같다. 일도 하기 전에…, 몸에 부딪히는 이 금속 촉감이 내가 살아있는 동안 마지막 느낌이라고 내가 꿈에서도 상상이나 해 봤나.

그 찰라. 내가 어떤 실수를 범했다고 알아차렸지. 그 하녀… 맞아, 틀림없어. 갱 두목 애첩을 시중드는 여자는 촌 여자와는 질적으로 다르지. 이런 집에서 살아남으려면 모든 비밀도 알아야 하고, 또 항상 무기도 가지고 있어야 하지.

이 여자는 옛날식으로, 무뚝뚝한 목소리로 "꼼짝 마!"

이 분야에서 소위 전문가 중 전문가라고 자부하는 내가 이처럼 어처구니없게 이 계집한테 당하다니.

비스토가 즉시 모든 것을 파악하고는 "이 새끼들 총 버려!"

시몽도 멍청히 서 있다. 사랑방 마룻바닥에 엎드려 있는 애들 두 놈이 벌떡 일어나 쏜살같이 우리 쪽으로 와서는 총을 뺏는다. 그리고는 무지막지하게 벽 쪽으로 우리 두 사람을 밀착시키고는 전문가답게 우리 옷을 뒤진다. 능글맞은 표정을 지으면서 비스토가 여권 2개를 살펴보면서

"스카겐 선생님과 갈랭 선생님이시라…, 앉아, 새끼, 이놈들을 단단히 묶어!" 인상을 찌푸리더니 고막이 터지도록 고함지른다.

몇 분 지나자 우리 두 사람은 딱딱한 의자에 꽉 묶인 채 앉아있었다. 얼마나 세게 묶었는지 손목이 잘리는 것 같다. 시몽은 신경질적으로 두 입술을 꽉 깨물고 있을 때, 나는 파드로니, 그 친구는 지금 어디서 무엇을 하는지…? 시칠리아의 그 친구가 지금 여기 있다면,

진짜로 자기 실력을 발휘할 수 있을 텐데. 비스토 녀석이 우리 쪽으로 다가오는데, 얼굴을 똑바로 바라보니, 풀죽은 고깃덩어리처럼 더럽게 못생겼고, 머리카락은 더벅머리처럼 아무렇게나 귀밑에 흘러내리고 있다. 맞지도 않는 옷을 꽉 조여서 이 커다란 덩치에 걸치고 있구나. 영국놈이지만, 이놈의 말투 때문에 스페인식 이름을 쓰고 있구나.

"야, 인마, 이야기 좀 하자!"

이놈을 더 골려 주려고

"우리는 프랑코 선생님하고만 이야기하고 싶소."

"네 놈은 그것 때문에 여기에 왔나?"

"예. 그렇습니다. 저희는 그분의 주소를 모르기 때문입니다."

"어떤 미친놈이 네 놈에게 함부로 그분의 주소를 가르쳐 주겠는가?"

"그만한 가치가 있으니까. 벌써 죽은 놈이 두 명이나 되지 않소."

그러자, 비스토 녀석이 나한테 주먹을 한 방 먹인다. 눈앞에 갑자기 별이 보인다. 그렇지마는 내심 아무렇지도 않게 행동했지. 이 한 방에 기죽을 내가 아니지. 나는 싸움에서 한번 한다 하면 끝장을 보는 성질이지. 비스토가 식식거리면서 "이 새끼가 왜 이렇게 건방지나." 잠시 머뭇거리더니, 한 방 더 먹여 줄까? 그 순간 우리 두 사람은 말없이 눈을 노려보다가, 잠시 후 비스토가 전화기 쪽으로 다가간다. 이놈이 전화 걸 때 나는 전화번호를 알아낼 수가 없었다. 전화를 걸면서 우리 문제에 대해 상의하는 것 같다. "좋습니다. 여기보다 이놈들을 숨기기에 더 좋은 장소가 있다고요…. 당장? 잘 알겠습니다. 그럼 30분 후에 뵙도록 하겠습니다."

통화를 끝내고 자기 경호원 중 한 녀석을 쳐다보며

"**죠니**, 밑으로 내려가서 주차장에 세워놓은 자동차에 시동을 걸고 떠날 준비를 하라고 **린더**한테 전해." 우리 두 사람이 여기 갇혀서 어릿광대 놀음을 하는 줄 다른 애들은 알 턱이 없지.

말이야 바른 말이지. 그 어릿광대가 바로 우리 두 사람이지. 시몽은 가만히 있다. 한 놈이 이 집을 나가고, 이놈보다 조금 더 큰 녀석이 우리 등 뒤에 서 있다. 자꾸 파드로니 그 친구가 생각난다. 그럼 현재 이놈들은 모두 네 명이구나. 갱 한 놈이 운전하려고 차 안에서 기다린다. 비스토 이놈은 빈틈없는 놈이라서 절대로 혼자서는 자기 차조차도 타지 않는 진짜 전문가이지. 그러나, 원숭이도 나무에서 떨어질 날이 있는 줄 이놈은 꿈에서나 상상해 보았겠는가.

지금 비스토 일행에게 마실 거리를 날라주고 있는 하녀 마리도 여기에 같이 있지. 인정머리 없게 이 년은 우리에게는 물 한 잔도 안 준다. 그 사이에 누가 마리 발란의 두 손을 풀어 주자, 이 미녀는 식식거리면서 자기 옷 맵시를 고치기 위해 욕실로 사라진다. 그러나 떠나기 전 이 여인은 독기어린 시선으로 시몽을 쳐다보았지. 비스토가 음흉한 웃음을 지으면서

“네 놈이 감히 프랑코 선생님과 담판하시겠다고? 네놈들이 무슨 용건으로 그분을 만나려고 하는지 그 이유를 말해 주면 내가 대신 전해줄게. 네놈들이 그분을 만날 생각은 미리 꿈 깨!”

내가 “우리는 꼭 그분을 만날 것입니다.” 죠니가 아직 돌아오지 않자 비스토 역시 안절부절못하는 것 같다. 신경질적으로 문을 쳐다보지만 문 여는 소리는 전혀 들리지 않는구나. 우리 뒤에는 비스토 경호원 한 놈이 그림자처럼 달라붙어 있다. 비스토는 권총을 잡고는 방안 이리저리 왔다 갔다 한다.

“지난번 거래가 미국놈들에게 영 마음에 안 든다는 말이지. 그렇지? 글로리아 선장 그놈이 바보 멍텅구리지. 우리는 대금 일부분을 받기로 해서, 그놈의 물건을 팔아 줬잖아. 나중에 그놈은 배까지 바닷속에 처박고 보험금조차 또한 챙겼잖아. 그런데 그놈이… 우리에게 손가락질하면서. 그 일 때문에 그놈이 여기에 네 놈을 보냈다는 것을 나는 손바닥 손금 보듯이 잘 알지. 어쨌든 우리 일에 미국놈들이 콩 내라 팥 내라 하는 꼴을 못 보지.”

이놈은 말 못 하다가 죽은 귀신이 덮어 씐 것처럼 5분 정도 일장 연

설을 지껄인다. 시몽과 나는 잠자코 듣고만 있고, 마리는 욕실에, 하녀는 주방에 있다. 기다리다 지친 비스토가 마리보고 큰 소리로 말한다.

"귀여운 것, 지금 우리는 간다. 그러나 나는 조금 있다가 다시 올게…"

이놈이 우리보고 소리 지르며, "자, 이놈들을 끌고 나가!" 경호원 녀석이 우리 두 사람을 의자에 묶어 놓은 밧줄을 풀어주는 대신, 우리 두 손을 등 뒤로 꽉 묶는다. 그제야 뒤에 서 있는 경호원 녀석 얼굴을 처음 보았다. 언젠가는 이놈에게 진 빚을 갚고야 말겠다고 속으로 다짐했지. 복도에서 우리 두 사람이 앞서가고, 뒤에서 비스토와 비스토 졸개 녀석이 따라온다. 이놈들도 전문가답게 승강기를 이용하지 않는다. 우리는 층층대에서 한 사람도 보지 못했다. 일층 역시 나는 아무도 보지 못했다. 빌어먹을 자식, 파드로니 그놈은 도대체 어디에 처박혀 있나…!

지하주차장은 캄캄하구나. 건물을 받치고 있는 널따란 시멘트 기둥 사이에 차량 몇 대가 서 있다. 주차장은 만원이다.

비스토가 재빠르게 "린더, 어디에 있나?" 자동차 한 대가 전조등을 켠다. 시동 소리가 부-르-릉 나더니, 조금 후 우리 앞에 차가 서는데… 우리는 운전기사 얼굴을 보지 못했다. 우리 직업상 이런 순간은 너무나도 중요하지. 그 찰라. 물체 하나가 콘크리트 뒤에서 터지는 소리가 난다. 총소리가 틀림없다. 그러자 아주 쉽게 비스토 경호원이 제거되었다. 이놈은 총 쏠 틈도 없이 벌써 땅바닥에 꼬꾸라졌다. 동시에 사내 세 놈이 주차된 자동차 사이에서 갑자기 솟아나더니, 비스토에게 총 세 개를 겨누면서

브랑코가 "친구, 손들어!"

머베이가 "허튼수작 부리면 허파에 바람구멍 내 줄 테다."

루버가 비스토 녀석을 쳐다보지도 않고, "자네가 실패하나, 성공하나 우리 내기할까?"

그 '총소리'는 알렉스 짓이었다. 지금 이 친구는 경호원 총을 빼앗아 자기 호주머니에 집어넣으면서도 그놈의 목에 총을 갖다 대며 "천천히 일어서… 뒤로 돌아!"

비스토는 두 손을 쳐들고 서 있었다.

그 사이 파드로니가 차를 몰고 우리 곁으로 다가온다. 비스토 자동차이구나. 머베이가 비스토 총을 뺏고 또 우리 두 사람의 여권도 돌려준다. 조금 후 알렉스가 그 경호원 녀석을 자동차 뒤쪽 짐 싣는 곳에 집어넣는다. 우리 자동차 안에도 한 놈이 의식불명인 채 쓰러져 있는데, 자세히 살펴보니 비스토 운전기사, 린더 그놈이 확실하다.

루버가 우리 결박을 잘라 줄 적에, 나는 너무나 성급하게 "너희들은 도대체 무슨 재주로 때마침 여기에 왔나?"
브랑코와 파드로니는 비스토 운전 기사에게 차 안에서 한 방 때려 뻗게 하고, 15분 전, 비스토의 경호원 한 녀석이 주차장에 대기하고 있는 비스토 운전 기사에게 즉시 시동 걸 준비를 하라는 비스토 이야기를 전달하고 되돌아가다가 어두운 곳에서 파드로니에게 주먹 한 방 맞았지….

알렉스가 "우리는 시키는 대로만 했습니다. 우리 대장님은 과연 대장님 중의 대장님이십니다." 나를 놀리면서 어릿광대 짓을 한다. 잠시 후 나한테 사과하고는 이 녀석이 계속 지껄이길 "우리는 모라레스 별장 앞에서 잠복하고 있었습니다. 그러다가 열 시쯤 그곳에서 차 한 대가 나오자, 그 차를 미행하다 보니 때마침 여기에 오게 되었습니다." 그러면서 차체가 넓은 검은 자동차를 가리킨다.

"그럼, 이 차에 비스토가 탔단 말이지?"

시몽이 "예, 그렇습니다. 아마 비스토 이놈은 오후 내내 그곳에서 휴식을 취하고, 그 후에는 마리하고 약간 재미를 보는 것 같습니다." 이야기하는 동안 다른 애들은 비스토를 단단히 묶고 뒷좌석에 앉게 한다. 차 문을 닫고는 자동차 세 대가 도로 쪽으로 달리기 시작한다.

우리가 벌써 교외로 진입했을 때, 브랑코가 "그런데, 목적지는 어디고, 이놈 처리는 어떻게 할 작정인가?"

두 손가락 관절을 비비면서 나는 "솔직히 말해서, 나한테는 별 뾰족한 수가 없네." 나는 브랑코에게 지금까지 일어난 사건을 이야기해 주면서, 자네 생각은 어떠냐고 물었지? 이 친구는 머리를 긁는다. 이 버릇은 심사숙고할 때마다 나타나는 신호지. 자초지종 내 이야기를 되새겨 보더니 "현재 상황에서는 이놈들을 풀어줄 수 없다. 그 이유로서 비스토와 애들이 자네와 시몽을 처형시키기 위해 지금 차에 태워서 오고 있는 것으로 프랑코 그놈은 믿고 있기 때문이지."

내가 참지 못해서 "그렇다고 우리가 이놈들을 호텔에 가두어 놓을 수도 없잖아!" 이야기하는 동안 이미 도시를 벗어났고, 전혀 생소한 장소로 캄캄한 밤중에 차를 몰고 있었지.

브랑코가 "야, 좋은 수가 있다. 방공호에 가둬 두자."

"방공호라니…?"

"전쟁 중일 때, 이 섬은 영국령이었지. 어느 날 카리브 섬 중에, 소위 '미국년 사타구니'라 불리는 지역에 독일군이 상륙했다고 사람들이 그렇게 말하더군. 바린고스 근처에 지금도 흔히 볼 수 있는 방공호가 만들어져 있는데 물론 내부에는 아무것도 없지."

내가 미심쩍어서, "자네는 어디서 그런 사실을 알아내었나?"

"자네처럼 이 분야에 일할 때는 물론 아니고, 진짜 순수하게 '여행가'로서 이 섬에 첫발을 디딜 때 안 사실이지. 나는 호텔에 비치된 여행 안내서를 보고는 열심히 그 내용 전부를 다 읽어 보았다네." 나는 이 친구의 넓은 견문에 고개를 끄덕이며 "좋은 생각이다! 그런데 여기서 그 방공호 있는 데까지 거리는 얼마나 되나?"

"바린고스 동쪽, 해변 백사장 위쪽일세. 우리가 여기서 똑바로 가게 되면, 얼마 못 가서 그중 한 개는 결국 찾아내게 될걸세."

우리는 비포장도로와 물웅덩이 속으로 한 30분 달리다 보니, 진짜로 방공호가 있었다. 방공호 수십 개가 이 해안에 있구나. 우리는 방공호 중에서 가장 먼 곳에 있는 방공호를 선택했다. 찌는 더위는 밤에도 계속된다. 어디선가 귀뚜라미가 처랑하게 찌르레 찌르레 울고 있다. 먼바다에서 파도가 밀려왔다가 다시 되돌아가는구나. 차에서 내린 파드로니는 손전등을 갖고 방공호를 살펴본다. 방공호 두 곳은 심지어 문까지도 달려 있다. 창문 대신에 수평으로 방범창이 처져 있는데, 그 틈새가 아주 좁아서 어린애들조차도 빠져나올 수 없게 되어 있구나. 우리는 손이 결박된 세 놈을 방공호에 집어넣고는 두꺼운 강철 문을 닫았다.

비스토가 아까 말한 것처럼 그렇게 똑같이, 시몽이 ‘선생님’ 이라는 말에 힘을 주면서 “자, 지금부터 비스토 선생님, 저희와 이야기 좀 해 보시겠습니까?”

나는 클레버 오른팔인 이 비스토 녀석을 다른 장소로 데리고 가도록 했다. 머베이가 벽에 전등을 걸어 두니까 시멘트벽을 환하게 밝혀 준다. 내가 애들에게 “내가 직접 이 친구를 심문하겠다.” 그러자 파드로니 얼굴에 불쾌한 기색이 역력하다.

벽에 기대면서 비스토를 똑바로 바라보면서 “대장, 이 일은 대장 개인적인 일이 아니잖소. 우리 보는 앞에서 이놈을 족치시오.”
루버도 비스토한테 다가가더니 “이놈이 조금이라도 헛소리를 늘어놓으면, 그 전에 내가 네 놈 모가지를 비틀어 버릴 거다.”
그 말을 듣자. 이놈은 죽을상이다. 그러나 나는 그렇게 하면 안 돼 하면서 “우리에게 시간이 없다. 자네는 나중에 이 녀석을 목졸라 죽일 수가 있지… 그렇게 되면 우리 두 사람은 거래할 수 없게 된다. 잠시 자네들이 이 자리를 피해 주게나.”

브랑코가 “우리는 근처에 있겠네.” 문 닫는 소리가 삐걱거린다. 나는 브랑코가 비스토 애들보고 방 쪽으로, 차 쪽으로 일으켜 세우고 있는 목소리를 들었다.

비스토 녀석은 사색이 다 되었다. 얼마나 무서웠으면, 사시나무 떨듯이 두 무릎과 입술이 떨고 있다. 이 녀석은 벽에 붙어 있어서, 전에 내 얼굴에 한 방 먹인 그 주먹 대신, 내가 지금 이 녀석을 한 대 치면 피장파장이겠구나. 이 녀석이 왜 이렇게 떨고 있나. 나는 아주 많이 맞닿을 정도로 가서 이 녀석 두 눈을 쳐다보며 “나는 긴말할 시간이 없소. 그리고 비스토, 당신 역시 급한 용무가 있을 거요.”

이 녀석은 아직도 말을 하지 않고, 듣고만 있다.

“내가 당신 애들 보는 앞에서 당신을 총 쏘아 죽을 수도 있소. 그렇게 되면 애들은 모조리 나발 불게 될 거요. 그러나 나는 우리 두 사람만 뜻이 맞으면 아주 쉽게 일이 해결될 것이요. 솔직히 말해서 당신도 프랑코 자리가 탐나지 않소?”

이 질문이 과연 효과가 있는지 결국 이 녀석이 말문을 여는데

“제가… 감히 프랑코의 자리를…?”

“그렇소, 당신도 조직의 두목이 될 수 있지요.”

“그럼 프랑코 씨는?”

“그놈은 영원히 사라질 테니까요.”

재빨리 머리 굴리더니 “어떻게 하실 작정입니까?”

“그것은 당신이 알 바 아니지요. 그놈은 조만간 당신도 볼 수 없을 것이고, 그 어떤 사람도 더는 그놈을 볼 수 없도록 영원히 이 지구상에서 사라질 것이요.”

이 녀석은 두 입술을 지그시 깨물면서 속으로 골똘히 생각하는 눈치다. 어둠이 짙게 깔린 더러운 콘크리트 벽 앞에 서 있으면서 내 제안에 심사숙고하고 있다. 물론 이 녀석도 내 제안에 선택의 여지가 없다는 것을 알고 있고, 나 역시 그 점을 노리고 있지.

“제가 할 일은 무엇입니까?”

“우리를 그놈 있는 곳까지 안내만 해 주면 됩니다. 또 그놈은 지금 어떤 계획을 세우고 있는지 또 어떻게 하면 우리가 그놈이 있는 데까지 들어갈 수 있는지 그 점에 대해 말씀해 주시요. 그리고 당신도 우리와 함께 그놈이 있는지 그곳까지 가 주셔야 할 것입니다.”

우리 두 사람은 서로서로 눈길을 마주쳤다. 내가 심각하게 이야기한

다는 것을 이 친구는 알아차리는 것 같았지만, 그렇게 하면 피비린내 나는 전투가 벌어질 것도 예상하는 눈치였다. 이런 일이 순조롭게 된다면 비스토는 참말로 행운아지. 자기 자신은 피 한 방울 안 흘리고 어부지리로서 두목으로 뽑히겠지. 덧붙이자면, 최고 높은 자리까지 올라가서는 결국 프랑코 세력권에서 최고 실권사가 되겠지. 나는 깡패 애들과 거래를 수백 년 했기 때문에 이런 놈들 생리는 너무나도 잘 알고 있지. 그런 애들은 내 맞수가 못되지만 '친구 녀석들' 이 나한테 반감을 보이면서 나를 제거하려고 시도한 적도 몇 번 있었지만… 비스토 이놈 역시 그놈들과 똑같지. 그런 사실을 나는 잘 알고 있었기 때문에 이놈을 쉽게 설득시킬 수 있었지.

이 녀석은 조금도 망설임 없이

"좋습니다."

우리는 차 있는 바깥쪽으로 나갔다. 비스토는 자기 차에 타고 옆에는 파드로니, 뒤에는 나하고 브랑코가 탔다. 다른 애들은 2호 차에 타고 우리를 따라서 오고 있고, 우리 차량은 가운데, 맨 앞에 가는 3호 차는 시몽이 빌린 차였지. 지금 상황에서 이 3호 차가 필요 없으므로 주유소 도롯가에 차를 주차해 놓았지.

비스토 이놈은 모호한 말투로 우리를 안내하고 있었지. 또 한 번 우리 차량은 시내를 달리고 있고, 그 사이 우리는 비스토 두 손을 풀어주었지만 브랑코가 이놈에게 총을 겨누고 있었지.

우리가 이미 동부지역을 달리고 있을 때, 그제야 비스토가 나한테 얼굴을 돌리면서 :

"프랑코 주변에는 적어도 경호원이 열 명 정도 되며, 작은 별장에 세 들고 있습니다. 철 대문을 통과해서 마당까지 차가 달릴 수 있게 길이 쭉 나 있으며, 왼쪽은 정문, 오른쪽은 주차장과 주방이 있습니다."

"그럼 뒷문은?"

"뒷문은 없습니다."

이놈이 '없습니다' 라고 말하는 그 말투가 내 마음에 영 거슬린다. 이놈이 나보다 한 수 더 두나? 그러나 나는 아무런 내색을 하지 않았다. 우리가 차를 세우자, 다른 애들도 따라 정지하자 :

"알렉스, 자네가 차를 몰고, 우리 뒤에서 따라오라. 정문에 장애물이 보일 경우, 우리가 그것을 제거할 테니까… 머베이, 자네는 멀리 가서 별장 뒤쪽에서 대기하게."

터키인 친구가 "대장님 지시대로 하겠습니다." 우리는 각자 의자 밑에 숨겨 둔 중화기를 나누어 가지고 조금 더 앞으로 차를 몰다 보니 길이 좁은 도로도 지나갔다. 이 별장 안에서 가끔 불빛이 비쳤다가 꺼진다. 이 집은 밤하늘에 갑자기 나타난 철옹성 같구나. 우리가 정문 앞에서 차를 세울 때, 벌써 자정이 넘었다. 머베이가 운전하는 2호 차에서 그늘이 생기더니, 이내 사라진다.

비스토가 가르쳐 준 대로 파드로니가 차 경적을 빵·빵·빵·빵 네 번 울리자, 정문 감시 초소에서 불이 켜지더니 문이 반쯤 열리면서 우리 차 쪽으로 사내 두 녀석이 다가온다.

비스토가 자동차 창문을 밑으로 내리면서 "나, 비스토인데, 친구들 아무런 이상 없나!" 그렇게 대답하는 찰나. 우리는 차 안에서 얼굴을 숨기려고 몸부림쳤지. 두 놈 중, 한 놈이 몇 분이나 차 속과 바깥을 수색하더니 다시 대문 쪽으로 가서 문을 열어젖히자. 나는 비스토에게 귓속말로 "2호 차 통과시켜"

비스토가 보초병에게 "뒤차도 우리 애들 차다!" 파드로니가 차 속력을 내자 우리는 벌써 프랑코 마당에 와 있었다. 흰 대리석으로 깔아놓은 길이 정문 입구 통로였지. 그러나 우리가 정문을 통과한 후, 내 뒤를 따라오던 애들한테는 아무런 이상이 없었는가. 정문 쪽에서 총 쏘는 소리가 들린다. 우리가 나중에 알아낸 사실이지만, 보초병 한 명이, 자기가 여태까지 한 번도 본 적이 없는 녀석 3명이나 차 속에 타고 있으므로 약간 수상하다고 생각해서…. 이 보초병은 차를 정지시키고 총을 차 쪽으로 겨누면서 알렉스, 시몽 또 루버 세 사람을 차에서 내리라고 하자, 창문 닫힌 채 알렉스가 창문 안에서 몇 방 갈기고 또 반대편에 있던 루버도 알렉스처럼 총을 난사했지. 이 친구들은 지금 상황에서 머뭇거릴 시간이 없어서 시몽도 총을 꺼내 들고 쏠 자세를 취하니, 보초병 두 놈은 땅바닥에 엎드려 숨어 버렸다고 했지.

내가 고함치길 "정문 쪽으로 가자!" 사실, 우리도 뒤에 있는 애들한테 신경 쓸 겨를이 없었지. 찌익- 소리를 내면서 파드로니가 계단 앞에 차를 세우고는 쏜살같이 차 문을 열고 난 뒤 땅 위로 구르면서 나온다. 파드로니 기관단총이 빛에 반사되어 반짝거린다.

주방 쪽으로 총소리가 나더니 조금 지나니 별장 전체가 갑자기 암흑천지다. 브랑코와 내가 출입문 쪽으로 몸을 날리자 별장에 있는 창문 열 군데에서도 총알을 비 오듯이 퍼붓는다. 알렉스는 정문 곁에 있고, 시몽은 주차장 쪽으로 총을 쏘고 있다. 문 뒤쪽에 저장해 놓은 휘발유 큰 깡통이 총알에 맞았는지, 어떤 것이 '퍼-엉' 소리와 함께 온 대지가 불 화염에 싸인다. 정문 쪽에 있는 루버도 별장을 향해 총을 계속 쏘아댄다.

브랑코가 입구 유리문을 발로 차니까 산산이 조각나면서 내 귀가 아프다. 캄캄한 구석으로 뛰어가서는 벽에 기대면서 내 눈 안에 사물이 들어올 때까지 나는 기다리기로 했다. 내가 서 있는 이 공간에 시체 한 구가 있는데, 자세히 보니 남자였다. 우리가 문 쪽으로 총을 쏘다가 이 친구가 재수 없게 맞아 죽었나 보다. 이 죽은 놈 역시 프랑코 개인 경호원 중 한 놈이 틀림없을 테지.

브랑코가 내 쪽으로 오자, 우리 두 사람은 1층으로 쏜살같이 뛰어 올라갔다. 그 사이 파드로니와 루버가 1층을 샅샅이 뒤지고 있었다. 시몽은 주차장 문 자물쇠를 총으로 부수고 있었다. 그러나 안에는 한 놈도 보이지 않는다. 심지어 차 한 대조차 없다. 이 별장에 프랑코 녀석이 정말로 있다면, 최소한 이 주차장에는 차 한 대 정도는 있어야 하는데… 이것을 확인한 시몽은 몹시 심란하다.

그 사이 마당에 주차한 자기 차 옆에 서서 비스토는 큰 소리로

"어이, **프랜취**, 빨리 와!"

우리는 프랜취가 비스토하고 무슨 이야기를 나누었는지 전혀 알 수 없었지. 창문에서 기관단총이 불을 뿜는다. 그러자 비스토가 새끼 잃은 어미 호랑이처럼 길길이 날뛰며 고함지른다. 아까 난 총성은 비스토를 저격하려고 프랑코 애들이 쏜 것이 틀림없다며 나중에 시몽이 말해 준다. 삼십 분 지나서 어떤 식당에서 파드로니하고 식사할 때에도 경호원 한 놈이 비스토를 저격했다며 똑같은 말을 이야기해 준다. 시칠리아 인의 결투 결과는 어깻죽지에 총알이 스쳐 지나갔지만, 그 경호원 녀석은 그곳에서 영원히 잠들었지.

나는 훈련병 시절 이미 배운 그 방법으로 문을 통과했지. 문을 발로 박차고 구석구석으로 총을 겨누면서 가구들을 밀어젖히고, 누가 어디에 숨어 있는지 교과서대로 하나하나 수색해 가면서 앞으로 나갔지. 시몽은 중앙 전기 개폐기를 찾아내고는 다시 전기회로를 연결하니, 이 별장 전체가 대낮처럼 환하다.

그러나 프랑코 녀석은 아무 데도 없다. 비스토 그 친구 말이 사실이라면, 프랑코 그놈은 분명 여기에 있다고 했는데, 그렇다면 우리가 공격하자마자 그놈은 쥐새끼처럼 벌써 여기에서 줄행랑쳤단 말이지. "어딜 갔단 말인고?"

우리가 도로 쪽으로 도망치는데, 가까운 어느 곳에서 사이렌 소리가 들려온다. 이 별장 주변에 있는 다른 건물에서 불을 켜고, 창문 사이에 사람들의 얼굴이 보인다.

루버가 "이 지역에서 가끔 도로에서 총싸움이 벌어지지. 그러면 대부분 사람은 방바닥에 엎드려서 자기 몸을 숨기곤 하지."

우리는 루버 이야기에 고주알미주알 시간적 여유가 없어서, 나는 경찰이 점점 다가오자 초조해졌다. 주차장은 이미 불타버렸지.

"시몽, 호텔에 가서 우리를 기다리도록 하게!"

대답을 들을 사이도 없이 나는 캄캄한 구석으로 몸을 숨겼다. 마

당에 세워둔 비스토 자동차를 다시 타고 도망칠 여유도 없을 뿐만 아니라 우리 모두 차에 탈 수 없어서 나는 엉뚱한 결정을 내리길

"나 빼고 모두 차에 올라타!"

루버가 손짓하면서 떠나가고, 그 뒤를 다른 애들이 뒤쫓아간다.

내가 별장을 빙 둘러 갔는데.

"머베이인가!"

벽에서 그림자 하나가 툭 튀어나오면서 "대장님, 저 여기 있습니다!"

"어떻게 된 일이고?"

이 친구는 총을 흔들면서 "놈들은 모두 도망쳤습니다. 저는 창고 쪽에 있는 놈들을 향해 총을 쏘았지만, 한 명만 사살했습니다. 참 자동차도 있었습니다. 임팔라 검은색입니다. 그놈들은 때마침 대기하고 있는 차 앞 비밀통로로 뛰어나올 때, 저하고는 꽤 먼 거리였지만, 그래도 그놈들을 잡으려고 쫓아가니 어느새 잽싸게 도망치고 말았습니다."

"자네가 그놈을 사살했다던데, 그것을 어떻게 아는가?"

그러자 이 친구는 내 팔을 붙잡고 몇 걸음 정도 나를 안내한 다음 회중전등으로 인도를 가리키면서

"대장님, 여기를 쳐다보십시오."

선명한 핏덩어리가 먼지 낀 인도 위에 반짝거린다.

사이렌 소리가 코앞에서 소리 나자 머베이하고 나는 캄캄한 어둠 속으로 몸을 숨겼다. 우리 두 사람이 최소한 1km 정도 생소한 도시 안으로 도망치자, 경찰이 우리를 더는 추적 못 할 것 같았다. 그곳에서 택시를 잡아타고 플라밍고 호텔에 도착했지.

다른 애들은 잠자고 있었고, 시몽 혼자서 우리 두 사람을 맞이한다. 벌써 밤 3시가 되어서 그런지 나는 졸음이 와서 죽을 지경이다. 그러나 우리는 시몽과 내일 계획을 세운 뒤, 잠을 청할 수가 있었다. 너무나 피곤해서 나는 눕자마자 곯아떨어졌다. 비스토 그놈한테 화

풀이할 필요가 있겠나.

"그래, 맞아, 그놈이 나를 한 대 쳐, 그러나 그놈은 즉시 벌을 받았지. 그놈이 나를 한 방 때린 대가로 엄청난 생명을 지급했지."
아침에 요란하게 문 두드리는 소리 때문에 나는 자리에서 일어났지. 처음에는 웬 놈이 손가락으로 문을 두드리더니 나중에는 심지어 주먹으로 문을 탕탕 친다. 시몽 혹은 브랑코, 아니면 버르장머리 없는 알렉스 그놈이… 그렇게 참을성 없는 애들인가 생각하면서 나는 졸리는 눈으로 문 쪽으로 가서 자물쇠를 풀었지. 입술이 터지도록 하품을 하면서….

그러자 나는 망연자실했지. 문이 열리자 정복 차림의 경찰관들이 방에 득실거리고 민간복을 입은 사내 한 명이 아주 매몰스럽게 :

"스카젠 선생, 당신을 체포합니다."

## 3. 위기일발

바린고스 경찰은 나 혼자만 체포한 것 같다. 다른 애들은 여기에서 볼 수 없기 때문이다. 이놈들은 내가 무슨 짓을 했는지 알 턱이 없지? 어쩌면 내가 무엇을 했는지 손바닥 보듯 훤하게 알고 있을지도 모르겠다. 심지어 호텔 투숙객조차도 울 일행이 7명이라는 것을 모르잖아. 경찰은 볼품없는 검정 자동차에 나 혼자만 태우고 경찰서로 달린다.

밤에 충분하게 잠을 제대로 못 자서 아직도 비몽사몽 간이다. 수사관들이 제아무리 내 방을 이 잡듯이 수색해도 내 방에 숨겨 놓은 내 권총만은 절대로 찾아낼 수 없지. 만약 목격자가 없다면, 불법무기소지자로 이 나라에서 나한테 형을 선고하겠지. 그렇게 하려면 숨겨 놓은 내 권총을 찾아야 하겠지만…

우리 일에 경찰이 왜 나서는지 그 이유로 나는 슬그머니 약이 오른다. 제삼자가 우리 일에 개입되면, 우리가 하는 일에 상당히 지장을 받겠는데. 우리가 아무리 선행을 베풀다가 체포되더라도, 프랑스 정부는 우리를 본 적도 없고 자기하고는 아무런 상관이 없는 일이라고 그렇게 신신당부하던 게라디 검사도 이런 경우에 우리를 도와주지 않겠다는 생각이 불현듯 난다. 그건 그렇다 치고 여기에 있는 경찰 애들이 무슨 죄목으로 나를 체포했는지, 그 이유를 잘 모르겠다.

조만간 그 이유를 나한테 설명해 주겠지. 경찰서는 도시 한 가운데 있었다. 자동차는 경비가 삼엄한 마당 안으로 쭉 들어가더니, 1층으로 나를 데리고 간다. 내 앞에 경찰관 애들이 두 명 걸어가고, 내 뒤에 두 명이 따라서 온다. 복도에는 민원인과 경찰관들이 지나가고, 창문을 쳐다보니 창살은 없다. 사람들이 나를 밀실로 데리고 간다. 밀실에 붙어 있는 이름표를 보니 **'루이 올베그** 검사' 이름표가 보인다. 열쇠를 문 자물쇠 속으로 집어넣는다.

경찰관 두 놈이 검사가 여기에 올 때까지 내 옆에 섰다. 루이 올베그는 마흔 살이 돼 보이고, 깡마른 사내이다. 이 녀석의 작은 콧수염이 가끔 신경질적으로 움직인다. 이 녀석은 마치 범죄 영화 속에 등장하는 수사관처럼 날카롭게 나를 쳐다본다. 그러나 나는 이놈이 별 볼 일 없는 녀석이라는 것을 눈치챘지.

경찰관 두 명한테 " 당신들은 나가시오!" 나보고는 "앉으시오."

지금 이 밀실에는 두 사람뿐이다. 올베그는 책상 맞은편에 앉으면서, 습관대로 굵다란 여송연에 불을 붙인다. 여송연을 문 이 친구를 보니 이곳 분위기하고 전혀 맞지 않아서 나는 웃음보가 터질 것 같다. 그러나 나는 웃을 분위기가 아닌 것을 잘 알지.

이 친구가 처음에는 "스카겐 선생이시라" 하더니 잠시 후, 자기 신분을 망각했는지 전혀 다른 목소리로 갑자기 음성을 바꾸더니

"스카겐 선생이라는 사람이 진짜로 당신 맞소?"

내가 고개를 끄덕거리며 "어쨌든 내 이름이 맞습니다." V형처럼 양미간을 찌푸리면서 계속 심문하길

"자정 무렵, 당신은 어제 어디에 있었소?"

나는 번개처럼 묘안을 짜내었다. "자정 무렵 저는 파드로니라는 사람 또 시몽이라는 사람과 함께 플라밍고 호텔에 있었습니다. 저는 호텔 맞은편 피격사건과는 아무런 연관이 없습니다." 라고 나는 조심스럽게 대답하자, 올베그는 얼굴에 웃음꽃을 피우며

"당신이 그런 짓을 결코 할 사람이 아니라는 것 압니다." 하더니 갑자기 표정을 백팔십도로 확 바꾸더니

"당신은 무슨 이유로 그놈을 죽였소?"

나는 놀라면서, "무슨 말씀을 하시는 건지?"

"오리발 내밀지 마라! 우리는 증인들을 확보해 놓았어. 한두 사람도 아닌 여러 명을 말이다. 호텔 손님 대부분이 자동차 사이로 숨어다니는 당신을 목격했다고 증언하며, 일 분도 될까 말까 하는 사이에 그 사람들은 주차장 안에서 시체 2구를 보았다고 하는데도 그러시나, 엉."

내가 놀라는 시늉으로 “동시에 어떻게 두 사람을 한꺼번에 죽일 수 있습니까?”

“들어보시오. 사람들이 목격하길 사내 한 명은 실신해 있고 또 실신해 있는 사람 앞에는 뭔가 맞아서 머리가 박살 난 사람이 있었다고 하며, 당신이 어떤 사람 심장 쪽으로 칼을 던지는 것을 보았다고 목격자가 주장하는데도 계속 거짓말하시오?”

“정말 열 받네, 그놈이 그렇게 증언한다고요. 검사 나리, 어디 그 놈과 나하고 대질신문해 주시면 고맙겠소. 참, 검사 양반, 당신은 죽은 사람 주먹 쥔 손안에 칼이 있는 것을 보았습니까?”

이 녀석이 이빨을 내보이며 성질을 부리더니 “내가 당신에게 묻고 싶은 말이 바로 그 말이요!”

내가 “검사 나리께서 ‘목격자’ 라는 그 사람이 손에 칼을 들고 있었지요.”

이 친구가 의기양양하게 “당신이 어떻게 그 사실을 아시오?”

“그곳에서, 누가 무엇을 했는지 저 역시 보았기 때문에, 제가 진짜로 목격자이지요. 칼이 날아올 때 제 어깨를 스쳐 지나갔소. 여기 상처가 보이지요. 그 가엾은 사람이 땅바닥에 쓰러지자, 나는 무서워서 그곳을 도망쳤소. 자동차 사이로 ‘숨어서 도망치는’ 나를 호텔 투숙객은 보았을 것이요. 그 살인마가 당신의 목격자인 셈이지요.” 올베그가 비웃으면서 “당신은 그렇게 주장하시는구먼.” 이 녀석은 아마 내가 진범이라고 믿는 것 같다. “그리고 누가 두 번째 남자를 죽였소?”

“두 번째 남자라고요? 아마, 검사 나리 목격자가 칼 두 자루를 가지고 있었나…?”

이 친구가 고함치면서 “같은 시각, 같은 장소에서 어떤 비밀을 폭로할까 봐 목졸라 죽이지 않았소?”

“호, 정말 미치겠네. 어느 미친놈이 그런 짓을 하겠소. 그럼, 지금 검사 나리께서는 연쇄 살인사건을 조사하고 있으시겠군요?”

이 녀석은 또다시 이빨을 드러내 보이면서 "내가 묻고자 하는 점이 바로 그것이지." 정신이 없는지 여송연을 입에 물 생각도 않고,

"그럼, 당신도 피해자라 그 말씀이죠?"

"예, 참말로 그렇습니다. 저도 피해자이고 말고요. 자, 검사 나리, 저는 지금부터 묵비권을 행사하겠습니다. 당신이 우리나라 대사관에 연락을 취할 때까지 저는 말 한마디조차 안 할 작정입니다." 그리고는 참말로 나는 돌부처처럼 가만히 앉아만 있었다. 그러나 이 검사 친구는 내 입을 열려고 온갖 짓을 다 했지만 헛수고했다. 화가 머리끝까지 오른 올베그는 나에게 다가오더니 외투를 벗어 던지고 호통을 치길

"나는 네 놈의 입을 열고 말 테다. 이 새끼야··!"

"존경하시는 루이 검사님, 우리 솔직하게 터놓고 이야기해 봅시다. 제 친구들은 저보고 스티브라 부릅니다. 그러나 검사 나리께서는 우리 친구가 되려면 한참 멀었소···."

그러자 다혈질인 이 검사 녀석이 얼마나 열 받았는지, 나를 의자 쪽으로 밀어제치고 문을 열면서 경찰관 두 녀석보고

"야, 카리브 유행 따라 춤추는 이 외국 새끼를 손 좀 봐··!"

내 주위에 눈깔 6개가 모인다. 사태가 심상찮다. 벌써 문을 걸어 닫아놓은 상태다. 옛날 내가 **탕 헤르** 감옥에 있을 때, 같은 감방에 있는 애들과 사소한 시비가 붙었는데, 그때에도 나는 삼 대 일로 한 판 붙었던 일이 새삼 떠오르는구나. 지금도 그때 써먹었던 그 속임수를 또 한 번 써야 하겠는데···.

교활한 웃음을 머금고 경찰관 두 녀석이 주먹을 나한테 한 방 먹일 자세로 가까이 다가오자, 때는 이때다 하면서 나는 가슴을 잡고는 죽는다는 시늉을 하며 앞으로 꼬꾸라지면서 반쯤 벽 아래로 굴러 넘어졌지.

"혹시, 이놈이 겁먹었나, 아니면 심장병을 앓았나" 하면서 조사관 한 놈이 소리 지른다. 지금 이 친구들은 내 코앞까지 다가왔기

때문에 나는 꿈쩍 없이 당할 판이지만….

내가 벽에서 고무공처럼 튀어 오르는 내 기세를 보더니 이놈들이 뒷걸음질하자, 이 순간을 노려 한 놈에게 오른손으로 관자놀이에 일격을 가하고, 다른 한 손으로 다른 놈 목을 잡고, 그놈의 머리를 벽에 박치기시키자, 이놈은 쭉 뻗는다. 두 번째 놈은 몸을 제대로 서누지 못하지만, 그래도 겨우 지탱한다고 하지만….

그러나 나는 너무 심하게 이 친구들을 다루지 않았지. 나는 모처럼 몸 푸는 귀중한 시간을 얻었지, 지금 나는 이 친구와 서로 치고 받고 있었지만 단지 5초 정도 계속되었지. 첫 번째 경찰관 녀석에게 내가 머리에 정권으로 한 방 먹이자 땅바닥에 쿵 소리를 내며 나가 떨어진다. 동시에 두 번째 녀석에게는 태권도 회전 돌리기로 얼굴을 한 방 온 힘을 다 쏟으면서 차 버리자 이놈은 피범벅이 되며 땅바닥에 굴러떨어진다.

올베그가 돼지 새끼처럼 비명을 지르며 문 쪽으로 도망치려고 하자, 나는 날아가서 이놈을 잡고, 명치에 정권을 한 방 먹이고 동시에 무릎으로 면상을 찍으면서 수도로 목덜미에 일격을 가하자… 비실거리는 이 검사 녀석을 업어치기로 땅바닥에 내동댕이치고는 재빨리 열쇠를 자물쇠에 넣고 돌렸지. 또 나는 옷을 벗기 시작했지. 뻗어버린 경찰 녀석의 옷을 벗기고 대신 내가 경찰 옷을 입었지. 몇 분 지나 나는 경찰 모자를 덮어쓰고 여기 뻗어 버린 수사관 애들한테 잠깐 실례한 권총 2정도 내 호주머니에 넣었지.

나는 이 취조실을 나올 때 내가 안에서 한바탕 소란을 일으킨 일에 신경 쓸 필요가 없었지. 바린고스 경찰서에서 늘 범죄자를 심문하는 과정에서 폭력을 행사한다는 사실을 나는 벌써 알았기 때문이지. 그래서 복도에서 심문받기 위해 대기하는 사람들도 그런 소리는 습관화되었지.

내가 문을 열고 나가자, 긴 의자에 민원인 몇 사람이 앉아있었지. 내가 빈정거리며 "그런 놈은 죽도록 맞아도 싸지요." 하면서 조심스럽게 문을 닫고는 총총걸음으로 복도로 재빨리 걸어갔지.

내가 1층에 다 갔을 때 갑자기 경보기가 울린다. 아마 어떤 녀석이 올베그 방 안에 들어갔는가 보다…. 출입구에서 검은 피부인 덩치가 큰 부사관 녀석이 뛰어가면서 큰소리를 지르는데 :

“전 경찰관에게 알린다.! 경계경보, 범죄자 한 놈이 도망쳤다.!”

그러자 경찰관 수십 명이 모여들고, 제각기 바쁜 걸음으로 어디론가 가자, 나도 덩달아 그 뛰어가는 경찰관 흉내를 내며 함께 휩쓸리도록 했지. 그 순간 복도를 향해 대낮 같은 불빛이 비쳐서 내가 앞을 보지 못할 만큼 눈이 부신다. 그러나 경찰 백차가 수십여 대 늘어서 있는 것을 나는 보았지. 나는 가장 가까운 백차 쪽으로 가니까 때마침 시동을 걸고 출발하려고 하자, 내가 뒷문을 열어보니 숨을 헐떡거리는 우리 ‘동료’ 두 명이 안에 타고 있자, 내가 젊은 친구에게 소리 지르길 “출발해, 그놈이 도망쳤다!”

또 다른 젊은 친구가 “그놈은 경찰관으로 변장했다고 하는데요!”

이 녀석은 긴장 때문에 안색이 새파랗다. 이 두 녀석은 이런 ‘사건’을 처음 경험하는 것 같구나. 이 녀석들이 내 얼굴을 빤히 쳐다볼까 봐 가능한 뒷좌석에서 멀리 앉았지.

나는 시치미 뚝 떼면서 쉰 목소리로 “출발해!” 그러자 차는 속력을 내기 시작한다. 우리는 정문에서 다른 경찰 순찰차하고 연쇄추돌했는데, 그 차도 시내로 전속력으로 달리는 중이었기 때문이지. 또 백차 6대 정도 우리 뒤를 미친 듯이 따라오고 있다. 나 때문에, 바린고스 전 경찰에게 경계경보를 울린 것 같다. 그러나 내가 진짜 경찰관이라면 경계경보를 울리지 않고도 더 멋있게 일을 처리할 수 있었을 텐데.

“바보 자식들, 엿 먹어라!”

잠시 후 우리는 도로로 질주하고 있는데, 우리 뒤쪽에서도 또 다른 검은색 차 몇 대가, 내 귀가 멍하도록 사이렌 소리를 앵-앵 울린다. 그 모양새는 어린 꼬마 두 녀석이 창문에 대롱대롱 매달려 있는 것 같이 매우 위태해 보인다.

"이쪽 어딘가 그놈이 있을 것 같다…!"

"맞습니다. 그놈은 아직도 멀리 도망치지 못했을 것입니다."

"자네 두 사람은 경찰 복장을 하는 사람만 살펴보게!"

나는 갑자기 차를 세우게 하고는 공원 모퉁이 한 곳을 가리키며

"잘 쳐다보게… 기둥 옆에 서 있는 놈이, 그놈이 틀림없어!"

사실 게시판 한쪽에 경찰관 한 녀석이 등을 돌린 채, 차량을 살피고 서 있었지.

독단으로 "저놈이 틀림없어, 자네들은 차에서 내려 저놈이 있는 곳으로 조심스럽게 접근하게, 나는 차 몰고 반대 방향으로 갈 테니!"

이 두 녀석은 긴장하면서 차에 내리더니 손에 권총을 잡고 아무도 눈치 못 채도록 도둑 걸음으로 살금살금 그 게시판 기둥으로 가자마자, 나는 걸음아 나 살리라 하는 것처럼 차 속력을 내면서 이 지역에서 도망쳤지. 나 때문에 우리 애들은 호텔에 없다는 결론이 나온다. 내가 붙잡혀 갈 동안, 호텔에 머물다간 그 무슨 봉변을 당할지 애들은 벌써 눈치채고 그 자리를 떠났겠다. 그러므로 내가 플라밍고 호텔로 다시 들어가는 것은 기름통 들고 불 속으로 들어가는 어리석은 짓이 틀림없겠구나. 내가 애들을 찾을 수 있는 유일한 장소라면 그 방공호뿐이겠구나.

나는 몇 번이나 이 도시를 벗어난 경험이 있으므로, 또다시 이 도시를 벗어나는 일은 식은 죽 먹기지. 내가 정확하게 동부 외곽도시를 달리고 있을 때, 이 차에 장착된 경찰용 무전기에서 소리가 나기 시작했지. 이 친구들은 무전 지령으로 내 이름, 신체적 특징 또 도주 경로 따위를 교신하고 있었지. 통신 내용을 듣다 보니, 그토록 모든 경찰이 눈에 불을 켜고 나를 체포하려고 하는지 이상한 생각이 든다. 시민 여러분은 그 탈주범을 보셨거나 보실 때 즉시 경찰서에 신고 바란다 등등…

5분쯤 지나서 나는 이미 도시를 벗어났을 때, 한 녀석이 내가 탈취한 자동차 번호를 상부에 보고하고 있었다. 그때 나는 이 도시를 완전히 벗어났지.

시골길을 달리며, 흙먼지를 뒤집어쓰고 나는 바닷가 방공호 가까이 다가갔지. 애들은 마치 거대한 지하 원시 동물 등에서 돌출된 가시처럼 차례차례 500미터쯤 되는 거리에 서 있었지.

'우리의' 방공호 주변은 쥐죽은 듯이 조용하다. 내가 방공호 옆에 차를 주차할 때, 주변이 너무나 조용해서 왠지 기분이 좋다. 누구 간섭도 받지 않고 나 혼자 이렇게 조용한 분위기를 감상할 수 있으므로….

내가 주변을 서성거리는데, 머베이가 수풀에서 불쑥 나오며

"대장님! 대장님 때문에 내가 얼마나 긴장했는지 아십니까. 경찰복은 무엇 때문에 입고 있습니까?"

"자네도 알다시피, 나는 임시직 지방경찰관이 되었다네….

보초가 자네인가?"

"저하고 루버입니다. 다른 애들은 도시에 있습니다. 브랑코가 대장님을 따라갔고, 아마 지금 경찰서 앞에서 감시하고 있을 것입니다. 시몽하고 다른 애들은 차 빌려 타고 어디론가 떠났습니다."

"그 친구들은 내 명령대로 일하고 있을 거다. 참, 지금 우리가 묵을 장소는 어디인가?"

"알렉스가 돈만 주면 아담한 집을 빌릴 수 있는 가까운 바닷가 야영지를 봐 두었다고 이야기했습니다."

"수고했소. 참 잡은 애들은?"

루버가 나타나면서 내 질문에 즉시 대답하길

"자네가 여기 도착할 때, 내가 그중 한 놈과 이야기해 봤는데, 그놈이 어떤 주소를 실토하더군. 이 주소에 프랑코 그놈이 있는지, 없는지 돈 얼마 걸고 우리 내기할래?" 진지한 표정을 짓더니 자기 와이셔츠 호주머니를 뒤지더니 결국 접힌 종이쪽지를 끄집어낸다 :

"자, 받아 보게, 이것을 실토한 놈이 바로 비스토 경호원 그놈일세. 그놈도 그 주소에서 프랑코 그 녀석을 몇 번 보았다고 하네."

'바린고스, 레토리아 46번지' 라고 종이쪽지에 적혀 있었다.

"수고했네, 참 머베이 자네는 내 차 타고 브랑코한테 가보게."

머베이는 총을 호주머니 속으로 집어넣고는 흐뭇한 표정으로 경찰 순찰차를 쳐다보면서

"이 차를 타면…? 사람들은 날 보고 정복 입은 경찰이라고 착각 하겠는데."

"자네도 곧 알게 되지만, 시내 중심지까지만 차를 몰고 가다가, 적당한 장소에 이 차를 버리도록 하게. 주의할 것은, 이미 모든 경찰에서 이 차에 대해 수배령을 내렸다는 사실일세."

머베이가 떠나자, 나는 루버와 함께 방공호 안으로 들어갔다. 붙잡혀 온 녀석 두 놈은 방안에 결박된 채 누워 있었다. 다른 방을 쳐다보니 천장에 전등이 매달려 있었다. 내가 비스토하고 이야기한 곳도 여기고, 오늘 꼭두새벽 떠난 곳도 여기지. 그렇게 짧은 시간 동안 그만큼 많은 사건이 벌어졌다는 것이 믿어지지 않는구나.

올베그 그 녀석을 생각하니 웃음이 저절로 나온다. 이 지역에 있는 경찰 녀석들은 나를 탐탁지 않게 생각하는 모양이야. 그래서 나는 이 순간부터 경찰 포위망을 벗어나려면 신중하게 처신해야 하겠구나.

내가 방공호 지붕에 앉으니까 벽 쪽에 그림자가 생긴다. 바다에는 푸른 물결이 넘실거리고, 미풍은 하얀 조각구름과 숨바꼭질을 하는구나. 나는 이 풍경, 햇살을 멍하게 쳐다보면서 문득 가을 휴가철이 가까워졌다는 것을 느꼈지.
사실 말이지 왕년에 나는 잘 나갔지. 시내 한복판에 터 잡은 애들도 요즈음 말로 나만큼 잘 나가지는 못했지.

마리 발란 하녀가 생필품을 사기 위해 가고 있다. 비록 이 여자가 항상 조심한다 해도 누군가 자기를 미행하고 있다는 사실을 눈치 못

채고 있다. 사내 두 명이 따로 떨어져서 인도 양쪽에서 가고 있다. 또 길가는 행인들은 그때, 그 장소에 노란 자동차가 문이 잠긴 채 주차해 있는 것을 볼 수가 있지.

가게는 집 가까운 곳에 있었다. 하녀가 가게 문을 열고 들어가서는 필요한 물건을 고른다. 고른 물건을 커다란 종이 가방에 담고, 출구에서 돈을 지급한다. 이 여자는 가게에서 배달하는 사내에게 그 가방을 주면서 :

"이 물건을 우리 집까지 배달 좀 해 주십시오."

"아가씨, 염려 마십시오. 마리 발란댁 맞죠. 그렇죠?"

출구에서 웬 사내 두 명이 이 하녀 앞을 가로막으며 "물론이지요. 여기에서 아가씨가 물건 사 가는 것을 모르는 사람은 아무도 없지요." 그 말 때문에 이 하녀는 흠칫 놀란다. 두 명 중 한 명이 잽싸게 하녀 손가방을 낚아채고, 다른 한 사내가 팔을 잡으면서

"아가씨, 당신이 물건을 훔쳤죠."

"선생님, 절대로 물건을 훔치지 않았습니다. 실례지만 선생님들은 누구입니까?"

"당신이 코냑 한 병 훔쳤지요. 잠깐 우리하고 같이 갑시다."

단지 어린이 몇 명만 이 광경을 목격하고도 놀라는 기색이 전혀 없다. 이 아가씨가 발 버둥거리며 소리를 치려고 하자, 낯선 사람이 아주 민첩하게 뒤에서 이 아가씨 목을 조르니까… 노란 자동차가 옆에 선다. 앞, 뒷문을 모두 닫고는 이 자동차는 멀리 사라진다.

이들은 멀리 가지는 않는다. 공원 근처 모퉁이에 차를 세우면서 "사람이 별로 없는 여기가 적당하군." 하면서 운전기사가 뒤쪽을 쳐다보자, 그때야 이 하녀는 까무러치듯 놀란다. 하녀는 시몽을 알아본 것이다. 이 젊은 친구가 "안녕하시오. 아가씨, 제가 당신을 다시 뵙게 되니 기쁩니다."

"그럼, 당신을… 비스토… 죽이지 못했단 말씀입니까?"

"아가씨, 허튼소리 제발 작작하시오. 그 일은 당신 뜻과 정반대

로 되었소. 비스토 선생께서는 벌써 황천에 가 있을 거요. 정확하게 말하면 이런 일 모두 당신 때문일 수도…? 어제 네년이 우리한테 총만 안 갖다 대었어도 우리는 비스토 선생하고 좋은 거래를 할 수 있었고 또 당신 마나님 역시 더 부자가 된 비스토 선생과 오래 잘 지낼 수 있었을 텐데." 알렉스가 하녀 손가방에서 숨겨 놓은 권총을 끄집어내고 또 파드로니가 면도칼을 빼 들고 있는 것을 시몽은 보고 있었다. 거래할 때, 이 시칠리아인 녀석은 최신 기술을 거부하고, 오직 옛날 방식만 고집하지. 이를테면 전기면도기를 싫어하지. 바린고스에 첫발을 내디딘 지 이튿날, 온종일 30cm 정도밖에 안 되는 날이 새파랗게 선 면도칼로 하염없이 자기 수염을 면도하고 있었지.

시몽이 말을 계속하길 "이 친구는 농담할 줄 몰라." 알렉스가 이 하녀를 꽉 붙잡고, 파드로니가 천천히 면도칼을 칼집에서 꺼낸다. 이 아가씨가 또 한 번 몸부림쳐 보지만 헛수고만 한다. 캐나다인 손아귀에서 벗어나려고 아무리 발버둥 쳐보아도 쓸데없었지. 무서움에 떨면서 이 하녀는 날카로운 면도칼을 쳐다보고 있다. "나는 이 친구에게 '당장' 이라고 말만 하면, 아가씨… 당신의 예쁜 얼굴에다가 귀에서 입술까지 면도칼로 난도질할 것이요."

아가씨가 절규하면서 "안돼요!"

시몽이 심각한 표정으로, 진실하게 "우리는 프랑코 그놈을 찾는 중이요. 그놈은 어디에 있소?"

면도날이 햇빛에 반사되어 반짝거린다. 파드로니가 갑자기 움직이기 시작하더니 그녀 얼굴에 면도칼을 갖다 댄다. 그러나 무딘 날 쪽이지. 싸늘한 금속 촉감 때문에 이 아가씨는 비명을 지르기 시작한다. 시몽은 비명에 신경이 날카로워 차 밖을 쳐다보니 아무도 지나다니는 사람이 없다.

"우리는 네 년과 노닥거릴 시간이 없어. 자 프랑코가 어디에 있어? 빨리 나발 불어. 내 친구는 어떤 고명한 외과 의사라도 네 년의 뺨에 난도질한 것을 보상 못 받게 해 줄 수도 있다."

페드로니는 다시 한번 면도칼을 쳐들면서, 이번에는 진짜로 날카로운 쪽을 이 아가씨에게 보이도록 한다. 이 날카로운 면도날을 보고는 체념을 한다.

“그놈이 있는 곳은 어디고?”

“그분은 웨스터 게이트 부근에 살고 계시며… 레토리아 스트리이트 46번지입니다.”

이 순간 시몽은 이 아가씨가 극도로 긴장하고 있다는 것을 알아채고는 “아가씨 말이 틀림없지요?”

“스트리이트 레토리아 46번지가 맞습니까?”

너무나 이 아가씨가 겁을 먹었는지 숨까지 헐떡거리며 “예, 참말입니다. 그곳에 그분이 틀림없이 살고 있습니다.” 빛이 면도날에 반사되어 이 여자 두 눈에 어른거린다.

시몽이 알렉스에게 손짓하면서 “고맙소.” 그러자 알렉스가 솜하고 클로로포름을 끄집어낸다. 클로로포름을 묻힌 솜을 이 여자 코앞에 갖다 대자 몇 분 지나니 차 바닥에 눕는다.

“적어도 저녁까지 푹 자도록, 이 년을 데리고 나가서 수풀 속에 감춰두도록 하시오.”

점심때 우리는 또다시 다 모였다. 내가 올베그 검사하고 한 바탕 소란피운 것을 이야기해 주자 브랑코와 다른 애들은 아주 재미있게 내 무용담을 듣고 있었지.

내 이야기가 끝나자 브랑코가

“자네가 체포된 후, 나는 경찰서까지 자네 뒤를 따라갔지. 대장인 자네를 탈출시킬 기회만 포착된다면, 나도 이 판에 끼여 한바탕 총싸움해 볼까 생각했지. 그러나 자네한테 가보려니까 엄두가 안 나서, 경찰서 앞에 마냥 기다리고 있었지. 갑자기 경찰서에서 비상종이 울리더니 경찰 순찰차 전 병력이 어디론가 흩어져서 쏜살같이 달리는 것을 목격하면서 아하, 이것은 자네가 손수 꾸민 연극이라고 생각했지. 그래서 경찰서 쪽에 주차해 놓은 백차에 가보니, 마침 차

문이 열린 백차 무전기에서 자네 이름과 인상착의에 대해 통신하는 것을 나는 엿들었지. 그것을 듣고 나서 자네가 탈출하는 데 성공했다는 것을 나는 확신했다네. 나중에 머베이가 나한테 오면서, 자네가 이 방공호에서 현재 나를 기다리고 있다고 전해주더군."

시몽도 안도의 숨을 쉬고 있다. 만약 바린고스 경찰이 나를 이 놀이에서 제외할 경우, 그때 나는 '악당' 이라는 오명을 쓸 테고, 그렇게 되면 다른 애들도 일하는데 상당한 지장을 받거나 아니면 아무 일도 전혀 못 하게 될 것 같다.

젊은 친구 둘이 이구동성으로 "레토리아 스트리이트 46번지입니다 … 또 이 정보는 틀림없습니다."

브랑코가 노파심에서 "그 주소에 프랑코 녀석이 있다고 장담할 수는 없지."

이때 나는 기력이 다 빠져서 휴식을 좀 취하고 싶었지만, 그것을 애들 보는 앞에서 내색할 수가 없었다. 며칠 동안 나는 파김치가 다 되었지. 우리가 프랑코 그놈을 아무런 사고 없이 산 채로 잡고 그때에도 살아있다는 조건으로, 우리는 두 다리 쭉 뻗고 충분하게 휴식을 취할 수 있겠지.

나는 정색을 하며

"브랑코, 시몽, 파드로니, 머베이, 루버, 다섯 명은 차 타고 가서, 그 주소를 찾아보게. 반 시간 지나면 우리도 그 장소에서 기다리겠네."

알렉스가 신이 나서 "대장님, 그럼 제가 대장님을 모시고 가겠는데요." "우리는 다른 차를 이용하자."

"참 잡아 온 저 애들은 어떻게 할까요?"

내가 "그 일도 우리가 마무리 지어야 해."

교외에 있는 미용실에는 손님이라곤 나밖에 없었다. 벌써 원주민들이 낮잠 자는 시간이다. 나는 의자에 앉으면서 내 머리를 밝은 담갈색으로 염색해 달라고 했지. 알렉스가 약간 떨어진 차 안에서 기

다린다. 한참 후 내가 알렉스 옆에 앉자, 이 녀석이

"대장님! 대장님께서는 십 년이나 더 젊어 보이십니다!"

"비행기 그만 태워라. 그렇게 한다고 내가 자네한테 처음 약속한 것보다 더 많이 못 준다. 잔말 말고 시동을 걸고 전화통이나 찾아라."

우리는 교외 속으로 달리다가 마침내 알렉스가 전화통을 찾아낸다. 나는 어떻게 전화 내용을 이야기하라고 알렉스에게 가르쳐주자, 이 친구가 전화 걸 동안, 나는 지도를 펴 놓고 이 도시를 살펴보았다. 잘 알아볼 수 있도록 웨스트 게이트는 옛날에 축조되었으나 지금은 폐허 된 성채 부근 동쪽으로 표시되어 있다. 아마 여기는 구역정리가 제대로 이루어지지 않은 곳 같아 보인다. 이 지역에는 공장지대, 거주지 밀집 지대, 운동장 하며 기차역이 두 군데 있다.

알렉스가 경찰에게 전화하면서 말하길 '나는 이 도시에서 가장 영향력 있는 분과 통화하고 싶다' 고 하자, 결국 고위층과 통화하는데 성공한다. 그때 알렉스가 재빠르게 이야기하길 "해안선 동쪽, 방공호 안에 어젯밤 사람을 죽인 비스토 일당 세 명이 묶여 있는 것을 당신은 발견하게 될 것이고, 사건을 저질러 놓을 때 비스토 그놈은 항상 올베그 검사를 매수하지요. 사실 내 개인적으로도 올베그 검사 그놈에게 복수하고 싶은 마음입니다. 올베그 그 사람을 조사해 보시면 그놈은 부정부패 먹이사슬에 얽힌 가장 타락한 공무원임이 틀림없을 것입니다. 만약에 칼을 던진 그 살인자를 '증인' 으로 채택한다면, 그 검사 녀석은 벌써 매수당한 것이 틀림없고…"

알렉스는 앞에 말한 똑같은 내용을 이 지역에서 가장 영향력 있는 신문에도 알린 뒤, 우리 두 사람은 그 자리를 쏜살같이 차 타고 벗어났지. 도로 열 군데를 벗어나자 웨스트 게이트가 시작된다. 낮잠자는 시간이기 때문에, 도로에는 인적이 드물다. 레토리아 거리는 내가 지금까지 본 도로 중 가장 볼품없는 도로다. 도료가 벗겨진 담벼락이랑, 창문도 지저분하기 이를 데 없고 도시 미관은 한마디로 엉망이다. 각 모퉁이마다 혼혈인 흑인 경찰관이 지루하게 서 있다.

주택 중간 상점이 보이고, 꼬마들은 가게 앞 그늘에 놀고 있다. 화물차에서 코를 드르릉거리며 노동자들이 자고 있고, 주인 없는 개 두 마리가 도로변 수도꼭지에 주둥이를 대고 물을 빠니까 한참 후 물 몇 방울이 떨어지자 게걸스럽게 핥아먹고 있다. 여기에 한마디 더 하고 싶다면 아스팔트에 달걀을 놓으면 곧 삶아질 것 같은 그런 무더위이다. 거의 열대지방 같다. 햇볕은 아스팔트를 흐물흐물 녹이고 있는데 한 그루 나무조차 심겨 있지 않다. 내가 42번지 집 앞에 주차해 놓은 애들 차를 보자, 알렉스가 그 옆으로 차를 몬다. 머베이가 인도 가장자리에 서 있다가 우리를 보더니 못 본 척한다. 그런 행동이 내 마음에 든다. 비록 우리가 한솥밥을 먹더라도 결코 남을 믿지 않을 정도로 이 분야에 전문가이지. 우리는 도로 반대편에 차를 세우고는 몇 분 그냥 그렇게 있었지. 조금 지나서 피부 색깔이 검은 꼬마를 데리고 시몽이 나타난다. 이 녀석은 스물 두어 살 되어 보이고, 얼굴을 쳐다보니 대도시에 사는 어른들보다 굉장히 영악하고 닳아빠진 그런 놈이 틀림없는 것 같았다.

시몽이 이 녀석 보고

"차 타!" 그러자 이 녀석은 자기 집처럼 스스럼없이 뒷좌석에 두 다리를 쭉 뻗고 앉는다. 시몽도 같이 차에 탄다.

"검사님, 이 애가 지명수배된 사진을 보여주면 범인 인상착의를 알 수 있다고 하길래…"

나는 즉시, 지금까지 텔레비전에서만 쭉 보아온 전설적인 경찰관이나 형사처럼 그런 인물이 되어 이 녀석 앞에 멋있는 연기를 펼쳐야 하겠구나.

"저는 바터 검사올시다."

이 녀석은 감격했는지 말조차 제대로 못 한다. "지미… 지미 베이커라고 합니다." 손을 잡아 보니 야위었지만 뜨겁다.

"제 동료가 벌써 검사님께 그 사진을 보여드렸던 것 같습니다만…"

“그렇습니다. 검사님, 지금 사진 속에 있는 이 사람은 머리숱이 너무 많으므로, 이 사진은 옛날 찍은 것이 틀림없습니다.”

나는 이 녀석을 칭찬하길 “지미, 아무도 자네 눈을 속이지 못하겠군. 참. 자네가 이 사람에 대해 아는 것을 설명해 보게나?”

“제가 이 지역에서 그 사람과 가끔 부딪치지만, 그때마다 그 사람은 매우 두려워하는 눈치라고 제 친구들 모두 이구동성으로 그렇게 이야기하지요.”

“겁을 먹고 있다고?”

“그 사람은 늘 저고리 호주머니에 손을 집어넣고 있으며, 건장한 체구의 사나이 2명이 항상 그 사람 옆에 붙어 다니고 있습니다. 텔레비전에서도 갱, 대부가 항상 그 사람처럼 흉내 내고 있던걸요. 또 그 사람 운전기사도 목 좋은 술집에서 술주정뱅이를 쫓아버리는 그런 사람과 똑같이 생겼어요.” “그래 맞아. 이 녀석은 꽤 쓸만한 놈이다.” 라고 시몽과 우리는 서로서로 눈짓으로 이야기를 나누었지. 이 녀석은 우리가 눈짓하는 것을 보고는 다 알겠다는 뜻으로 한 수 더 높여 뽐내기까지 한다.

내가 “그 사람이 사는 곳이 정확하게 어디인가?”

“계단 옆, 2층입니다. 그곳에서 그 사람은 방 2개에 세 들어 살고 있습니다. 또 우리가 그곳에 장난 좀 치려고 하면 그 사람 경호원이 가끔 우리를 내쫓곤 합니다.”

“입구는 몇 군데 있는가?”

“두 군데 있습니다.”

아주 급하게 “곤란하겠는데” 지미는 어리둥절해 하며 내 얼굴만 빤하게 쳐다본다. 내가 계속 말을 빠르게 하길 “그럼 그 사람은 지금도 집에 있겠나?”

“잘 모르겠습니다. 아침에 제가 그 사람이 오는 것은 봤습니다만, 아마 나중에 그 사람이 다시 나갔을 것 같습니다.”

“그 사람 자동차는?”

“자동차가 여기에 서 있는 것을 한 번도 본 적이 없습니다. 운전기사가 자동차를 조금 먼 곳에 주차해 놓는지, 나중에 걸어서 여기로 되돌아오는 것 같습니다.”

“그 사이 시간은 얼마나 되는지?”

“십 분 정도 될 것 같습니다. 정확한 시간은 모릅니다. 검사님, 저는 시계가 없습니다.”

나는 침이 세 개나 되는 프랑스제 고물 시계를 차고 있었지. 시계 껍데기가 금 도금되어서 요즘 유행하는 누름 쇠가 많이 장착된 디지털 전자시계보다 훨씬 값어치가 더 나가지.

내가 재빨리 시곗줄을 풀고 이 녀석에게 주면서 “지미, 이것이 도움이 될 거다. 자! 내 선물이다. 받아라.”

이 녀석은 기쁘면서도 사양하며 결국 손을 벌린다.

“검사님, 진짜로 이 시계를 저에게 선물하시는 것 맞습니까?”

“물론이지, 하지만 자네는 우리를 조금 도와주어야 한다.”

희극 배우처럼 “어떤 일이든지 제가 기꺼이 도와드리도록 하나님께 맹세하겠습니다.”

언젠가, 이 녀석은 자기 친구들에게 허풍떨면서 입에 침도 안 바르고 이 모든 무용담을 이야기할 것 같다. 나한테 선물 받은 시계를 증거물인 양 보여주며 신나게 떠벌리겠구나.

“우리를 그 집으로 좀 안내해 주라.”

이 녀석 두 눈이 반짝거리면서 “선생님께서 그 사람을 체포하시려고요? 어떻게 체포하는지 텔레비전에서만 보았는데요?”

나는 “가능하고 말고” 운만 띄우고 미소지었지. “지미, 자네도 우리하고 같이 가겠나?”

이 녀석은 좋아서 껑충껑충 자동차에서 뛰어내리며 “좋습니다!”

나는 우리 애들에게 몇 마디 주의사항만 전하고, 천천히 나는 이 꼬마와 함께 걸어갔다. 지미, 이 녀석은 내가 준 시계만 쳐다보다가 하마터면 전신주에 머리가 부딪칠 뻔했지.

시원한 아치형 대문 밑에 파드로니와 루버가 기다리고 있다. 무기를 넣어 놓은 가방을 들고 머베이도 이미 와 있다.

이 친구가 "브랑코는 뒤에 있습니다."

"그 친구도 이리로 데리고 오게나."

지미가 만족하다는 듯이 "검사님, 이분들 모두 검사님 부하입니까?"

"그래, 모두 내 부하들이지."

다른 가방에 무기를 넣고 시몽과 알렉스도 오고 있다. 어두운 계단 밑에서 나는 신속하게 각자 임무를 부여했다. 머베이, 루버, 파드로니와 브랑코는 나하고 가고, 알렉스와 시몽은 밑에 있거라. 나는 밑에 있는 알렉스하고 시몽한테 즉시 차가 출발할 수 있도록 만반의 준비를 하라고 했지. 돌발상황에 우리가 뿔뿔이 흩어질 경우, 바린코스 대성당 앞 짝수 시간대에 다시 만나도록 그렇게 조치했지.

우리가 2층으로 가기 위해 승강기에 탔지. 알렉스가 밑에서 문을 열고 승강기를 고정해 놓는다. 시몽은 입구 앞 2호 차를 몰고 있고 차 2대 모두 시동이 걸린 채 대기 상태다. 찜통 같은 무더위 때문에 도로에는 사람이 없구나.

내가 2층 복도에 있는 창문을 통해 밖을 쳐다보니, 맞아 우리 애들 키도 크지만, 여기에서 밖으로 도망칠 수 없도록 담장이 높게 쌓여 있었다. 우리 발밑에서 도로 포장된 마당까지 거리가 12m나 된다.

지미가 멈추라고 신호를 보내면서 "여기, 아까 말씀드린 문 2개가 있는 곳입니다." 우리도 가만히 서 있었다. 너무나 조용하다. 지금부터 각자 스스로 알아서 판단해야 할 시기가 왔다. 브랑코하고 나는 서로서로 너무나도 잘 알고 있지. 옛날 마다가스타르에 있을 때부터. 시칠리아 인과 터키인도 서로 호흡을 잘 맞춘다. 내가 신호를 보내자 파드로니가 첫 번째 문 옆에 다가간다. 껌을 씹으면서 루버가 지루한 표정을 지으며, 내 뒤쪽에 서 있다. 머베이는 이런 상황에서 가장 적당한 자세인지는 몰라도 우리 뒤에서 몇 미터 떨어져 있다.

내가 지미에게 귓속말로 "자네가 여기에 볼일이 있다고 말해. 그런 다음 안에서 문이 열리면 젖먹던 힘을 다해 도로 쪽으로 도망가!"

귓속말로 "예. 검사님" 하면서 초인종을 누른다.

브랑코와 나는 벽 양쪽에 몸을 숨겼다.

초인종 소리 때문에 안에서 사내 목소리가 대답하길

"누구십니까?"

지미가 어린이 목소리로 "볼일이 있어서 여기 왔습니다." 문틈으로 사내 한 놈이 밖을 살핀다. 조금 있으니 자물쇠 여는 소리가 달가닥거린다. 나는 눈빛으로 지미에게 "도망쳐라!" 그래도 가만히 서 있다. 문이 열리자…

동시에 브랑코하고 나는 우리 앞에 겁먹고 있는 40세 검은 머리 사나이에게 총구를 갖다 대었다. 그러나 이 녀석이 자기 겉저고리 밑으로 손을 넣으려고 한다. 우리는 그런 동작이 무엇을 의미하는지 너무도 잘 알고 있는데도….

브랑코가 "허튼수작 그만해!" 하면서 이 녀석 총을 뺏어 버린다.

내가 "뒤로 돌아섯!" 이 녀석은 순순히 말을 듣는다. 그러나 이 집이 너무 조용하구나. 우리 두 사람만 사랑방에 있고, 머베이가 문턱에 있다는 것을 나는 알고 있지.

나는 목소리를 낮추면서 "여기에 몇 명이 있나?" 내가 말하자마자 갑자기 지옥으로 변했다. 우리 두 사람은 부스럭 소리가 어떤 방에서 나고 문 틈새에 총구가 보이자 생각할 겨를도 없이 브랑코가 총 방아쇠를 당기고, 나는 방금 잡은 놈을 총알 방패막이로 이용했다. 복도 쪽에서도 한바탕 총성이 울린다. 루버가 문 뒤로 재빨리 몸을 숨기고 있구나.

이 녀석들은 우리보다 먼저 우리를 발견했던가 아니면 우리가 여기에 쳐들어올 것을 예상했는지 모르겠다. 아니야 어쩌면 함정일 수도 모르겠는데. 물론 이때 나는 이런 생각을 할 시간적 여유가 없었지. 연기가 피어오른다. 동시에 내 앞에 방패막이로 서 있던 이 녀석이 별안간 이상스럽게도 내 손에 허물거린다. 이 녀석이 총알을 맞은 것 같다. 브랑코가 선반 뒤에 숨어서 오른쪽-왼쪽으로 가끔 총을 쏘고 있고 나는 내 방패막이로 이용했던 이놈을 마룻바닥으로 밀어제치고 나 역시 총을 쏘기 시작했지. 머베이가 내가 있는 사랑방을 대신 맡는다. 루버가 주방 안쪽으로 총을 쏘면서 들어가고 있고, 나는 어떤 방안으로 뛰어들어갔고, 브랑코는 벌써 복도에 나와 있다. 가스가 이 집 전체에 골고루 퍼지고 있었기 때문에 내 목도 굉장히 쓰리다. 미리 이런 사태를 대비해서 애들 모두에게 방독면을 휴대하도록 해야 하는데, 그런 조치를 하지 못한 나 자신이 얄밉다.

한 놈이 문 정반대 쪽에서 뛰어나오자 나는 그놈에게 집중사격을 했지. 이 집중사격 때문에 문이 산산이 조각난다. 나는 낯선 사람이 사는 집 속으로 온 힘을 다해 뛰어들어가자.

브랑코가 “여기야‥!”
고함친다. 모든 곳에 불그스름한 가스가 쫙 퍼졌다.

“죽일 놈들!, 이 녀석들은 수류탄 몇 발을 이미 가지고 있을지도 모르겠는걸…”

방이 두 개나 있는데도 아무도 없다. 한 놈이 주방에서 필사적으로 총질을 하자, 내가 주방 안에 수십 발을 퍼부으니 나중에서야 조용하다. 조금 지나서 나도 복도 쪽으로 뛰어나왔지….

나는 브랑코가 바닥에 누워 있고 그 옆에 낯선 애들 2명도 뻗어져 있는 것을 즉각 깨달았다. 가스가 내 목을 할퀴자 두 눈이 점점 커지고 낯선 두 녀석이 점점 보이지 않는다. 바깥에서 시원한 공기가 내 얼굴을 스치고 계단 쪽으로 아직도 기관단총 소리가 연속 들린다.

파드로니가 희미하게 보이길래

“그 돼지 같은 놈들이 방독면을 쓰고 도망갔습니다!”

내가 “지구 끝까지 가더라도 그 새끼들 쫓아!” 그렇게 소리 질렸다. 가스가 파드로니조차 반쯤 마비시켰을 때, 이 악당 놈들은 틀림없이 두 번째 문을 통해서 사라졌다. 애들은 도망친 놈들을 기필코 잡아 오겠지. 루버하고 머베이가 내 눈앞에 보이다가 또 사라진다. 이 친구들도 기침을 심하게 한다. 온 천지에 이미 신경가스가 쫙 퍼졌다. 내가 브랑코 옆에 웅크리고 앉으면서 "자네 많이 다쳤는가?"

"괜찮아. 내 발목 관절이 빠진 것뿐일세."

"일어서게. 내가 도와주겠네. 우리는 빨리 여기를 벗어나야 하네." 이 친구가 한쪽 발로 절뚝거리며 일어서자 나는 어깨동무하면서 걸을 수 있도록 도와주었지. 우리는 텅 빈 이 집에 신경가스가 가득 차 있고 죽은 자만이 누워 있는 이 집을 벗어나기 시작했지. 마침내 우리는 상쾌한 공기를 들이마실 수 있었지. 우리가 1층에 도달했을 때, 그곳에는 지미가 여태까지 남아있었지.

"검사님…! 제가 사진에서 본, 그 사람을 직접 보았습니다!"

"프랑코! 그럼, 그 사람도 여기에서 봤단 말인가?"

"그렇습니다. 그 사람은 여기에서 방독면을 벗어 던지고 차 속으로 뛰어들어갔습니다. 그 차는 출구에 대기하고 있었습니다만, 제가 지금까지 한 번도 본 적이 없는 그 차가 여기에 있었습니다."

"그 사람하고 몇 명이나 함께 타고 떠났나?"

"두 명인지 세 명인지는… 검사님 부하들이 2호 차를 타고 그놈을 추격하기 시작했습니다."

나는 차 속에 기관단총을 집어 던졌다. 쓸개 씹은 얼굴을 하며 브랑코는 앞 좌석에 가서 앉는다. 내용도 잘 모르면서 아는 체하는 목격자 여러 명이 주위에 나타나는 것이 나에게는 번거로워서… 사람들 대부분 총소리는 분명히 들었을 텐데도, 지금까지 집 몇 채 창문 안에서 유독 머리 서너 개만 보이는구나.

내가 "지미, 자네도 우리하고 함께 갈래?" 이미 누군가 경찰에게 신고했을 것이 틀림없기 때문이지. 별장 정면에서 지난밤에 우리가 한바탕 전투를 벌인 방법과 이번 싸움은 너무나 일치하는 점이 많지. 그래서 우리는 최대한도 여기를 벗어나야 하지.

이 녀석은 아직도 총구가 뜨거운 기관단총 옆 뒷좌석으로 뛰어들어 오면서:

"예, 좋습니다. 검사님!" 나는 재빠르게 차를 몰고 레토리아 거리를 벗어나기 시작했지.

나는 지미에게 "가장 가까운 병원이 어디에 있느냐?" 그러자 이 녀석이 병원 있는 쪽을 나한테 알려 준다. 병원에 도착하기 전, 우리는 가리개 밑에 무기를 숨겼다. 그때쯤 가스 때문에 생긴 통증이 목과 눈에서 점점 사라진다.

나는 지미에게 "지미, 잘 들어, 이것은 특수임무여서, 자네가 우리하고 같이 있었다는 말을 누구에게도 절대로 말해서는 안 된다. 다른 검사들이 나를 시기하고 있으며, 그들도 별도로 이 총싸움 했던 경위를 조사할 것이다. 그러니까 만에 하나라도 누가 자네한테 묻거든, 자네는 시치미 딱 잡아떼면서 절대로 모른다고 그래, 알아듣겠지."

이 녀석은 심각한 표정으로 "예, 그렇게 하겠습니다. 선생님."

내가 병원 앞에 차를 세우자, 브랑코 혼자서 절뚝거리면서 병원 안으로 들어간다. 사람들이 우리 모두 함께 있는 것을 보게 되면 일이 심각하게 될 것 같아서 나는 어른처럼 이 녀석을 취급해 주며 작별 악수한 뒤 얼마간 돈을 쥐여주면서 택시를 세워 여기를 떠나도록 했지. 이 녀석은 택시에 타면서 줄곧 내가 준 시계만 쳐다보고 있더니, 어느새 내 시야에서 사라진다. 이십 분 지나서 브랑코가 아직도 약간 절뚝거리지마는 거의 본래 발걸음으로 병원에서 나오는구나. 이 친구가 무뚝뚝하게 "관절이 탈골되어서 원상대로 뼈를 끼워 넣어 주더군. 데니, 자네가 나를 그곳에 내버려 두지 않고, 같이 데려와 주어서 정말로 고맙네."

나는 잠자코 듣고만 있었다. 사실 이런 일은 내가 당연히 해야 할

도리이거늘. 3시가 되려면 아직도 시간이 좀 남아서 나는 옛날 스페인 사람들이 건설해 논 바린고스 대성당 쪽으로 차를 천천히 몰았다. 하지만 얼마 못 가 영국 해적이 여기에 온 후, 스페인 사람들을 축출하기 시작했었지. 비록 이 도시에는 성공회와 감리교회도 상당수 있지마는 역사적인 배경 때문에 지금까지도 많은 전주교 성당이 버젓이 존재하지.

대성당 옆 광장의 커다란 파라솔 밑에 탁자를 비치한 다방이 있었다. 낮잠 자는 시간이 벌써 지나서 그런지 도로에서는 사람 수 백명이 늘 모여들고 그들이 떠드는 소리에 귀가 따갑다.

브랑코가 냉동이 잘 된 음료수를 마시면서 "자네 생각에 애들이 프랑코 그놈을 잡을 것 같은가?"

나도 걱정이 되어서 "섭섭한 말이 될지 모르겠지만, 우리 애들은 그놈 근처에도 못갈 걸세. 이것이 내 대답일세. 우리가 답답하게 생각하는 것은 그 프랑코 녀석이 도대체 어디로 도망쳤는지 도통 눈치 챌 수가 없잖아. 시몽은 우리 애들하고 차원이 다른 놈이고, 알렉스 그 녀석은 젖비린내나는 애송이고 다만 내가 기대하는 것은 루버, 파드로니와 머베이 세 친구만 성공할 가능성이 있지."

3시 30분 지나서 경찰관 한 녀석이 우리 차에 다가가는 것을 우리 두 사람은 멀리서 보고 있었지. 이 친구는 차 번호를 조사한 뒤 주위를 한 바퀴 쳐다본다. 차 소유자를 찾는 것 같다. 잡지 판매상에게 묻는 것 같은데, 이 사람은 모른다는 시늉으로 머리를 흔든다.

내가 종업원을 부르면서 "내가 돈 지급하겠네!" 브랑코 역시 그 경찰관을 보면서 "야, 일이 좀 꼬이게 되겠는데."
우리 두 사람은 차 세워둔 곳으로 뛰기 시작했지. 사실 무기를 껍데기 밑, 뒤쪽 의자 밑에 숨겨 놓았지. 아직도 총을 사용한 일이 얼마나 많을지….

레토리아 거리에서 총격전을 벌인 후, 우리는 일찌감치 그 현장을 떠났지만, 그때 누군가 우리 차를 확실히 목격하고는 그 사실을 신고했기 때문에 경찰은 벌써 우리 차에 지명수배령을 내린 것 같다. 이 경찰이 상부에 보고하기 전에 우리가 재빨리 선수를 쳐야 하지.

나는 브랑코에게 열쇠를 건네주면서 "차 타고 도망치게, 드라코 광장에서 다시 만나세."

브랑코는 아주 조심스럽게 차 곁에서 천천히 발걸음을 옮긴다. 동시에 나는 경찰관 쪽으로 다가가서는 절망하는 사람처럼 경찰관 팔을 잡으면서

"바아라 덴 밀레 코베라 티트 람멘?"

내가 계속 지껄이길 "모르레노 팔라리티 사 마모!" 이 경찰관이 차 쪽에 등지도록 나는 그렇게 유도했지. 이 친구가 내가 무슨 말을 지껄이는지 전혀 알아들을 수가 없어서 외국 사람은 분명한데 무슨 의도로 이야기하는 것을 알아낼 양 내 표정을 살피려고 안간힘을 쓰고 있다. 깔끔하게 정장한 내 옷에는 아까 총격전을 벌였기 때문에, 때 자국이 이미 나 있었던 관계로 이 위기에서 진짜 실감 나게 연기를 펼칠 수가 있었지.

"선생님, 저는 무슨 말씀을 하시는 것인지 전혀 알아들을 수가 없습니다.!"

나는 이 경찰관 뒤에서 브랑코가 벌써 차 속으로 들어가 운전대에 앉아있는 것을 보았지.

나는 신경질을 내면서 고래고래 소리를 질렀지 "살라텔라 디 참브레로, 모르펜 타 마헤테타··!" 원주민 몇 명도 내 이야기를 들으려고 모여들기 시작한다. 브랑코가 자동차에 속력을 내기 시작한다.

이 경찰관이 "하지만 선생님, 선생님께서 무슨 말씀을 하시는지 저는 영 알아들을 수가 없습니다.!" 나처럼 고함을 지른다.

나는 절망에 빠진 사람처럼 손을 흔들면서 "벨테르 키라타 쿨리"

브랑코는 벌써 차를 몰고 떠났고 다른 자동차 행렬 속으로 사라진다. 나는 경찰관에서 떠났고 어느덧 택시에 몸을 실었다. 원주민 몇

명과 그 경찰관이 내 뒤에서 한참 동안 멍하게 바라보고만 있다.

나는 택시 운전 기사에게 "앞으로 곧장 출발하시오." 내가 너무나 황당한 이야기를 지껄일 동안 수상한 차가 도망치는 것을 경찰관이 나한테 등진 채 멀거니 쳐다보고 있는데 이 경찰관 얼굴을 내가 제대로 보지 못한 것이 아쉽구나.

드라코 광장은 런던에 있는 트라팔라 광장하고 너무나 흡사하다. 옛날 산채로 굳어버린 것 같은 해적 선장 청동상이 둥근 기둥에 조각되어 있었다. 내가 탄 택시가 브랑코 옆에 설 때, 이 친구는 때마침 신문을 사는 중이었다.

내가 "차에 타게." 그러면서 또 운전 기사에게 "자동차 빌릴 수 있는 곳으로 갑시다."

알렉스가 운전하면서 도망치는 녀석 뒤를 바짝 쫓는 동안, 앞에서 정신없이 도망치는 검은색 자동차에 시선을 집중하고 있었다. 이 친구가 성질나서 고함치길 "저 차가 도대체 어디서 나타나 가지고 선?"

시몽이 "만약에 대비해서 저 차는 입구에 서 있는 것 같다."
이 악당 놈들은 우리가 쳐들어올 것을 미리 알고 준비를 철저하게 했는지도…!

루버가 "우리가 올 것을 예상했을뿐더러 무기고에서 충분한 탄약도 준비했던 것이 틀림없다."

머베이가 창문을 밑으로 버리고 차 두 대 간격을 어림잡아 측정하고 있었다.

시몽이 신경질적으로 두 입술을 지그시 깨물면서 "24시간 동안 우리는 저놈들의 은신처를 벌써 몇 번이나 공격했지. 전투에서 프랑코 저 녀석은 자신의 심복인 오른팔을 잃었고 졸개 몇 명도 우리가 사살했는데도…. 또다시 저놈을 잡는 것이 왜 이다지도 힘이 드는지 모르겠다."

자동차 2대는 쫓고 도망 다니면서 항상 좁은 골목길 쪽으로만 전속력을 내고 있었지. 이 녀석들은 하얗게 벽면을 색칠한 가옥 수십 채로 옹기종기 양쪽으로 붙어 있는 좁은 골목 비탈길 밑으로 도망치고 있고, 저 멀리서 바다 물결이 햇볕에 반사되어 반짝거리기 시작한다. 햇볕이 너무 강하게 내리쬐어서 이 도시가 눈이 부시다. 굽이치는 도로로 달리는데 갑자기 차 바퀴에서 삐걱삐걱 소리가 난다.

결국, 차 2대가 기다랗고 직선으로 뚫린 길로 접어들 때, 파드로니가 거친 목소리로 "내가 총 쏘아 보겠네?"

"도시 한복판, 여기에서? 자네 미쳤나?"

도망치는 자동차에는 사내 3명이 타고 있었다. 그중에 한 놈이… 마침내 프랑코 그놈이었다. 그러나 셋 중, 어느 놈인지…? 우리 친구들은 프랑코가 누구인지 전혀 모르고 오직 나만 알고 있지. 우리는 도망치는 자동차가 우회전, 좌회전할 때마다 반짝이는 방향 전환 등만 보이고, 차는 전혀 보이지 않는다.

머베이가 마침내 "잘못 하다가는 저놈들을 놓치겠다!"

시몽이 주위를 살피면서 "전속력으로 달리게, 전속력으로!"

프랑코 그놈을 생포하는데 가장 적당한 장소를 어디로 정하면 좋겠는가?

아니야 그놈들은 이 도시 지형을 우리보다 더 훤하게 잘 알고 있잖아. 시몽은 지금 결정을 내릴 순간이 왔다. 나는 이 친구들과 함께 누구 때문에 이 망망대해를 비행기 타고 여기까지 날아와서 지금 50m나 되는 절벽 길을 달려야 되나… 주머니 안에 고이 간직하고 있는 사진이 생각나자, 맞아. 이 사진 주인공 때문에….

시몽이 "좋소, 사격하도록 하시오!" 지금 도망치는 차와 쫓는 차는 교외의 한적한 도로로 질주하고 있는데, 화물차 서너 대가 서행하고 있고 저 멀리 기차가 기다랗게 달리고 있는 것이 보이는구나. 이 위치에서 바다 쪽을 볼 수 없다.

파드로니와 머베이는 즉시 오른쪽과 왼쪽 자동차 문에서 사격 자세를 취한다. 루버도 파드로니와 머베이처럼 사격 자세를 취할 수 있는 적당한 장소를 찾았고, 알렉스는 전속력으로 달리고 있었다.

우리 친구들 기관단총에서 불이 뿜기 시작하자, 도망치는 자동차가 즉시 요리조리 쥐새끼 도망치듯 달리기 시작한다. 우리가 제대로 총을 못 쏘도록 이 도망치는 차를 운전하는 녀석은 탄복할 정도로 차 운전을 잘한다. 조금 지나자 이 녀석들도 반격을 개시한다. 아마 세 놈 중 한 녀석이 뒤쪽으로 총을 쏘고 있다.

알렉스가 "바퀴를 명중시켜 보시오!" 이 친구 역시 차를 지그재그로 운전해야 하기에, 다른 친구들도 중심을 제대로 못 잡아 프랑코 차를 명중시킬 수가 없다.

이 악당 차는 화물차 2대 중간에 들어가는 데 성공했는데 반면, 알렉스는 화물차 2대 사이에 들어갈 만큼 거리가 확보되지 않아서 부득불 속력을 줄여야만 했지. 숨 막히는 몇 초가 지나갔다. 도로가 끝나는 지점에서 프랑코 그 녀석이 탄 자동차를 아직도 발견할 수 있어서 알렉스는 도망치는 차를 따라가기 위해서 또 한 번 속도를 내었지. 파드로니는 사격 자세에서 원래대로 총을 거두면서 화가 머리끝까지 치밀어 올라 이 자동차를 제대로 운전 못 하는 캐나다 녀석을 노려보는데, 아마 쏘아 죽이고 싶은 것 같다. 루버가 기관단총에 탄창을 장착하고 자동차 문에서 파드로니 위치로 자리를 바꾼다.

도망치는 녀석들이 꼬부랑 길에서 사라졌다. 힘이 쭉 빠진 알렉스가 속도를 다시 줄이면서 그 꼬부랑 길을 지나가도 프랑코 녀석이 탄 자동차는 오리무중이다. "이놈이 샛길로 샜나··?" 결국 우리는 수백 미터 떨어진 곳에서 때마침 철길을 통과하고 있는 그 검은색 자동차를 찾았지. 그곳을 쳐다보니 임시 막사가 줄지어 세워져 있어서, 화물역이 틀림없다. 이 악당 놈들은 진짜 토착민이기 때문에 이 도시 지형에 대해 구석구석까지도 잘 알고 있었다.

"저놈들이 거기에 있다.!"

"저놈을 뒤쫓아 가세!"

"빌어먹을··! 서둘러!"

알렉스가 또다시 속력을 내자. 그 검은 자동차가 흙먼지를 일으키며 시야에서 사라진다. 영화에서는 너무나 기다란 기차가 항상 단골식단처럼 도망치는 녀석들 앞에 나타나면서 달리고 있는데 여기에서는 그렇게 되지 않는구나. 알렉스가 구사일생으로 철길을 통과하는데 성공하자, 긴장 탓으로 얼굴에 진땀을 흘리고, 꽉 다문 입술을 하면서 오른쪽-왼쪽으로 전방을 샅샅이 주시하면서 달린다.

시몽이 “저놈들이 흙먼지를 일으키면서 달리고 있는 곳으로 차를 몰게!”

우리가 탄 자동차도 저놈들처럼 흙먼지를 일으키면서 달리고 있었지. 먼 곳에는 들판이 보이고, 가옥 수십 채가 아담하게 지어져 있고, 흑인 꼬마 서너 명이 우리 차를 쳐다보며 손을 흔든다. 화물열차가 우리 뒤쪽에서 기적을 아주 길게 울리고 있구나.

바로 그때…

나무 몇 그루가 갑자기 흙먼지 속에서 불쑥 튀어나온다. 흙먼지가 아직도 공중에서 흩어지지 않는 것으로 봐서, 이 악당들과 우리는 아주 가깝게 있다고 시몽이 생각하고 있는 찰나, 불현듯 기관단총에서 불이 뿜기 시작하더니 우리 차 옆으로 총알이 비 오듯이 날아온다.

파드로니는 총알에 맞아서 산산이 조각난 유리 파편이 튀는 것만 쳐다보다가 의자 쪽으로 몸을 숨기고 있고, 시몽도 반격을 개시하는 순간 턱과 목에 뜨거운 어떤 액체가 흘러내리는 것을 느꼈지마는 이에 아랑곳없이 총을 계속 쏘아대었다. 알렉스는 운전대 쪽으로 머리를 푹 숙이고 있고…

“조심해!”

“왼쪽으로!”

파드로니는 공격하는 놈들이 나무를 방패막이로 사용하고 있으며 우리가 자기들을 더 추적 못 하도록 프랑코가 탄 차에서 최소한 두 명 정도가 차에서 내렸다는 계산을 하자, 비록 보이지는 않았지만, 적들이 있을 만한 장소를 향해 본능적으로 총을 집중적으로 쏘아대었다.

시몽은 떨리는 음성으로 “저놈들의 차는 도대체 어디에 있는지?”

그 순간 우리가 탄 자동차 시동에 불이 나기 시작하자, 손에 총을 꽉 잡고서 알렉스가 차에서 재빨리 뛰어나온다. 나무 여러 그루 중 한 그루 정면으로 우리 자동차가 혼자 천천히 돌진하자, 휘발유 냄새가 온 천지에 쫙 퍼진다. 공격하고 있는 두 놈 중, 한 놈이 땅에 꼬꾸라진다. 나머지 한 녀석이 필사적으로 저항하고 있다. 알렉스가 절반 마른 덤불 뒤쪽으로 몸을 날리고선 정조준해서 두 발을 쏜다.

나중에 파드로니가 나무 몇 그루가 있는 곳으로 달려가 보니 프랑코 애들 두 놈이 벌써 총 맞아 나 뒹굴어져 있었다. 이 죽은 두 녀석 모두 콧수염을 기르고 갈색 피부색인 건강한 체구의 사내들이었다. “프랑코 개인 경호원 녀석이 틀림없군. 이 죽은 두 녀석은 영원히 프랑코를 다시 볼 수 없겠구나.”

시몽이 몹시 화가 났는지 “그놈이 또 도망쳤구나!” 왜 이 친구가 평소에는 전혀 안 하던 단말마 같은 절규를 하는지, 그 저의를 알 수 없는 동료들조차 의아해했다. 루버가 시몽을 노려보다가 잠시 후 앞쪽으로 가서 주변을 샅샅이 훑어보더니 “추측하건대, 프랑코 그놈 혼자 차 타고 도망가면서 자기 경호원 애들을 자기 대신 우리에게 희생양으로 삼은 거지…”

우리 차가 때마침 폭발음과 함께 불타고 있을 때, 인원수를 셈해보니, 숫자가 모자란다. 시체가 불타고 있는 차 옆에 놓여 있는데…

파드로니가 힘없이 땅바닥에 풀썩 주저앉으면서 “머베이가!” 외마디 비명을 지르면서도 시체 있는 곳에 있는 자기 총을 잡는다. 그 광경을 보고 있는 시몽은 언제 자기가 화를 낸 양, 파드로니를 위로하려고 애쓴다. 자동차가 몇 초 지나서 폭발하기 시작하는구나. 모두 머베이 시신을 옮기면서, 거의 철길까지 되돌아왔다.

총알 몇 발이 터키인 목동맥을 갈라놓았다. 놈들은 우리가 차 타고 있을 때, 머베이가 총알을 맞았고, 나중에 이 친구 목에 몇 발을 더 맞아 아무 저항도 못 하고 맥없이 땅바닥으로 굴러떨어졌다.

"알리…" 파드로니가 울부짖으면서 머베이의 두 동강 난 동맥을 연결해 지혈시키려고 악전고투해 보지만 너무나 많은 출혈을 해서 머베이 몸속에서 피가 나오지 않는다. 이미 머베이가 모든 피를 다 토한 상태였지. 머베이가 선혈이 낭자하게 된 개골창에 누워 있는 것 같다. 모두 이 죽은 동료를 잡아당기니 여기저기 선혈이 낭자한 피바다 길이 생긴다.

이 죽은 동료를 살리기는 이미 불가항력이고, 심지어 머베이는 숨소리조차 내지 않는 것을 봐서 아마 이 친구는 벌써 차 속에 있을 때부터 숨졌다는 것을 루버는 경험상 알고 있었지.

불타고 있는 자동차가 연쇄적으로 폭발한다. 사나이 네 명은 죽은 동료 옆에서 고개를 숙이며 고인의 명복을 빌고… 파드로니는 한 손을 선혈이 흥건한 친구 몸에 손을 얹으면서, 이 친구도 고인의 명복을 빈다.

눈치가 빠른 알렉스가 철길 뒤쪽에서 뽀얗게 흙먼지를 일으키면서 화물차 한 대가 우리 쪽으로 달려오고 있는 것을 보더니, 아직도 정신을 제대로 못 차리고, 털이 까무잡잡한 죽은 머베이 얼굴만 쳐다보는 시몽을 붙잡고, "여기를 빨리 떠나도록 합시다…!" 다른 동료들도 알렉스 말에 따른다. 뒤에 남으면서 알렉스 이놈은 번개 같은 솜씨로 숨진 머베이 호주머니를 샅샅이 살핀다. 그리고는 위조전문가의 도움을 받으면 이 시체와 동일 인물이 될 수 있게끔 머베이 여권과 이에 관련된 증명서류를 이 친구는 교묘하게 감춘다. 이 정도면 경찰 녀석들도 숨진 머베이의 신원을 끝내 못 밝히겠구나….

가옥 몇 채에서 흑인 남자 서너 명이 불이 세차게 나고 있는 곳으로 달려오고 있다. 자동차가 펑펑 소리를 내면서 불기둥이 하늘로 솟는다. 우리 근처에 다가온 화물자동차가 불기둥을 보더니 멈칫 차를 세우고는 차에서 사내 두 명이 뛰어내린다.

시몽은 이 위기일발에서 탈출할 방법을 생각하고는 불타고 있는 자동차 잔해를 가리키면서 "저기에… 사람, 사람들이 있습니다!" 그러자 바린고스 시민들은 곧장 불타고 있는 자동차 쪽으로 달음박질치면서 가고 있다. 너무나 뜨거운 불길 때문에 그 사람들이 주춤거리며 설 때, 파드로니는 벌써 화물차 운전석에 앉아있고, 두버는 맨 먼저 자기 기관단총을 화물차 천막 놓은 곳으로 던지고 승객 문을 잡고 올라타며, 시몽은 짐 싣는 곳으로 올라가자 알렉스에게 올라탈 수 있도록 손을 내밀고 있다. 그때 화물차 운전기사가 자기 차가 도둑맞는 것을 보고는 눈썹이 휘날리도록 죽자 살자 자기 차 있는 곳으로 달려가 보지만 번개처럼 도둑맞은 자기 화물차가 시내 쪽으로 달려가고 있었다.

네 시하고도 몇 분 지나서 우리는 대성당 앞에서 다시 만났었지. 우리는 훔쳐온 화물차를 도로 한 쪽에 내버려 두고, 아침에 애들이 돈 주고 빌리기로 한 바닷가 야영지에 있는 조그마한 가옥을 향해서 택시 두 대에 분승하고는 떠났지. 사람들은 부자를 위해서 집을 짓지 않고 일반인을 대상으로 해서 이 야영지를 건설했었지. 이 지역에는 통나무 집이 스무 채가량 아담하게 지어져 있는 주변에 종려나무가 띄엄띄엄 심겨 있으며, 옥상에 햇빛가리개용 파라솔도 몇 군데 보이고, 정구장 하며 바닥에 돌을 깔아놓은 산책로도 있구나. 정문에는 앙상한 나뭇가지만 매달린 채 서 있는 종려나무 몇 그루가 있었지. 흑인 남자 두 명이 항상 상냥하게 웃으면서 집을 관리하고 있었다. 시몽이 아침때 이 두 사람한테 죠니 워커 두 병을 선물해 주었기 때문에 이로 인해 이 친구들은 기분이 너무 좋아서 일에 신바람이 나는가 보다. 게라디 특별검사가 파견한 이 친구는 이때부터 같은 동료들과 친밀하게 지내게….

우리는 옥상 웅달진 곳에 앉아있었고, 알렉스가 음료수 시원한 것을 우리에게 갖다 준다. 우리는 한참 동안 말이 없었다. 내가 브랑코 얼굴을 쳐다보니 이 친구는 머베이를 생각하며 가슴 아파하는 것 같다. 우리가 머베이를 알고 지낸 날은 불과 며칠도 채 안 되지만, 그동안 이 터키인이 너무나 훌륭한 친구였다는 것이 새삼스럽구나.

브랑코가 “정말로 안됐다.” 이 말은 알리 머베이에 대한 애도의 표시였다. 각자 음료수를 거의 다 마시고, 겨우 음료수 몇 방울만 남아있을 때, 동료들이 나를 쳐다보면서,

루버가 “대장, 지금부터 할 일은 무엇인가?”

내가 즉시 “자네도 확실히 알겠지만, 우리는 포기하는 법은 절대로 없어.” 브랑코가 고개를 끄덕거리고 다른 애들도 역시 당연하다는 듯이 내 말을 듣고만 있다.

내가 “조금만 더 있으면 저녁이다. 우리는 그 시간을 최대한 이용해야 한다. 참 시몽, 자네는 그 불탔다는 자동차를 누구 이름으로 빌린 것인가?”

“제 외교관 여권 명의로 빌렸습니다.”

“경찰들은 금속 파편을 단서로 차적 조회해 보면 자동차 공장 일련번호를 알 테고, 불타버린 자동차 소유주 신원을 밝혀내겠지. 그렇게 얼마 지나다 보면 경찰은 누가 이 차를 빌렸는지 당장 알게 될 거고… 어쩌면 그 사람은 호텔 전부를 이 잡듯이 샅샅이 뒤지고 있을 수도 있겠고, 아니면 벌써 자네를 체포하려고…. 그 여권을 없애도록 하게. 자네는 또 다른 여권을 가진 것이 없는가?”

시몽은 다른 애들에게 고개를 돌리면서 “저는 여권 서너 개를 가지고 있습니다.”

이 녀석은 게라디에 대해 일언반구도 안 하는 놈이지. 그 검사는 이 친구에게 만약을 대비해서 위조여권 서너 개 정도는 틀림없이 만들어주었다 이 말이지.

“자, 내가 각자 맡을 임무를 부여하겠소. 루버, 자네는 자동차 빌릴 수 있는 주소를 내가 줄 테니 받게, 그리고 가서 필요할 경우 우리 모두 탈 수 있는 대형 미국산 자동차를 빌려 오게.”

“대장 시키는 대로 하겠네.”

"여기 머무는 시몽과 브랑코도 새로 빌린 차에 타서 이곳으로 되돌아오게나."

"나도 알만하네."

"루버하고 의논해 보게. 자네들 세 사람은 꼭 함께 돌아오도록 해야 하네. 주의할 것은 세 사람 모두 차 빌리는 곳에서는 절대 함께 있어서는 곤란하네… 알렉스!"

그러나 이 녀석이 어릿광대 놀음을 하면서 "대장님 중에서도 대장님, 저는 진심으로 대장님 엄명만을 학수고대하고 있었죠" 이놈도 우리 일에 쓸모가 없었기 때문에 나를 비꼬아도 그냥 내버려 두었지.

"자네하고 파드로니는 항구지역으로 가서 술집 여러 군데를 둘러보게…."

파드로니가 모처럼 시원스럽게 웃으면서 "제 마음에 딱 맞는 임무입니다."

"자네들은 해질 때까지 술을 마시되, 프랑코 그놈에 대해 어떤 정보를 알아내도록 하게."

브랑코가 "그럼 우리는? 차를 빌린 뒤 우리도 아무 데나 가서…"

"그렇게 하세. 단 술집으로 가서는 곤란하네. 자네와 루버는 이 도시에서 가장 멋있는 장소를 찾아가게. 이를테면 호텔 술집이나 밤무대…. 거금을 쓰지 말고, 적당하게 돈을 쓰면서 자네는 필요한 정보를 구하도록 하게. 자! 돈이 여기 있으니 각자 받아 가게."

브랑코가 "데니, 자네는 그럼 무슨 일을 하려고 그러나?"

"나는 전화기 옆에 앉아서 각자 전화번호를 머릿속에 기억해 두겠네. 자네들이 어떤 중요한 정보를 알아내거나 혹시 만에 하나라도 위험한 상황에 직면하게 될 경우, 지체 말고 나한테 전화를 걸도록 하게."

애들이 모두 떠나자, 나는 몹시 피곤해서 문을 걸어 잠그고는 침대 쪽으로 나가떨어지자마자 잠이 들었지만 잠을 깊이 잘 수가 없었다. 괴상하게 생긴 쇠 갈고리가 나를 고문하고 있는데, 문 두드리는 소리 때문에 나는 눈을 번쩍 떴다.

나는 갑자기 올베그 검사 그 녀석이 떠오른다. 만약 경찰이 벌써 이 집을 포위하고 있다면…. 손에 총을 쥐고서 나는 숨어서 창문 쪽으로 밖을 살펴보니 벌써 칠흑 같고 절간처럼 조용하다.

나는 문지방에서 "데니, 저, 시몽입니다." 그 소리를 확인하고서 내가 문을 열어주자, 이 젊은 친구가 불을 켜려고 전기개폐기를 작동하려는 것을 내가 만류하듯 이 친구의 손을 잡고 제지하면서,

"자네를 미행하는 놈은 없었는가?"

"없었습니다. 저는 그 점을 항상 염려해서, 이쪽으로 똑바로 오지 않고, 일부러 빙글빙글 돌아서 왔습니다."

그래도 안심이 되지 않아서 우리는 맨 먼저 문을 닫고 창문에 걸쳐진 장막을 닫았지. 그다음 신혼여행 때 분위기 맞추는 것처럼 작은 촛불에 불 밝혔지.

내가 어린 친구 지미한테 내 시계를 선물해서 지금은 내 손목에 시계가 없다는 것을 깨달으며 "지금 몇 시인가?"

"제가 미국제 자동차를 운전하며 여기 도착했을 때, 벌써 자정이 지났습니다. 그리고 루버하고 브랑코는 분위기 있는 장소에서 회포를 풀고 있을 것입니다."

"대장님께서는 어디 편찮으신지요?"

"푹 자면 낫는 병일세. 솔직히 말해서 자고 싶네."

침묵이 흐른다. 시몽은 프랑스, 스위스 또 아일랜드 여권 몇 개를 자기 손가방에서 끄집어낸다. 내가 보니, 여권에 붙어 있는 사진 모두 이 젊은 친구하고 너무나 닮았다. 서류철에 들어있던 것 중 어떤 것이 그만 이 친구의 실수로 사진 한 장이 마룻바닥에 떨어진다.

사진 속 주인공은 예쁘장스럽게 생긴 여자인데, 갈색 금발 미인이고, 탐스럽도록 해맑은 눈동자를 갖춘 품위가 있는 용모였다. 나이

는 서른 살가량 되어 보인다.

나는 사진을 되돌려주면서 "이 여자 참말로 예쁘구나." 이때 시몽은 눈 깜박할 사이 내 손아귀에 들어있는 사진을 뺏어간다.

이 친구 얼굴을 쳐다보니 심기가 몹시 불편한 것 같아서,

"시몽, 무엇 때문에 그러는지?"

처음에는 아무 말도 하지 않고 그 사진을 서류철에 감춘 다음, 자기 손가방에 도로 집어넣는다. 그리고는 이 녀석은 내가 보기 싫은지 다른 의자에 가서 앉는다. 내가 이 친구의 경악하는 표정을 보고서 오히려 내가 놀라서,

"시몽, 도대체 무슨 일이고? 이 여자하고 생이별한 것 때문에 자네가 그렇게 괴로워하는가?"

이 친구가 손을 내저으면서 "그런 문제는 절대로 아닙니다. 이 사진은 이십 년 전에 찍었던 것입니다."

"그럼 자네가 짝사랑하는 이 여인은 자네보다 나이가 훨씬 많은데. 내가 봐도 이 여자 나이가 쉰 살이나 더 되겠구나."

이 친구는 분한 마음을 참느라 안절부절못하고 있다. 내가 보길, 이 친구는 냉가슴앓이하면서 나에게 그 사실을 이야기해야 할지, 아직도 망설이고 있는 것 같아서, 내가 정곡으로 "그 일은 나하고 아무런 상관이 없으므로, 자네 개인적인 비밀이라면 나한테 말하지 말게." 그런데 내 의도와는 정반대로 이 친구가 말문을 열기 시작하는데

"이 여인은 항상 새처럼 즐겁게 살고 있었지요. 제 기억에, 이 여인은 언제인지는 잘 기억나지 않지만, 정원 속에 심어놓은 나무 위에 올라가서 새처럼 날아 보려고 했지요. 비록 스물 여덟 살이나 되었는데도 불구하고 새처럼 노래하고 즐겁게 소곤거렸지요. 이 여인이 음악 교사 자격증을 따고난 뒤 어느 날 이 여자는 중앙통에 있는 광장으로 가서 바이올린 연주를 했지요. 어떤 사람이 이 여자 모자를 벗기고 주위를 한 바퀴 돌자 이 모자 속으로 동전이 수북하게

쌓였답니다. 사람들은 웃고 떠들며 박수갈채를 보냈지요. 나중에 이 여인은 도로 모퉁이에 있는 시각장애인 동냥아치에게 자신이 모금한 돈 모두를 주었지요…." 시몽이 잠깐 말문을 닫으니.

"내가 햇수를 계산해보니, 그 당시 자네 나이가 겨우 열 한 살이 되는데."

"예. 정확하게 계산했습니다. 우리는 그때 알제리에 살고 있었답니다. 분리주의자들이 폭동을 일으킨 지 사흘째 되던 날 까떼린은 자기가 가르치고 있는 음악학교에서 집으로 왔지요. 그 전날 오 에이 에스 일당이 트르와에 광장에서 예술가들이 주로 모이는 찻집 안으로 플라스틱 사제폭탄을 던졌지요. 그래서 까떼린은 폭탄이 폭발할 때 파편에 맞아 중상이 된 자기 동료에게 헌혈하려고 병원으로 달려갔지요. 이 병원에서 오 에이 에스 요원인 간호사 한 명이 있었는데, 소위 이 악당들이 예술가를 '좌익분자' 라고 낙인찍었던 이 부상자에게 헌혈했던 사람들의 명단을 이 간호사가 오 에이 에스측에 전달할 줄 까떼린 여인은 까마득히 몰랐지요. 헌혈한 지 이틀날이 지나서 이 악당들이 야밤에 이 여자 집으로 왔지요. 그때 그 여인과 저만 집에 남아있었고, 저는 너무나 어려서 화실에 자고 있었기 때문에, 이 악당들은 제가 집에 있는 줄 몰랐고, 저 역시 깊은 잠에 빠져 있었답니다. 그래서 그놈들은 이 여인만 강제로 끌고 갔지요. 그놈들이 어떤 놈인지 대장님께서는 잘 알고 계시지요…?"

내가 가끔 침을 꿀꺽 삼키면서 "그 여자에게 무슨 일이 일어났는지? 나도 짐작이 가네." 내가 괴로워하는 이 친구 얼굴을 쳐다보면서, 다음에 무슨 말을 할는지 벌써 짐작이 간다.

"몇 년이 지나서 오 에이 에스놈들이 형을 집행해도 아무런 이의가 없다는 그녀의 거짓 자백서를 웬 사람이 저에게 보여주더군요. 불쌍한 까떼린은… 결국 클레버 손아귀에 넘어갔지요.
클레버 그놈은 수차례 그녀 머리를 강제로 빡빡 깎고, 전기고문도 자행하면서… 그놈은 다시는 음악을 못 하도록 그녀 손가락까지도

부러뜨렸습니다.”

이 이야기를 듣는 나도 등골이 오싹오싹하다.

시몽은 말을 계속하길 “우리는 그 여인에게 어떤 변이 일어났는지 오랫동안 캄캄했지요. 폭동이 진압된 후, 우리는 그녀를 수소문하려고 몇 주일 찾아 헤매었지요. 아주 세월이 흐른 후, 사람들이 군대 막사 연병장에 있는 공동묘지 뚜껑을 열어보니…. 그 여인은 그 자리에 묻혀 있었지요.”

시몽은 또 한 번 일어서는데 눈에 살기가 번뜩거리고 두 주먹을 불끈 쥔다. 그리고 욕실로 간다.

“자네는 그 여인이 그렇게 보고 싶은가?”

내가 그렇게 말하자 욕실로 가다가 이 친구는 장승처럼 우뚝 선다. 이 친구가 갑자기 총알 맞은 것처럼 곧 쓰러질 것 같이 맥없이 서 있다. 뒷모습이 창문에 어른거리고, 잠시 후 이 친구가 냉소로 나를 바라보며

“그 여인은 까떼린 갈랭이고… 우리 엄마입니다.”

# 4. 반격

아침 일찍 애들이 다 왔다. 술고래인 루버가 술을 얼마나 마셨는지는 몰라도 곤드레만드레하지 않는다. 꼿꼿하게 서 있는 이 친구 얼굴을 쳐다보니 손톱으로 할퀸 자국이 선명하게 보인다.

내가 그것을 보고도 모른 척하고 "자네는 고양이 새끼 짓일세…. 비스토 옛날 애인이지. 내가 무슨 짓을 하는지 그 여자는 처음에 아리송한 것 같았지. 자네도 알다시피 여기 사는 원주민들은 특이한 말버릇이 있잖는가…."

나는 다 잠들기 전, 애들이 알아낸 정보를 모두 들어야 해서 "자네는 이야기를 빙빙 돌리지 말고, 핵심만 말하게나."

"비스토가 종종 풍차 술집을 출입하는 것도 우리가 다 아는 사실이지."

찌푸린 얼굴을 하면서 루버도 "종업원도 자네처럼 똑같이 말하더군."

"그럼, 누구와?"

"프랑코 그놈도 역시 그곳에 있었다나."

내가 못마땅하듯 손을 내저으며 "한물간 정보구나. 프랑코 그놈은 우리가 이곳에 도착한 지 며칠 동안 그곳에서 기분 낼 정도로 한가하지 않다는 것은 내가 보장하지."

"어쨌든 우리는 다른 묘안을 짜내야 하겠는데"

"참 오늘 밤 루버하고 그 술집에서 나온 브랑코, 자네가 말해 보게?" 풍차 방앗간 대목이 있는데, 그놈들도 또한 '밀수업'에 몸담고 있으며, 특히 주목할 것은 프랑코 반대세력이라 하고 심지어 그 두목이 데니, 자네를 한번 만나 봤으면 한다는 사실이야."

시몽이 벌컥 성깔을 내면서 "그놈이 프랑코 반대파인지 브랑코 선생님께서는 어떻게 알 수 있습니까? 지금 프랑코 그놈이 우리를 잡으려고 눈에 불을 켜고 설치는 이 마당에 데니가 프랑코 반대파 두목과 만나게 되면 그 반대파 애들이 우리 대장님을 그 자리에서 총 쏘아 죽일 텐데요!"

브랑코가 나를 멀거니 바라보면서 "자네는 그곳에 가지 않는 것이 좋을 듯하네. 그 두목이 자네한테 내일 점심을 같이 먹자고 부탁했네. 더 정확하게 말하자면 오늘 정오 바르텔리 호텔일세."

"알렉스! 자네는 왜 여태까지 가만히 있었나…?"

알렉스가 파드로니를 쳐다보자. 시칠리아 인은 시치미 떼고 짐짓 태연한 기색을 바라보고 알렉스가 씩 웃으며

"파나마 선원 몇 명이 우리한테 시비를 걸어 오자 구급차에 실려 병원에 가도록 파드로니가 그놈 중 한 놈을 죽도록 패주고, 경찰이 우리를 덮칠까 봐, 그 자리를 줄행랑쳤습니다만…."

"내가 자네를 그곳으로 가 보라는 것은 싸움질하라고 보낸 것은 아니잖아."

이 캐나다 녀석은 앞으로는 잘 하겠다는 시늉으로 손을 높이 들면서, "앞으로는 대장님 엄명에 절대로 복종하겠습니다."

"아시다시피 우리는 시간이 별로 없네. 우리가 알아야 할 사실은 프랑코 측근에는 적어도 스무 명 정도가 이 도시에 포진하고 있네. 그 녀석들은 밀수업자이면서도 프랑코 개인 경호원일세. 배 네 척 혹은 다섯 척에서 나오는 수입으로 그놈들을 먹여 살리고 있네. 이 놈들은 뻘건 대낮에 그것도 모자라서 뇌물 먹은 세관원 바로 앞에서 하역작업을 하지. 이 항구에서 화물차 상당수가 이 섬 전체 도시로 짐을 운반하지."

"그놈들이 파는 물건은?"

"대부분 술과 담배이고 또한 의약품, 혈장, 비디오카세트, 라디오와 시계 등인데 아주 비싼 물건이지."

"그놈들 본거지는?"

"프랑코 그놈은 항구에서 절대로 밤을 보낸 적이 없다는 것만은 분명하지. 그러나 물건을 전달받기 위해선 여기를 오곤 하지. 또 이

놈은 모라레스에 살기도 하고, 우리가 전에 가 본 그 별장에서 또 다른 사람이 언급한 레토리아 스트리이트 집에서도 살며, 수시로 이곳저곳 옮기어 다니며 살고 있지."

"혹시 다른 주소는 없을까?"

"육 개월 전, 프랑코 그놈한테 단맛, 신맛 다 뺏긴 채 버림받은 한 여인이 카스토 모텔을 넌지시 알려주더군. 그곳에 당구장이 있으므로 프랑코 애들이 가끔 그곳을 드나들곤 하지. 사실 프랑코 그놈은 당구에 미쳤기 때문이지. 소문에 그놈이 제집 드나들듯 그렇게 빈번히 그 모텔에 온다나."

시몽 얼굴을 쳐다보니 언짢은 표정이 역력해서, "일하다 보면 모든 걱정이 사라지겠지." 그래서 내가,

"그 모텔은 시몽, 자네가 책임지게. 혼자 가서 정보를 수집하고, 다른 친구들은 푹 쉬게. 나는 한참 푹 잤기 때문에 내가 보초 서겠네." 모두 이구동성으로 "수고하십시오. 대장님."

시몽 갈랭은 7시 하고도 몇 분 지나서 이미 카스토 모텔 안을 기웃거리고 있었다. 맞이방에는 여행용 가방 몇 개가 놓여 있는 그 중간에 푸른 눈 미국인 가족 일행이 서 있었다. 꼬마 녀석 몇 명이 옹알이하면서 입구에 차가 서 있는 곳으로 천방지축 다닌다. 이 여자가 입고 있는 울긋불긋한 기다란 치마가 미풍에 팔랑거리는구나. 이 월요일에도 무진장 덥겠구나.

시몽이 맞이방 쪽으로 가니, 콧수염을 기르고, 기름이 빤지르르 흐르는 뚱뚱보 사내가 접수대 탁자 뒤에 서 있다가

"선생님, 안녕하십니까? 무엇을 도와드릴까요?"

시몽이 탁자에 사진을 놓으면서 "안녕하십니까? 저는 사진에 있는 이 신사분과 이야기 좀 하고 싶습니다."

이 뚱뚱보가 사진을 자세히 쳐다본다. 8년 전에 촬영된 이 클레버 사진과 현재 '프랑코' 그놈하고 너무나 닮았지… 접수계 직원의

양미간이 순간 움찔거린다.

시몽이 책상에 놓여 있는 사진 옆에 백 파운드 지폐 한 장을 던지면서 "이 분을 '프랑코' 라고도 부르죠. 선생께서 이 분에 관한 정확한 정보를 저에게 주신다면 이 돈을 드리겠소."

그 찰라. 이 사람은 신중하게 주위를 살펴본다. 갑자기 이 건물 전체가 쥐죽은 듯이 조용하다. 그 미국인 일행은 아까 떠났고, 접수계 직원에게 잔심부름하는 소년 한 명이 겨드랑이에 신문 몇 부를 끼고 자동문 안으로 들어오고 있다.

뚱보가 "그 사람이 가끔 여기에 왔습니다만, 요즈음에는 여기에 출입 않는 편입니다."

시몽이 "선생 말씀이 틀림없습니까?"

"여부없습니다. 그분이 여기에 계시게 될 경우, 제가 바로 선생님께 연락드리도록 하겠습니다."

심부름하는 소년이 접수대 앞까지 다가오자.

시몽이 "프랑코 그놈이 여기에 틀림없이 있구나!"

그와 동시에 시몽은 탁자 앞에서 등진 채 권총을 뽑아 들고서

"그놈이 있을 만한 신문을 보여주면서도"

벌벌 떨면서 이 꼬마가 신문 표지 사진을 가르치면서 "신문, 여기에 있잖아요." 이 소리에 놀라 시몽은 얼른 뽑았든 총을 감추고서 이마에 흘러내린 땀방울을 훔친다. 그리고 잠시 후 잽싸게 신문을 꼬마 녀석 손에서 뺏어 들고는 부랴부랴 차 있는 쪽으로 달려나간다.

이 접수계 직원하고 심부름하는 꼬마는 허둥지둥 쫓아나가는 시몽 뒤통수만 의아해하면서 물끄러미 바라보고 있었다.

소년은 그제야 "저 사람은… 신문값도 주지 않고, 신문만 모조리 다 가져갔습니다."

이 뚱보 아저씨는 시몽이 놓고 간 백 파운드 지폐 한 장을 이 소년이 모르도록 살짝 집어서 자기 호주머니 속에 감추면서 "사실은

말이야, 저분은 돈을 주고 가셨단다!"

시몽이 차를 전속력으로 운전해서 집에 도착했을 때, 다른 동료들은 아직도 꿈나라로 가 있었다. 내가 시몽의 자동차 급정지하는 소리를 듣고서 무슨 일이 벌어졌구나 했지. 내가 위쪽 창문을 통해 아래를 내려다보니 시몽 혼자 오고 있고, 미행하는 놈은 보이지 않자. 이 친구를 마중하러 나는 사랑방으로 나갔지.

이 친구가 격분해서 숨조차 제대로 못 쉬며 "경찰이 프랑코 그놈을 체포해서, 지금 감옥에 갇혀 있답니다."

"자네는 그 정보를 어디에서 알아냈는가?"

"이 신문 표지에 그놈에 관한 기사가 실려 있습니다. 제가 그 놈 기사가 실려 있는 신문을 전부 다 사 왔습니다. 한 번 읽어보십시오!" 하면서 바린고스에서 발행되는 신문 6종류를 이 친구가 내가 읽어보도록 건네준다. 신문을 읽고 난 뒤 5분쯤 지나자 나는 사건 경위를 확실히 알았다. 프랑코라는 사람은 이곳에서 공식명칭은 게오르그 깔레이며 어제 오후 화물 전용 동부역 부근에 설정해 놓은 경찰 통제 지역에 들어왔다. 경찰은 이 지역을 통과하는 차량에 대해 불심검문을 하였는데 프랑코도 이 차량 속에 끼어 있었다. 때마침 경찰은 레토리아 스트리이트 총격사건 때문에 비상 경계령이 발동되어 모든 차량을 통제하고 있었다고 신문 6종류 모두 그렇게 취급하고 있었다. 사실 경찰은 우리를 찾고 있었지만 우리는 못 찾고, 대신 프랑코를 발견했다. 화물역 부근에서 '전투'가 발생했다고 그 소식을 경찰 모두에게 무전기로 지령을 내릴 때, 마침 게오르그 깔레가 이 통제 구역에 들어선 것이다. 그래서 경찰이 깔레 차를 보니 총알 맞은 자국하며 또 그를 몸수색해 본 결과 호주머니 속에 숨겨 놓은 권총 한 정도 찾았단다.

시몽이 아는 체하면서 "아주 옛날 자기 혼자 시간을 즐기려다가, 그때에도 이놈은 경호원을 거느리지 않고 어디로 여행하다가 즉시 곤욕을 치른 적이 있지요….” 그사이에 내가 신문을 계속 읽어보니, 게오르그 깔레는 수도에 있는 경찰서로 압송되었고, 호기심 많은 기자 서너 명은 레토리아 스트리이트와 화물역 부근에서 피살된 시체들은 깔레가 고용한 사람이라고 어제저녁 신문에 이미 기고한 것이다. 경찰은 아직도 신원미상 시체 1구가 있단다. 그 시체는 버베이를 두고 하는 말이구나. 내 고객이신 ‘깔레 선생님’ 이 분은 너무나 침착하시고 또 능력이 있는 분으로서 그때 살인청부업자에게 쫓기는 몸인데도 불구하고, 총 소지 허가증도 가지고 계시면서도, 생명을 존중히 여겨 심지어 그 살인청부업자에게도 총 한 방 쏘지 않았으며, 깔레 선생님은 피해자이며 판결문에서도 이런 공소사실을 인정해 주길 바란다는 깔레 변호사 지지 발언 기사도 어떤 신문에 실려 있었다.

내가 초조하게 “범죄 사실이나 재판 진행에 대해 이 신문 모두 일언반구도 없네.”

“바린고스 재판관들은 영국법을 따르고, 이와 유사한 사건에 대해서 단독 재판을 시행합니다.”

시몽이 “제 생각으로 오늘 중 프랑코 그놈을 석방하려고 할 것이며, 깔레라고 하는 ‘프랜취’ 그놈이 이 지역에서 밀수업계 두목 중 하나라는 것을 바린고스 전 시민이 다 아는 사실이지요. 이놈은 옛날부터 경찰과 이 도시 유지급 모두 뇌물을 먹였기 때문에, 그 사람들 모두 이놈 수중에 있지요.”

이 순간 어떤 생각이 내 머리를 스쳐 가자 나는 시몽 팔을 잡고서

“어이 친구, 자네가 지금 헛다리 짚었네. 그놈은 감옥에서 나오지 않을걸세.”

“데니, 무슨 뜻으로 그렇게 말씀하십니까?”

“내가 헛소리는 안 하네. 프랑코 그놈은 자기 하고 싶은대로 할 수 있도록 아까 자네가 말한 그 사람에게 뇌물 먹인 것은 나도 인정하네. 그러나 이놈이 농간을 부리면 이 사건에서 벗어날 수도 있지

만, 지금 그놈은 우리를 무서워하므로…!"

"그래서 그놈은 감옥에 계속 남는다는 말씀입니까?"

"물론이지. 우리 공격에서 벗어나고 자기 자신을 보호해 주는 가장 안전한 장소가 감옥이라고 생각해서 그렇게 되도록 일을 꾸몄겠지. 그러나 오랫동안 그곳에 있지는 않을 테지. 자기가 감옥에 있는 동안 자기 부하들이 우리를 찾아내서 처치해 주길 바라지. 뇌물 먹은 판사는 이놈에게 8일에서 10일 정도 구류를 선고하겠지."

시몽이 "제기랄, 그 사이에 프랑스 정부가 이 나라에 망명자 범인 인도 요청서를 보내오겠는데요. 그렇게 되면 우리 계획에 치명타를 줄 것 같습니다. 바린고스 정부는 자기 헌법에 따라 자국민을 외국에 망명자 범인 인도 요청에 응할 수 없다고 피력할 테고, 그놈에게 뇌물 먹은 이 나라 고위층은 우리가 다시는 찾아낼 수 없도록 깔레인, 클레버 그놈을 교묘하게 은닉시키겠지요."

"모든 방법을 총동원해야 하겠는데. 어쩌면 프랑코 부하들도 우리를 찾으려고 혈안이 돼 있겠고, 또 어제부터 경찰 역시 우리 은신처를 찾고자 탐문을 시작했겠는데." 내가 꼼꼼히 생각해 보니 그놈들인지 혹은 다른 놈인지 알 수 없지만 2, 3일 정도 지나면 마침내 우리를 체포하겠구나.

이 젊은 친구가 입술을 꽉 깨물면서 비장한 각오로 "차라리 우리가 감옥에 있는 그놈을 탈출시키도록 해야겠습니다."

내가 호주머니에서 돈을 꺼내면서 "우리가 그놈을 탈출시키도록 하세. 참, 내게 좋은 묘책이 방금 떠올랐어. 이백 프랑을 받게나, 이 지역에 있는 신문사 편집실로 가서 자네가 프랑스 기자라고 하며, 그 사람들에게 그럴싸하게 어쩌고저쩌고 꾀를 한 번 부려…."

브랑코가 나를 보더니 "데니, 자네가 브리스톨 호텔로 갈 때 나는 같이 가고 싶지 않네."

벌써 오전 11시가 지났는데도 시몽한테 아무런 연락이 없다. 파드로니가 차 2대를 점검하고 있고, 게라디 검사가 우리한테 준 소형 단파 무전기 서너 대를 루버가 작동시키고 있었다. 애들이 신문에 난 클레버 사진을 쳐다보자.

내가 "우리가 이놈을 생포하려고 바린고스에 왔지."

알렉스가 사진을 찬찬히 보더니 못마땅한 투로 "염병에 뒈실 놈!" 하고 욕설을 한다.

브랑코가 자기가 가지고 있는 카쌍드로 점괘를 쳐다보면서 "잘못하다가는 자네가 그 호텔 안에서 잡히겠는데…" 그러나 나는 이 친구 말에 귀 기울이지 않고 클레버 사진만 똑바로 보고 있었지.

차 옆에 서 있는 이놈에게 경찰관 두 명이 마침 쇠고랑을 채우고 있는 장면이다. 포악하게 생긴 턱주가리 하며, 이마는 훌렁 벗어져 있고…

내가 브랑코에게 "나는 호텔로 가겠네. 그러나 뒷일은 그 누구도 장담 못 해. 그 친구하고 점심을 함께 먹다 보면 우리 일이 상상외로 쉽게 풀릴 수 있잖아. 그래도 자네가 그토록 나를 걱정한다면 나하고 같이 가서 나를 경호해 주게나."

브랑코가 "좋다. 이판사판이다. 자네가 간다는데 내가 안 따라갈 수 있나?"

루버가 "그럼, 우리는 어떻게 해야 하는가?"

이 순간 시몽한테서 걸려온 전화기 소리가 들린다.

"데니, 저는 대장님 지시대로 하니까… 그 사람들이 저를 신임하더군요. 그 사람들에게 저는 기자 신분증을 잃어버린 프랑스 기자라고 말하니 감쪽같이 속아 넘어가던데요. 그래서 여기에 있는 기자 한 녀석에게 돈 몇 푼 집어주니까 자기 기자 신분증을 저에게 빌려주더군요. 오늘 12시 30분쯤 담당 판사가 깔레 사건을 재판하게 된다는 사실을 법정에서 알게 되었습니다. 법원에서 일부러 이 시간대를 정한 이유가 원주민들이 낮잠 자는 시간이고, 그래서 방청석에서 이 재판에 관심 있는 극소수 사람들만 올 것이라고 그놈들은 계산하는 것 같습니다. 판사가 이 녀석에게 형을 선고할 경우, 이놈은 곧장 몽레알 감옥에 갇힐 것이고, 그렇지 않고 무죄가 선고되면 개선장군처럼 득의양양하게 정문으로 걸어 나오게 될 것입니다. 어쩌면 뒤쪽 비밀 출입구를 통해서 나올 수도 있을 것 같습니다.”

내가 “자네는 다른 일에는 신경 쓰지 말고, 무전기를 최대한 이용해서 오직 그 사건을 생중계 방송할 수 있도록 만반의 태세를 갖추도록 하게.”

내가 수화기를 제자리에 놓으면서 “계속 수고하게”
그리고는 브랑코를 쳐다보면서: “자네는 준비가 다 되었는가? 그럼 가 보세.”

우리는 차 2대에 나누어 타고 도시로 차를 신나게 몰았다. 애들은 내 의도대로 즉각 법원을 향해 달렸지. 그래도 차 한 대가 더 필요해서 알렉스가 차 한 대 훔칠 수 있도록 일찌감치 도로 모퉁이에 내리게 했지. 토론토 태생인 이 녀석은 차 도둑질하는데 일가견이 있다. 십 분도 채 안 되어 이 녀석은 인도에 담배 자판기가 설치된 시내 한복판 교통 다발 지역에서 차 한 대를 찾아낸다. 자가용 운전기사들이 여기에서 종종 담배를 사려고 차를 세우고는 밖으로 나오는구나. 자가용 운전기사가 자기 차에서 조금 멀리 떠나자, 30초 될까 말까 하는 사이에 이 녀석은 점잖게 나 홀로 운전하는 그 차를 훔쳐 타고는 법원 쪽으로 달린 후, 법원 후문 곁에 차를 세우고는 자기 단파 무전기를 호주머니에서 꺼내고는….

그 사이에 브랑코하고 나는 브리스톨 호텔에 도착하고는 차를 주차장 가까이에 세우고 우리 두 사람은 말없이 주변을 5분 정도 살펴보았지만, 의심 갈만한 곳은 한구석도 없다. 컴컴한 어둠 속에서 호주머니에 손을 넣고 우리를 지켜보는 놈은 어디에도 보이지 않자….

브랑코가 나한테 무전기 조그마한 것을 주면서

“주머니에 이것을 넣어 두게, 내가 자네에게 경보음을 울리면, 놈들이 이 정문에서 공격한다는 신호일세. 그러면 자네는 뒤쪽으로 도망쳐 나오게. 그리고 나도 여기에 있지 않고, 자네를 구하러 갈 걸세!"

"브랑코, 고맙네. 그러나 오히려 내가 자네한테 경보음을 울릴 수도 있네."

"데니, 나중에 다시 보세."

나는 휘황찬란한 조명등이 켜져 있는 호텔 응접실 쪽으로 저벅저벅 걸어갔다. 거기에는 식당 입구도 보인다. 벽에는 대형거울이 아주 멋있게 장식되어 있고, 바닥에는 양탄자가 푹신하게 깔렸으며, 가구들도 우단으로써 붉게 덮여 있어서 바린고스에도 갑부들이 꽤 있는가 보다. 영국 귀족 같은 급사장이 아주 멋있는 걸음걸이로 내 앞에 다가선다. 나는 여기 오기 전, 정장 차림을 하고 또 외모도 깔끔하게 손질했기 때문에 기분이 좋은 상태였지.

"선생님! 안녕하십니까?"

"안녕하시오. 신사 한 분이 저에게 점심 초대를 했지만, 저는 존함도 모르고 한 번도 뵌 적이 없습니다."

이 사람은 이미 알고 있다는 듯이

"선생님께서 방금 말씀하신 것처럼 그렇게 똑같이 **왈러** 선생님께서 저한테 벌써 통지해 주셨습니다. 제가 안내해 드릴 테니 저만 따라오십시오."

런던 근위병처럼 우아한 자세로 내 앞에 걸어간다.

왈러는 벽을 등지고 앉아있는 것으로 봐서, 이놈은 여기가 자기 영역임을 은연중 나에게 과시하는구나. 초면인 이 친구는 양 사방에서 즉각 공격할 수 있는 음식점 정 중앙에 앉아있으면서…

내가 왈러 이 친구를 쳐다보니, 바린고스 태생이 틀림없다. 이 친구 피부 색깔이 갈색인 것으로 봐서 혼혈인이며 자기 조상은 흑인이라는 것을 의미하지. 나이가 쉰다섯 살쯤 되어 보이는 땅딸막한 체구이며, 여자처럼 머리카락이 매우 검다. 이 친구가 나를 보자마자 50년 지기 죽마고우를 만난 것처럼 그렇게 반가워한다.

급사장이 나에게 의자에 앉기를 권하면서 "선생님, 여기에 앉으십시오!" 그리고는 돌부처같이 꼿꼿하게 서 있다.

왈러가 두툼한 손을 나한테 내밀고 악수를 청하면서 "안녕하시오!" "안녕하시오!"

나도 이 친구 손을 잡으면서 "데니라고 합니다."

"좋소, 데니. 자, 식사 주문부터 먼저 합시다. 내가 거북이 국을 주문해도 괜찮겠소? 그런 후 내가 이 지역에서 일어난 특별한 사건에 대해 몇 마디 언급하겠소."

급사장이 주문을 받고 자리를 뜨자, 우리 두 사람은 아까 그 문제에 의견을 서로 주고받자, 왈러가 심각한 표정으로 얼굴색을 바꾸면서 "데니, 당신이 벌써 공격을 몇 번이나 시도했는데도 성공 못 한 이유가 도대체 무엇이오?"

네놈도 나처럼 이 일을 진두지휘해 보면, 나하고 똑같은 입장이 될 거야.

"아시다시피 우리는 이방인이기 때문에, 아무도 우리를 도와주는 사람이 없습니다. 그래서 우리 두 사람은 서로 신뢰해야만 합니다. 제가 악한이나 밀수업자는 절대 아니다는 사실도 클레버 그놈은 일찌감치 파악했지만, 저는 며칠 지나서 겨우 그놈의 그림자 정도만 알게 되었지요. 범 잡으려면 범굴에 들어갈 수밖에 없습니다."

왈러가 심사숙고하더니 "프랑코 그놈을 제거해 주시면 거금을 드릴 수도 있소."

내가 "돈 때문에 이 일을 하지 않소." 바린고스 출신인 이놈은 게오르그 깔레가 이 지구상에서 영원히 사라지게 해 주었으면 하고 은근히 나에게 암시를 한다.

왈러가 빙그레 웃고 있는 사이, 우리 두 사람 대화에 방해되지 않도록 급사장이 아주 조용하게 거북이 죽을 가지고 온다. 급사장이 음식을 놓고 자리를 떠난 후 우리 두 사람은 이야기를 계속 나누었다.

"데니, 당신이 핵심을 찔렀소. 우리를 포함해서 여기에 사는 꽤 많은 사람이 오래전부터 깔레 그놈에게 앙갚음하고 싶어 하지요.

옛날 바린고스섬은 해적들의 본거지로 유명했다는 사실을 당신도 아실 거요. 수백 년 전, 스페인, 영국, 프랑스 그리고 네덜란드에서 온 유명한 해적들이 여기에서 판치고 있었지요. 키드, 드라커, 하이네스, 빌링톤, 드리스 등등… 그들이 우리 조상이지요. 수백 년 전부터 부모님들은 자기 자식한테 이런 환경을 대물림해 주었지요. 요즈음 우리 역시 해적질을 가능한 자중하는 반면, 더 현대판 상품인 밀수, 보험사기, 배 전복 또는 배 화물 따위…에 종사하고 있습니다. 국 맛이 끝내주지요? … 예, 정말로 맛있습니다. 우리, 바린고스 원주민 처지에서 볼 때, 게오르그 깔레 같은 그런 외국인이 정말 마음에 안 들지요. 갑자기 하늘에서 낙하산 타고 땅에 뚝 떨어져서, 어디서 떼돈 좀 벌어와서 사업을 한답시고 해 놓고, 우리 맞수 사이를 이간시킨 후, 나중에는 마침내 그놈 혼자 이익을 독식하는 그런 외국인을 우리는 절대로 용서할 수 없지요."

"제가 그놈을 제거할 묘안을 가지고 있소."

마지막 남아있는 국 한 방울조차 숟가락에 퍼담다가 왈러는 내 말에 화닥닥 놀라면서 "무슨 말씀인데요. 방법은?"

"그럼 레토리아 스트리이트 사건하고 화물역 근처에서 발생한 총격전을 당신은 잘 아실 텐데요. 비록 우리 뜻대로 되지는 않았지만. 아마 지금 상황이 전보다 더 호전되리라 믿소."

왈러가 내 진의를 알고자 내 얼굴을 뚫어지게 쳐다보고 나서 별안간 웃음보를 터뜨리며

"데니, 그럼 당신은 또 다른 구상을 하신다고요."

종업원이 고기에 양념을 맛있게 발라 가지고 와서는 우리 식탁에 내려놓는다. "내 손님께 적포도주 한 잔 따라 주시오."

이 친구가 왜 이런 말을 하는지 나는 알지.

내가 왈러에게 "여기에서 깔레 그놈을 제거하는 일이 제 임무입니다. 당신도 벌써 아시다시피, 그놈은 어떤 수단 방법을 가리지 않

고 오직 나를 죽이려고 벼르고 있습니다. 깔레 같은 그런 놈한테 맞서려면 이기는 일 외에는 뾰족한 수가 없습니다. 그 외에도 우리는 깔레 애 중 4분지 1은 벌써 제거했소. 그것만 하더라도 당신에게 상당한 이익이 되고 남지 않소. 내 말이 틀렸소?"

이 친구가 머리를 끄덕거리며 "예, 맞습니다. 그렇다면 깔레 애들이 지금 당신을 찾고자 혈안이 되어 있겠군요."

"살인 전문가 몇 놈이 나를 제거하려고 깔레 곁을 떠난 것이 나한테는 오히려 전화위복이지요."

이 녀석은 '내가 쇠뿔도 단김에 빼야지요' 하는 뜻을 이해하면서도 속마음을 아직도 털어놓지 않는다.

"그 외에도 저와 우리 애들은 바린고스 경찰 정도는 한 판 붙을 수 있는 실력은 됩니다." 나는 '영향력' 이라는 이 말을 강조하면서, "영향력 있는 고위층 관리 몇 명 정도가 배후에서 경찰과 검찰 수뇌부에게 압력을 행사해서 우리가 하는 일에 손 떼게 해 줄 수 있으면 좋겠습니다."

왈러는 아직도 내 요구사항 몇 가지를 듣고 있으면서도 기분이 좋은지 포도주 한 잔 쭉 들이켠다. 동시에 나보다 한 수 더 높이 계산하는지 나를 빤히 쳐다보고 있다.

"마지막에 가면, 우리가 여기에서 무사히 탈출하기 위해서는 기술적인 도움이 좀 필요할 것 같습니다."

이 친구가 단도직입으로서 "배요. 비행기요?" 나는 우리 계획을 숨김이 없도록 낱낱이 발설할 필요가 없어서 잠시 망설였다. 솔직히 말해서 이 왈러 녀석도 사실 내가 못 믿으니까.

"당신이 그것을 해결해 주실 수 있고 또 제가 당신에게 연락을 취할 수 있는 경우라면, 오늘 저녁에 그 점을 알려 드리도록 하겠습니다. 당신이 최선을 다해서 저를 실망하게 하지 않는다면, 그때 가서 저는 진짜로 당신을 믿고 흉허물없는 관계가 지속할 수 있겠지요."

"당신 마음에 들게 하자면 제가 어떻게 해 주면 되겠소?"

"이를테면, 오늘 오후 당신이 깔레애들 몇 놈을 제거해 주신다면… 그때 비로소 당신이 그 일을 처치한 거로 저는 믿고 싶소. 또 당신이 그렇게 해 주시고 제가 부탁드리려고 하는 것도 꼭 지켜 주십시오. 그러면 제가 우리들의 탈출방법 등을 구체적으로 당신에게 연락하도록 하겠습니다. 제가 게오르그 깔레 그놈을 바린고스에서 영원히 제거해 드리고 또 당신이 그놈 거래망 전부를 손아귀에 넣도록 당신에게 약속해 드리리다. 이렇게 된다면, 당신에게는 엄청난 이익이 넝쿨째 굴러오겠지요. 엄밀히 말해서 당신 같은 분에게는 이 제안이 아마 처음이 되겠습니다."

이 녀석 눈빛을 쳐다보니 내가 짚어도 제대로 짚은 것 같다. 깔레 제국은 황금알을 낳는 거위를 의미하지. 더 정확하게 말해서 왈러 이놈은 이미 제일 먼저 깔레 집단에서 지각변동 조짐을 눈치챈 놈이지. 이 녀석과 자기 애들이 깔레 손아귀에서 벗어나려면 만반의 준비를 해 두어야 한다. 우리처럼 이방인들이 일을 대부분 저질러 주는데도 자기 자신은 우리가 도와달라는 하찮은 부탁을 두고 생색을 내니 참, 보시다시피, 이 일은 선행을 베푸는 일이…

왈러가 명함을 꺼내면서 "좋소." 나는 진작 일이 이렇게 되리라 계산했지. 이 섬에 있는 밀수업자 조직 우두머리들은 죽지 않으려고 굉장히 몸조심하는 것 외에도 밀수해서 생긴 이득으로 자기 애들의 생계를 보장해 주고 있지. 이 친구들이 자기 주소랑 전화번호를 나에게 주는데, 이런 신뢰로 봐서 아마 초면인 내가 이용가치가 아주 높다고 생각하는 모양이구나.

"자, 받으시오. 제 전화번호입니다. 라디오에서 저녁 들을 거리를 듣고서 저에게 전화해 주십시오."

나는 명함을 받아 호주머니 속에 넣고 포도주 한 잔을 쭉 들이켰다. 그때 소형무전기에서 소리가 울린다. 이 소리는 경보음이 아니구나. 내가 무전기를 꺼내 들면서 왈러 두 눈을 재차 바라보면서.

내가 옛날 해적 후예를 바라보며 거만스럽게 "잠깐 실례하오."

내가 송신기에 입을 갖다 대면서 “내가 지금 점심도 제대로 못 할 만큼 그렇게 바쁘네… 아!”

브랑코가 “데니, 일은 뜻대로 잘 되어 가는가?”

“그럼 여부 있나. 참, 자네 곁에 누가 있는가?”

“지금 재판이 시작되고 있네.”

나는 벽시계를 쳐다보니 12시 45분이다.

나는 무전기 공중선을 접으면서 “저는 이만 실례해야겠습니다.”

왈러가 힐문 조로 “밥 먹고 난 뒤 담배 한 개비조차 피우지 않았는데도!”

내가 이 친구에게 악수를 청하면서 “저는 담배를 피울 줄 모르고 또한 지금 빨리 가야 하니, 그 점을 용서해 주십시오.” 이놈은 내심 쾌재를 부르면서도 겉으로 매우 서운한 양하는 짓거리로 봐서. 프랑코 가명을 쓰고 있는 클레버 그놈하고 너무나 흡사하구나.

“ 왈러 선생, 우리 두 사람이 맺은 약속을 꼭 지켜주시기 부탁드립니다.”

이 친구도 “당신도 약속을 꼭 지켜 주시길 부탁드립니다. 그럼 나중에 또 봅시다.”

프랑스 기자로 위장한 시몽 갈랭이 법원에서 진행되고 있는 일들을 무전기로 우리한테 보고해 주고 있었다. 재판소에서 시몽은 소형 송신기로 생중계 방송을 하고 있었지. 이 친구 송신 주파수가 우리 수신 주파수에 고정해 방송하는 사실은 우리끼리만 아는 사실이지. 사실 다른 사람들이 우리 주파수를 청취 못 하도록 하는 방편이지.

“지금 판사님께서 깔레 인정신문을 하고 계시며, 방청석에는 이 재판 결과를 초조하게 기다리고 있는 깔레 측근 몇 명이 보입니다. 또 깔레측 변호인도 앉아 있으며, 이 지방 관례에 따르면, 이 사건은 단독 재판으로 진행된다고 하며, 지금은 게오르그 깔레가 왜 권총 소지 허가 기간을 넘겼느냐고 사실 심문을 하고 있는데, 이 재판 받고 있는 깔레 속옷은 와이셔츠 색깔이 하얗고, 매고 있는 넥타이는 밤색이 많이 섞여 있고 옷은 정장 차림인데 색깔이 연한 밝은 빛을 띠고 있으며, 키는 175센티미터쯤 돼 보이고, 햇볕에 피부가 타서 갈색이 섞여져 있는 검정 빛깔을 하고 있습니다. 이마는 이미 훌렁 벗어져 대머리가 다 된 모양새이며, 몇 군데 보이는 머리카락은 검게 보입니다. 또 이 분은 콧수염도 기르지 않고 수염도 기르지 않은 모양입니다."

갑자기 조용하다. 지금 시몽이 중계방송을 하지 않고 있어서 이 틈을 이용해서 나는 재빠르게 무전기를 꺼내 들고 애들을 찾고자 호출을 했지. 이때, 브랑코가 바린고스 지도를 나한테 주길래. 나는 이 지도를 내 무릎에 펼쳐보고 있는데, 알렉스가 재판소 뒷문 입구 쪽에 대기하고 있다고 하며 훔친 자동차에서 응답한다. 루버와 파드로니도 정문 곁에 있다고 답신을 보내온다. 우리는 언제든지 이 법원에서 떠날 만반의 준비가 완료되어….

무전기에서 시몽 목소리가 격앙되더니 "재판이 다 끝났습니다.! 판사님께서는 일사천리로 깔레에게 구류 15일 형을 선고하셨습니다. 사람들은 벌써 이분에게 쇠고랑을 채웠고, 경찰관 두 명이 이 사람을 호송 중입니다. 깔레측 사람 몇 명은 부리나케 출구로 달려가더니, 저희끼리 무언가 대책을 논의하고 있습니다. 이들은 판결에 대해 매우 당황하는 눈치 같습니다. 그러나 깔레는 만족하다는 듯이 빙그레 웃고 있습니다. 한편에 있는 변호사는 침울한 표정으로 일관하고 있고…. 깔레를 호송하는 경찰 두 명을 뒤따라 가려고 저는 많은 취재진 틈 속에서 지금 법원 복도로 달리고 있습니다만…"

또 친구 음성이 끊어진다. 미리 작전계획을 수립한 대로, 나는 즉각 애들보고 몽레알 감옥 가는 길목으로 차를 타고 떠나도록 지령을 내렸지. 그러자 루버하고 파드로니는 곧 차를 몰고 떠난다. 시몽이 알렉스를 호출하더니 "지금 어느 차에 타고 있느냐?" 묻는 소리를 우리는 무전기에서 듣고 있는데, 어느새 시몽이 재판소에서 뛰어나오고 있었다.

브랑코가 중앙통 도로로 빨간 정지 신호등도 무시한 채 전속력으로 차를 몰고 있었다.

내가 무전기로 “어이, 친구들! 마르텐 광장 네거리 지점이 우리가 행동 개시하기에 안성맞춤이다.” 애들도 모두 지도를 가지고 있었다. 루버와 파드로니 자리를 대신 인계받은 시몽이 법원 주변을 한 바퀴 빙 둘러보다가

“지금 검은색 경찰차가 출발하고 있고, 그 속에 경찰관 세 명 또는 깔레가 동승하고 있으며, 이들은 드라커 가로수길 방향으로 직진하고 있다.”

루버가 재빠르게 이 경찰차 옆으로 스쳐 가자, 알렉스는 차 속에서 잠깐 기다리더니, 조금 지나니 어느새 얌체처럼 차량 속에 끼어들고 앞서 달리는 경찰차 뒤에 따라붙고 있지만, 아직도 시간이 충분히 남아 있으므로 서둘 필요가 없다. 이 캐나다 녀석은 뒤쪽을 쳐다보고 있다가 몇 분이 지나더니 벌써 차 속에 사내들이 꽉 찬 덩치 큰 미국 차를 보고 있다. 시몽이 “저놈들도 우리처럼 법원 방청석에 앉아있던 프랑코 동료들이지.” 우연의 일치인지 몰라도 어제 레토리아 스트리이트처럼 낮잠 자는 시간이 또 돌아왔다.

내가 무전기에 입을 대고서 “친구들, 침착하게 행동하길 바란다. 시몽, 자네는 뒤쫓아오는 그놈들을 맡게. 마르텐 광장까지 가려면 한참 더 가야 하지만, 그 전에 좁다란 골목길이 있는 그 장소가 가장 좋은 것 같네. 루버, 자네는 그놈들에게 접근하게, 그런 다음 마르텐 광장에 가서 그놈들이 자네를 앞지르도록 그냥 내버려 두게.”

루버가 “데니, 그렇게 하도록 하겠네.”

그 차는 전조등 덮개가 하늘색이고 차 이름은 씨트 검은색이며 차 번호는 P1168이다. 내가 지도를 보고 있는 사이, 한 번은 1호 차, 또 한 번은 다른 차에서 때마침 놈들이 탄 차가 지나가는 위치를 무선으로 보고받고 있었지. 우리 모두 포위망이라고 지정해 놓은 장소에 점점 다가간다.

다른 길에서 튀어나온 브랑코가 우리 차를 마르텐 광장 쪽으로 유도한다. 시간적 여유가 조금 있는 거로 봐서, 우리 모두 합류가 할 수는 있겠구나….

내가 무전으로 "알렉스, 작전개시!" 혹시 호기심 많은 햄이 우리들의 통신 내용을 수신하고 있다면 어쩌지…? 우리 게임에 곱살 끼려면 이미 때가 늦었으니 신경 쓸 것 없잖아. 우리는 마르텐 광장에 도착하자, 브랑코가 귀신처럼 갑자기 도로 한 방면에서 튀어나오더니 반대편 골목길에서 아주 쉽게 우리를 엄호할 수 있도록 그렇게 차를 세운다. 교통량이 별로 없는데도 불구하고, 차들이 서로서로 꼬리를 물고 꽤 많이 달리고 있다.

루버가 무전으로 "대장, 내가 그놈들 앞에서 달리고 있는데, 얼마 못 가서 우리도 광장에 도달할 것 같다…!"

대형 상점 뒤쪽 출구에서 은색 대형 화물차가 튀어나오자, 알렉스가 깜짝 놀라서 급정거한다.

이 친구가 "수류탄 몇 발만 있으면, 지금 당장 이놈들 차 밑에 굴러가게 슬그머니 한 방 까발릴 텐데 그리고 걸음아 날 살리라 하고 삼십육계 줄행랑칠 수가 있겠지…." 그렇게 중얼거리면서 놈들이 타고 있는 덩치 큰 미국 차를 노려보고 있다.

시몽도 즉시 한몫 거들길 "그렇게 될 경우, 시체가 공중분해 되어서 흔적도 못 찾게 될 텐데."

대형 화물차가 양방 교차하는 골목길에서 차 몇 대 대기하고 있는 그 지점, 놈들 앞에서 서행으로 달리고 있었다. 대형 화물차와 놈들 사이에 차 한 대가 겨우 들어갈 공간이 생기자, 우리 애들 두 명은 서로 눈짓을 하면서 차 시동을 끄고, 차에서 나오자 신중하게 자동차 문을 닫는다. 이 친구 뒤쪽에 벌써 자동차 5대 혹은 6대는 잠시 주차해 놓은 이 친구들 차 때문에 오도 가도 못 해서 성질 급한 운전기사 서너 명은 경적을 빵빵 울려댄다. 시몽하고 알렉스는 그 화물차 쪽으로 서서히 돌아가더니, 결국 잠시 대기하고 있는 자동차 몇 대 복판으로 진입하는 데 성공했지. 길에 항상 통행을 방해하는 장애물이 나타나자 운전기사 몇 명은 성질이 급해서 벌써 귀가 아프도록 경적을 빵-빵 올리기 시작하는구나.

도로 모퉁이에서 알렉스가 택시를 멈추게 하고는

택시 운전기사보고 “마르덴 광장으로 가는 길을 좀 가르쳐 주시면 고맙겠습니다.”

내가 프랑코 그놈이 탄 경찰차에 거의 따라붙었다고 확신하자 브랑코하고 나는 우리 애들 차 옆에 차를 멈추었지. 내 동료가 시동을 건 채, 차 문을 열었고, 루버하고 파드로니는 경찰차 앞에서 달리고 있었다. 나는 몇 발자국 뒷걸음질했다. 알렉스도 프랑코 애들도 보이지 않고 앞만 훤하게 보인다.

루버가 내 곁을 지나가다가 나를 보고는 즉시 차를 세우는 순간 차에서 쏜살같이 뛰어내린 파드로니가 어느새 아스팔트 위를 걸어가고 있었다. 나는 여태까지 뒷걸음질하고 있는데도, 경찰차가 내 눈에 들어오지 않고 있다. 차 모두 우리 때문에 꼼짝 못하고 있다. 이 멈춰선 차들이 다른 차도로 진행하기 전, 나는 벌써 경찰차 옆에 서서 문을 억지로 부수면서 강제로 차 문을 열자, 반대 문 쪽에서도 파드로니가 나처럼 그런 방법으로 문을 열어젖힌다. 루버도 우리와 합세하고자 뛰어온다.

내가 “어이, 친구들! 허튼수작 부리지 말고, 프랑코를 우리에게 넘겨 주시오!” 네 사람이 아연실색하면서 우리를 쳐다본다. 모자 색깔이 검은 녀석이 경찰관 3명이고, 나머지는 틀림없이 프랑코이렷다.

프랑코, 이놈이 겁을 먹었나? 아니야, 동료들이 자기를 구출하기 위해 우리를 돈 주고 고용했다고 믿는 모양인데. 내가 간신히 이놈을 쳐다보니 진짜 무기는 없는 것 같아서, 이놈에게 더 신경 쓸 필요가 없다고 생각했다.

파드로니가 경찰관 세 녀석에게 무장해제시킨다. 루버는 무지막지하게 시동 자물쇠에 박힌 자동차 열쇠를 뽑는다. 이 경찰관 세 녀석은 완전히 넋이 빠져 버린다. 아마 바린고스에서 이런 미국식 공격을 한 번도 받아 본 적이 없는가 보다? 우리한테 무장해제된 후, 피부가 갈색인 느림보 애들 세 명은 쥐죽은 듯이 가만히 있다.

내가 “의자에 고개를 파묻어! 어떤 놈이든 대가리를 쳐들면 즉시 총알 밥이 될 거다. 알겠나!”

파드로니가 프랑스놈을 차에서 끄집어내니까, 이놈이 약간 얼떨떨한 모양이다. 이 찰라, 화물차 몇 대, 자가용 몇 대, 오토바이 몇 대 또 자전거 몇 대가 우리 옆을 스쳐 지나간다. 우리 일에 눈치를 챈 사람은 아직 아무도 없다. 파드로니가 브랑코 차 속으로 프랑코를 억지로 떠밀어 넣는다. 루버 역시 프랑코 뒤를 따라 차 속으로 올라탄다. 나는 애들이 무전기에서 발신음 ‘삐삐’ 소리를 내며 이 광장에서 쏜살같이 도망칠 때까지 지켜보고 서 있었지.

애들이 멀리 사라진 후, 그제야 나는 2호 차로 걸어갔지. 몇 초 지나서 내 또한 전속력을 내기 시작하면서 후사경으로 쳐다보니, 우리를 미행하는 놈은 한 놈도 보이질 않는구나.

알렉스하고 시몽은 우리 작전에 직접 개입하지 못해서 약이 꽤 오르는 모양이다. 몇 분 지나, 프랑코 애들도 마르텐 광장에 도착해보니, 구경꾼들만 웅성거리며 서 있고, 경찰차 주변에서 ‘닭 쫓던 개 지붕 쳐다보는 격’ 처럼 멍청히 서 있었다. 무장해제된 경찰관 한 명은 무전으로 신속하게 상부에 보고하고 있는데, 얼굴은 홍당무가 다 되어 진땀을 흘리고 있었다.

알렉스가 씩 웃으면서 “그래요. 오늘 참말로 더럽게 덥군요!”

택시 운전기사도 맞장구치면서 “그렇습니다. 손님, 매우 덥지요!”

시몽은 두 사람 대화를 잠자코 듣고 있으면서, 클레버 그놈을 생각하면 할수록 화가 치밀어 피가 나올 때까지 입술을 물어뜯고 있었다.

프랑코가 “친구들!…. 죠우가 나를 탈출시키도록 여러분을 조직했소?” 우리는 이때 비로소 이놈의 거칠거칠한 목소리를 들었다.

경찰관 3명한테 실례한 권총 세 자루를 호주머니 속에 넣고 있던 파드로니가 "입 닥쳐!" 그렇게 윽박지르면서, 만약을 대비해서 조심스럽게 연발총 한 자루를 당장이라도 쏠 수 있도록 손에 쥐고 있다.

브랑코가 차 운전에 온 신경을 집중하면서 "나중에 모든 사실을 차차 아시게 될 것이요." 그러면서 모두 해안 지역으로 달려가고 있었지.

깔레, 즉 클레버 녀석은 더 말문을 열지 않고 단지 앞으로 어떻게 진행될지 그 점에 관해 신경을 곤두세우는 눈치다. 매우 재빠르게 이놈 눈깔 두 개가 한 번은 이쪽, 또 한 번은 저쪽으로 상황판단을 하는 것 같다. 그러는 사이, 자동차가 쏜살같이 달리고 있었지. 루버는 필요하다면 프랑코에게 육탄공격할 수 있도록 만반의 준비를 한다. "제대로 쉬지도 못하면서 우리가 며칠 헤매다가 결국 찾은 놈이, 바로 이놈이지, 이놈을 찾고자 집 두 채를 공격했고, 또 비밀리 전광석화같이 한바탕 전투를 벌이곤 했지." 삽시간 표독스러운 프랑코 얼굴을 쳐다보면서, '이놈을 산채로 프랑스에 데리고 가려면 아직도 산 넘어 산이구나' 라고 루버는 생각했다.

루버가 그렇게 생각하는 사이 우리 일행은 야영지에 거의 다 왔다. 문지기 흑인 두 명이 대문 창문에서 우리를 보고는 반갑다고 손을 흔든다. 내가 아담한 가옥 옆으로 차를 몰고, 차에서 내릴 때쯤, 덩치 큰 미국 차도 벌써 옆에 정지했다.

브랑코가 프랑코보고 막무가내 소리치길 "차에서 내렷!" 반면 다른 애들의 시선이 프랑코 쪽을 향한다. 야영지에 있는 임시 숙소에서 우리를 쳐다보는 사람은 아무도 없고, 다만 바다 쪽에서 여자들의 외침과 찰싹거리는 파도 소리만 들리는구나.

우리는 클레버 녀석을 목욕탕 안에 있는 수도꼭지에다 꼭꼭 묶어 놓았다. 루버가 안전장치를 푼 권총을 가지고 목욕탕 문 앞에서 클레버를 감시하고자 의자에 앉아있구나. 욕실에는 창문 조그마한 것이 하나 있는데, 덩치가 큰 프랑코가 이 구멍으로 도저히 도망칠 수가 없겠구나.

시몽이 "지금 족칠 겁니까?" 내가 이 친구를 옆으로 당기면서

"자네는 욕실 안으로 들어오지 말게. 자네의 옛날 복수를 하기 위해서 우리가 이놈을 붙잡은 것은 결코 아닐세."

이 친구가 약간 건방진 투로 "제가 그렇게 어리석은 줄 아십니까! 저도 우리들의 고유 임무를 방해할 마음은 추호도 없습니다. 벌써 저 역시 개인적으로 복수할 마음이 있지마는… 아시다시피 우리가 살인마, 클레버 이놈을 프랑스로 압송해야 한다는 것 때문에 저 역시 선생님과 함께 갔습니다. 그렇게 일이 잘 되면, 정부 당국은 대대적으로 우리를 환영하게 될 테지요."

그러더니 시몽은 두 주먹을 또다시 불끈 쥐더니 "솔직히 말해서 내가 저놈을 뼈가 으스러지도록 박살 내고 싶은 심정입니다." 이 말을 마치자 언제 그랬냐는 식으로 냉정함을 되찾고 등 돌리면서 가만히 있다.

조금 있다가 이 친구가 말문을 여는데… "이놈이 재판받는 상황을 텔레비전에서 중계방송해 주면, 그때 이 녀석의 얼굴을 뚫어지도록 똑바로 보고 말겠다…" 그렇게 신음하더니 결국 옥상 정원으로 나가 버린다. 나는 차 안에서 바린고스 지도를 꺼내 가지고 탁자 위에 지도를 펼쳐보고 있는데.

알렉스가 비밀리에 "대장님, 우리들의 목적지가 어디입니까?"

다시 한번 이 녀석 얼굴을 물끄러미 쳐다보니, 내가 전에 생각했던 것보다 훨씬 이용가치가 있는 놈 같이 보이는구나.

내가 "조금 기다려보면 저절로 알게 될 거다."

이 친구가 목욕탕 쪽으로 손을 흔들면서 "이놈을 잡기 위해 무진장 고생을 했다는 것을 저도 잘 알고 있습니다. 우리는 사흘 동안 이놈을 추적하고 또 허탕도 몇 번 쳤지요. 운 좋게도 지금 총 한 방 쏘지 않고 이놈이 우리 수중에 넘어왔지요."

브랑코가 "잘못 하다가는 프랑코 애들하고 한바탕 총격전이 벌어

질 뻔했지마는 불발로 끝난 대신, 경찰관 셋 녀석은 비겁하게도 목숨만 살려달라고 애걸복걸했지." 그렇게 말하고는 냉장고 앞에 무릎을 구부리고 먹거리를 찾는다. 브랑코가 먹거리를 찾는 것에서 나는 지금 애들이 몹시 시장기를 느끼고 있다는 것을 눈치채고, 내가 파드로니에게 돈을 주면서 7인분 먹거리와 마실 거리를 가게에 가서 넉넉하게 사 오도록 지시했지. 시몽은 아직 옥상 정원에 혼자 남아서 바다 쪽을 바라보고 있었다. 내가 지도를 쳐다보면서

"알렉스, 자 여기 보게. 공항이 보이지."

이 녀석은 다 알고 있는 사실을 가지고 재차 말할 필요가 있는 양, 건성으로 고개만 끄덕이며 "제가 보길, 바닷가가 모두 공항인데요. 선착장 한 군데가 옛날에는 해안이었지만 지금은 인공도시로 만들어졌지요."

내가 깜짝 놀라서 "자네는 어디서 봤는가?"

이 친구가 지도를 손가락으로 짚으면서 "사실 저는 여기에서 보았습니다. 저도 옛날 지도 보는 법을 배워서 등고선 따위 기호 정도는 알지요. 그 후로 지도에 표시된 지명 여러 곳을 실제로 여행했으면 얼마나 좋을까 생각만 하고 있었습니다. 하지만 빈털터리 주제꼴에 오직 잘하는 짓이라고는 싸움질이나 총질 그 정도는 끝내주지만… " 이 녀석은 겸연쩍게 어깨를 들썩거리고 있다.

다른 애들은 잠자코 말이 없다. 처지가 비슷한 우리 친구들도 왜 이런 직업 전선에 몸담아야 하는 이유에 대해서 대체로 침묵으로 일관하지. 우리 직업에 있는 애들 대부분 너무나 흥미진진 무용담을 한다고 하지마는 파드로니도 갑부들한테 권태를 느꼈기 때문에 고향인 시칠리아를 결코 포기 못 하는 것도 나에게는 수수께끼다. 이 친구가 불타는 전쟁터나 빗발치는 총알에서도 살아남기 위해 악전고투하면서도, 아프리카나 남미를 돌아다니는 것은 시칠리아를 포기 못 하는 이유 외에도 또 다른 이유가 있지. 이 친구는 다달이 수표를 자기 집으로 송금하면 -일찍부터 삶에 찌들어 너무나 늙은 자기 아

내가 식솔 다섯인지 여섯 정도 먹여 살리기 위해- 나중에 은행에서 돈을 찾아간다는 사실을 내가 알게 되었지만, 이것은 당연한 일이지. 만약 달마다 오는 수표가 시칠리아에 도착하지 못할 경우, 이 친구 아내는 남편이 어느 나라에서 죽었는지 영영 알 길이 없게 되겠군.

한편, 영원한 방랑자, 브랑코가 여기 있지. 부모님과 함께 고국에서 떠나온 날부터 -그때 이 친구는 아직도 젖먹이였다고 했지- 그때부터 한 도시에서 두 달 이상 더 살아본 적이 결코 없다나. 그래서 집도 절도 없으므로 돈을 부쳐도 찾을 사람이 아무도 없고, 벌면 번 대로, 오직 먹고, 마시는데 가능한 돈을 몽땅 쓰곤 하지.

알렉스 이 녀석은 무엇 때문에 이 힘든 세계에 발을 디딘 지 그 저의를 전혀 모르겠구나. 이 녀석이 용하게 이런 상황에서 살아남게 된다면, 테러진압 부대에서 이름난 요원이 되거나 아니면 개인 경호원으로 될 수 있겠군. 스무 살이 지나게 되면 교관이 되어 아프리카에 있는 어떤 나라 군대 장교들에게 쥐도 새도 모르게 사람 죽이는 기술을 가르치게 되겠지. 그러나 이 일에 목숨을 걸 위인은 안되는 것 같다. 삶 자체가 위험하므로 사람들이 이런 직업에 염증을 느끼겠지. 개인 경호원 생활이라든가, 특수부대 요원, 용병들 역시 살얼음판 걷는 인생이니까. 그러고 보니 알렉스 이 녀석도 머지않아 이 일에 틀림없이 손 놓겠는데. 이 일을 그만두는 날, **몬테카를로**나 **발덴**으로 날아가겠지. 카지노에서 도박으로 돈을 벌기 위해서 발덴이나 **마라캐보**에 서성거리고 있겠구나. 물론 카지노에서 도박하다가 쫄딱 망한 다음, 잡초 같은 이 녀석 인생처럼 적당한 처세술을 응용한다면 그 어떤 세파에서도 꿈쩍 않고 칠전팔기 오뚝이처럼 살아남겠지. 알렉스 이놈도 마침내 둥지 없는 국제 미아로 전락하게 되겠군.

루버 경우는 아주 간단하구나. 어떤 놈이 자기를 죽이기 전까지는 이 직업에 끝까지 몸담고 남아있겠지. 아니면 장애가 되어서 집으로 돌아가는 패잔병 신세가 될지도 모르겠다. 집으로 돌아간다고…? 이 친구 태생으로 봐서 그것은 결코 안 할 것 같다. 소문에 독일말을 한마디조차 못한다고 하지만, 은연중에 이 친구가 독일 어조로 말하곤 하지. 아마 네덜란드 사람인가? 녀석들 모두 그 나물에 그 밥이구나.

이십 년이 지나서 운이 좋아 살아남는다면 이 친구는 **노팅엄** 또는 **로테르담** 어느 곳 수위가 되어 있거나 **마르세유** 술집 앞에서 술주정 부리는 취객을 쫓아버리는 문지기가 되겠구나. 그때 나는 시몽, 이 친구에 관해서 생각해 볼 겨를이 없었지. 내가 지도 옆에 앉으면서 알렉스한테

"점심 먹고 난 후, 택시 잡아타고 공항으로 가서, 자네가 수단껏 다음의 정보를 알아오게 : 어느 지점에서 대양을 횡단하는 비행기들이 이륙하는지? 짐 운반차 위치, 공항직원 전용 자동차 입구 위치, 또 공항직원 정복은 무엇이며, 군인들이 보초 서고 있는 위치, 경찰서 위치를?"

그렇게 말하니까, 이 녀석 두 눈동자가 반짝거리면서

"잘 알겠습니다. 데니 대장님! 우리가 한 번 더 몸 풀게 되겠는데요!"

"우리가 이 일을 마무리 지을 때까지 바린고스에 끝까지 남는다고 자네는 그렇게 믿으면 될 거야."

그리고 더 설명은 생략한 채 내가 브랑코를 쳐다보면서 "식사를 마친 후 자네도 또한 여기를 떠나게. 병원을 찾게 되면 진료 복장인 하얀 외투, 와이셔츠, 의사복, 모자 각각 2벌씩 구하게나. 자네 임무가 바로 이것일세. 자네가 병원에 머물게 되면 구급차가 세워진 주차장도 함께 살펴보게. 나중에 구급차도 필요하게 될 테니까. 돌아오는 길에 신문 한 부만 사 오고 또 명주실로 짠 여자용 긴 양말 검은 색깔 5켤레를 잊지 말고 사 오게나… 시몽!"

갈렝이 안으로 들어오면서

"저 여기에 있습니다."

"발동기선을 빌릴 수 있는 가게를 찾게. 누가 물어보면, 자네는

동료들과 밤낚시 간다고 말하게. 자네 돈 가진 것 있나?"

"예, 있습니다."

"멋있고 큰 발동기선을 손수 운전해서 이 야영지 해안에 정박시키되, 문을 꼭 잠그도록 하고, 그보다 먼저 연료통에 휘발유를 가득 채워놓게. 나는 돌발사태를 미리 차단하고 싶기 때문일세."

이 친구가 "저 역시 동감입니다." 하면서 또 옥상 정원으로 나간다.

파드로니가 먹거리를 가져왔기 때문에 우리 모두 배부르도록 실컷 먹었지. 3시쯤 지방 라디오 방송국 기자 한 사람이 낮잠 자는 시간에 마르텐 광장에서 경찰 3명이 호송하는 깔레가 감쪽같이 사라졌다고 매우 격앙된 목소리로 사건을 보도하고 있었다. 소식통이 전하는 말이, 혈안이 된 경찰은 모든 병력을 총동원하여 이 사건을 수사하기 위해 경계령을 발동시켰다고 한다. 5분 지난 후, 낯선 사람 몇 명이 사건이 일어난 장소에, 때마침 차 안에 타고 있던 사내 2명을 총을 쏴서 죽였다고 덧붙인다. 기자는 떨리는 음성으로 바린고스에서 아마 전번처럼 범죄집단이 우글거리는 세상이 재현될 수 있으므로 정부 당국은 이에 대해 신속한 조치를 마련하길 바란다며 끝을 맺는다. 그러더니 카리브 곡이 연주되고 남자 베이스 성악가가 노래를 부른다.

식사를 맛있게 먹고 나서, 나 스스로 보초를 섰다. 내가 클레버한테 샌드위치와 코카콜라가 들어있는 병 작은 것 한 개를 갖다 주자, 두 손이 꽁꽁 묶인 채 천천히 먹거리를 먹고 있다가,

이 녀석이 힘없는 목소리로 "당신들은 도대체 정체가 무엇입니까?"

조금 전부터 이 녀석은 옛날에 찍은 그 사진처럼 그렇게 태연자약하지 않은 것 같구나. 심지어 몇 분 사이 이 녀석 얼굴이 바싹 늙어 보인다. 눈깔 한 개가 경련을 일으키면서 파르르 떨고 있다. 이 녀석은 지금 극도로 안절부절못하고 있구나.

"차차 아시게 될 것이요."

"당신 일행이 지난 금요일부터 나를 추적하고 있었소?"

나는 아주 침착한 말투로 이 녀석에게 이 말을 해 주고 싶어서 "그렇소." 이 녀석이 "그럼 미국 친구 그 일 때문에, 우리도 글로리아 선장하고 합의점을 찾을 수 있다고 저 역시 믿지마는" 하면서 머리를 위아래로 흔든다.

이놈이 지금 헛다리 짚고 있다고 얘기해 주고 싶지만, 꾹 참고 대신 침묵으로 일관했다. 클레버가 근육질이 발달한 사내라고 하더라도 내가 이놈한테 기죽을 필요가 없지. 이놈이 손이나 다리를 꿈쩍하기도 전에, 몇 분의 일 초 더 빨리 이놈의 의도를 순간적으로 포착할 수 있도록 나는 이놈 눈깔만 노려보고 있었지. 만에 하나 이놈이 발차기로 나를 땅바닥에 넘어뜨리는 데 성공한다손 치더라도, 땅바닥에 넘어진 채 나는 재빨리 권총을 뽑아서 이놈한테 총부리를 갖다 댈 수 있겠지. 나는 이런 연습을 헤아려 셀 수 없을 만큼 많이 했었지. 참, 우리 애들도 지금 가깝게 있는데도.

"당신들 요구조건이 무엇입니까? 돈입니까? 저한테 전화 걸게 해 주신다면 요구하시는 대로 돈을 드리겠소. 우리 애들이 돈을 가지고 올 것이고 그다음… 우리는 제 몸값에 대해 합의를 볼 수 있지 않겠습니까?" 하면서 엷은 미소를 짓는 모습에는 동정심을 유발하는 교활한 웃음이 있다. 이놈이 우리한테 겁먹고 있는 것이 오히려 전화위복이다. 하찮은 글로리아 선장 사건 때문에 우리가 자기를 감금시키고 있다고 믿고 있는 이상, 도망치려고 시도하지 않을뿐더러, 목숨 걸고 우리한테 반항하지 않겠구나. 그러나 만약 우리가 자기를 파리로 강제적 이송한다는 사실을 알게 될 경우, 이때에는 절망에 빠져서 우리한테서 탈출하고자 온갖 수단을 취하게 될 것은 불을 보듯 뻔한 일이겠구나.

이 녀석이 마지막 쉰 목소리로 "당신은 무엇을 기다리고 있소?"

내가 이 녀석이 다 마셔 버린 코카콜라 빈 잔을 치우면서 "우리 대장님이요."

꽝 소리가 나도록 문을 닫고는 밖으로 나왔다. 나는 의자에 덥석 앉으면서 바린고스행 비행기 시간표를 찬찬히 검토하고 있었다. 생각을 정리한 다음, 어떤 항공사에 전화 걸어 비행기 표를 예약해 놓았다. 태양이 야자수 뒤쪽으로 물들 때, 내 계획대로 시행에 옮길 시기가 다가왔다. 맨 처음 시몽이 돌아왔다. 해변 쪽에서 일직선으로 걸어왔기 때문에, 이 친구가 발동기선을 벌써 빌렸다는 것을 나는 알았지. 사실 내 추측은 바로 맞았다.

이 친구가 나한테 열쇠를 건네주면서 "승선 인원이 8명인 대형 발동기선인데, 번개처럼 속력을 낼 수 있을 정도로 빠르게 달리며, 연료통에 기름을 가득히 채워두었습니다. 데니, 다음 계획은 무엇입니까?"

나는 파드로니한테 보초 교대를 넘겨주고, 시몽과 함께 옥상 정원으로 나갔다. 이 친구도 내가 모종의 중대발표를 하리라 짐작하는 것 같다. 우리 두 사람은 의자에 나란히 앉았다. 야자수 창공에 처음 나온 별들이 반짝거리고 있고, 어디서 음악 소리가 잔잔하게 수놓고 있었다.

잠에 취한 파도가 마지못해 해변을 철썩철썩 때리고 있구나. 나는 항상 이런 밤이 맘에 들지. 특히 아프리카는 금상첨화지.

내가 "우리는 비행기를 타고 고향으로 갈 것이네." 그렇게 말하면서도 순간 막연한 두려움이 나를 엄습한다. "시몽, 자네는 게라디를 믿는가?"

시몽은 대답을 하지 않고 대신 빙그레 웃기만 한다. 불가사의한 이 친구 미소 때문에 내가 오히려 불안하다.

"물론 믿고 말고요."

클레버를 생포하는 일에 내가 모르는 모종의 흑막이 있다는 계산이 나오는군. 내가 말을 계속하길 "파리 경찰이 우리가 파리에 도착하게 되면, 강철로 만든 수갑을 준비해서 우리를 체포하는 것은 자명한 사실이지. 자네의 상관인 특별검사에게 자기는 절대로 우리를 본 일도 없거니와 우리를 범죄자로 생각한다고 귀띔해 주었기 때문이지. 그 사람은 십만 프랑뿐만 아니라 명예도 송두리째 거머쥐게 되지만, 우리에게 돌아오는 보상이라고는 감옥으로 직행하는 것이지. 또 우리가 여기로 떠나기 전 그 사람이 말하길 '우리가 이 일에 실패할 경우, 자기는 꿈에서조차 우리를 도와줄 수 없다' 고 했네."

"무엇 때문에 우리가 실패하게 됩니까?"

"그 이유는 간단하지. 우리가 프랑스에서 불법으로 떠났기 때문일세. 그래서, 우리가 프랑스에 첫발을 디디게 되는 즉시 경찰들은 아주 쉽게 우리를 범죄자로서 취급할 수 있으니까…. 바린고스에서 파리로 가는 비행기는 일주일에 두 편이 뜬다고 하네. 월요일하고 금요일일세. 오늘이 월요일 저녁이라서 이번 주일 첫 항공편은 벌써 떠났고, 할 수 없이 두 번째 항공편까지 삼일을 더 기다릴 수밖에 없네."

"예, 대장님 말씀이 맞습니다. 이 사흘 동안 여기에 있는 경찰이나 혹은 클레버 애들이 우리 본거지를 틀림없이 찾아내고 말 테지요."

"경찰 측에서 나한테 지명수배령을 발동해 놓았으면, 나는 합법적으로 비행기에 절대로 탑승할 수가 없지." 내가 덧붙이길 "아직도 미심쩍은 부분이 조금 있는데… 왈러라는 놈일세. 그놈이 영 마음에 걸려. 그놈이 진정으로 우리를 도와준다고 하더라도, 자기 손으로 직접 프랑코를 죽이게 되면, 자기 적수는 영원히 이 지구상에서 사라질 것이라고 확신하면서, 머리를 굴리기 시작할 텐데."

"그 사람이 대장님께 협력하겠다고 약속하셨다면서요."

"그건 사실일세, 그렇지만 그놈이 우리를 도와줄 수도 있고 아니면 그 반대일 수도 있네."

"대장님께선 제일 나은 방법이 물거품으로 변할 것을 대비해서라도 우리는 왈러라는 그 친구 제안도 신중히 검토해 봐야 할 것 같습니다. 하지만 만약 그렇게 될 경우…"

시몽이 여기까지 말하자, 우리 두 사람은 또다시 침묵을 지켰다. 그 순간 시몽 갈렝은 내가 모르는 어떤 계획을 이미 준비해 놓은 것 같아서, 내가 "까떼린은…?"

이 녀석이 나를 뚫어지게 쳐다본다. 내 말에 얼마나 놀랐는지 백지장처럼 얼굴이 차갑게 변화하면서 전혀 딴 사람같이 보인다. 그 사이 달이 솟아오르고, 누르스름한 둥근 형체가 볼품없이 야자수 나뭇가지 사이 뒤편에서 빛나기 시작한다.

"잘 모르겠습니다. 클레버, 이놈만 잡으면…"

내가 이 친구 대답을 기다리면서 "클레버만 잡으면 된다고?"

그러자 이 친구는 몹시 괴로운 듯 이마에 손을 얹는다. 밤 그림자가 벌써 모래사장을 뒤덮고 있고, 밤은 대지를 지배하면서 가옥, 자동차, 해변 야자수 전부 잠재우고 있었지. 어떤 집에서 사내 목소리가 이 고요한 침묵을 깨며 낯설게 소리치누나.

"나는 요즈음 전쟁범죄자에 관해서 생각을 좀 많이 하는 편이었지. 클레버 이놈에 관해서도… 이 지구상 어떤 지역에서 전쟁이나 반란이 일어나게 되면 사람들은 이에 발맞춰 새로운 법률을 공포하고 장교, 장관, 시장, 대통령은 새로운 명령을 하달하고 선별해서 상과 벌을 주지, 얼마나 많은 전쟁이 이 순간에서도 이 저주받을 세상에서 일어나는지 자네는 생각해 본 적이 있는가?"

"귀신이라면 알아맞혀 내겠지요… 대충 열두 군데일 테지요."

"글쎄, 자네도 알고 있겠지만… 지금 이 순간에도 무법천지가 어떤 곳에 새로 생겨서 악행을 저지르고 있네. 이 주일, 두 달 혹은 2년… 더 지날 때까지 앙갚음하고자 계속 추적해야 할 다음 세대의 전쟁범죄자가 어느 곳에서건 지금도 생겨나고 있겠지. 범죄기록 꼬리표가 수북이 쌓이고, 범죄자를 찾고자 대륙 간 전송 사진기를 서로 이용하겠지. 지문판독기로써 지문을 식별하고, 형사들은 낌새를 살피기 위해 잠복을 하고, 지명수배된 범죄자가 어디에서 나타날지 몰라서 비행기 탑승객들도 감시할 테지?"

"이런 친구들은 삶 자체가 위험하지."

이 친구가 재빨리 내 말을 받아서 "우리를 두고 하는 말씀 같습니다. 그런 전쟁범죄자가 없다면, 우리는 이 일 외에 그 어떤 일에 종사하고 있을 테지요."

내가 웃으면서 "내가 골똘히 생각해 보니 우리 두 사람은 풋내기 공무원이 제격일 것 같네!" 한편 시몽 이야기가 어쩐지 모르게 내 머리에 와 닿는다. 전쟁이 다발로 일어나서 전쟁범죄자가 속출하고 있다고, 이런 사건에 영향을 받은 사람 중 극소수는 잠재적 혹은 단순한 동기로서 다른 사람보다 처세술이 월등하게 뛰어나서 지배자가 될 가능성이 농후하지. 다른 사람보다 월등하게 몇 년 혹은 며칠, 몇 초를 지배하다 보면 그저 평범한 사람하고 별로 다를 바가 없지마는, 이런 경우에서도 일부분은 흡혈귀 같은 야수로 타락하지.

또 한 번 나는 입을 다물었다. 달은 줄지어 늘어선 야자수 위에서 불을 밝히고 있었다.

시몽이 조용하게 "대장님께서 저보고 게라디를 믿느냐고 물어보셨지요?"

"그렇게 물어보니 자네가 그렇다고 하지 않았는가."

"제가 그렇게 대답할만한 이유가 있기 때문입니다."

내 의문은 아직도 풀리지 않아서,

"자네가 나한테 대답한 말투가 어딘지 모르게 수상쩍은데."

"사실대로 말씀드리겠습니다."

"우리가 파리로 돌아갈 때, 게라디가 우리를 사살하도록 명령했는가."

시몽이 고개를 가로저으면서 "절대로 그렇지는 않습니다. 그분은 자기 직책에 신경을 쓰는 편이지요. 빠르나 늦나 그 차이점이지만, 사람들은 언젠가 이 사실을 알게 될 테니까요."

"어, 그 말이 우리한테 약간 위로가 되는데."

"정녕 게라디가 이 일을 성공시키지 못하면 우리를 죽일 수가 없지요. 그래서 그는 우리가 이 일을 성공시키기 위해 모든 계략을 총동원할 수밖에 없는 상황입니다. 만약에 사람들이 그가 국고로 우리한테 공작금을 지급했다는 사실이 온 천하에 밝혀진다면!"

"우리 애 중에서 어떤 놈이 범죄자란 말인가?… 이를테면 투버인가. 파드로니 역시 국내에서 별을 몇 번 달았다고 의심해 봐야 되나. 머베이도 천사는 못되지… 야당지는 쾌재를 부르며 '특별검사가 범죄집단에서 사람을 뽑아 국고를 지원하면서 외국에 있는 선량한 사람을 비합법적으로 납치해 오고 또 어쩌고저쩌고' 하면서 몇 달 동안이나 이 사건을 대서특필하며 물고 늘어지겠군. 게라디는 이 사건에 연관된 모든 증인을 없애버리게 되면, 자기 역시 우리와 아무런 상관이 없다는 식으로 공작을 꾸미고 있는 그 점이 내가 걱정하는 바이지."

"그리고 그 사람은 정부 당국 묵인 아래 이 모든 일을 꾸몄을 수도 있겠지요?"

"자네가 말하고자 하는 의도가…"

"데니, 바로 맞추었습니다. 추측건대 내무부 장관 또는 국가 정보원에서 게라디한테 비합법적인 임무를 수행하도록 배후 공작을 지시했지요. 목적은 천문학적 값어치가 있는 클레버 녀석을 프랑스로 데리고 오는 것이지요."

"클레버 이놈만 중요하지 우리는 한 마디로 별 볼 일 없다 그 말이군. 그 반대일 수도 있지. 만약 우리도 더러운 정치판에 휩쓸리게 되어 까딱 잘못하다가는 파리에서 우리 인생도 눈에 낀 눈곱만큼 하찮은 존재로 전락하겠구나."

시몽이 나를 위로한답시고

"너무 염려하실 필요는 없습니다. 게라디와 그 사람 배후에 있는 막강한 실세도 추문만을 굉장히 신경 쓰는 편이니까요. 게라디가 파리 법정에서 클레버 그놈을 재판받게 할 경우, 그 사람이 직접 검사가 되어서 심문하게 될 것입니다. 그렇게 되면 자신의 인기가 국민에게 급부상하는 그런 호기를 그 사람은 절대로 놓칠 리가 없지요. 그는 이 일을 수행하기 위해 목숨을 불사른 우리 동료에게 사회정의를 실현하기 위한 불가피한 조치였다고 열변을 토하겠지요. 이 일 때문에 그는 진짜로 국민에게 열렬한 지지를 받을뿐더러… 오늘날의 영웅, 아니면 해마다 영웅 대접을 받게 될지도… 그의 생애가 다할 때까지 그가 얼마나 정부에 커다란 이익을 주면서 근무했다는 사실을 사람들은 절대 잊지 않을 것이기 때문이지요."

"호, 그 사람이 영웅이 된다고…? 그는 우리한테 돈만 주었지만, 우리는 죽을 둥 살 둥 클레버를 파리로 모셔오고, 제기랄!"

"'전문가에게 일자리를 찾아주자' 라고 하는 선전 문구를 대장님께서도 이미 들어보셨지요. 게라디도 자기 스스로 직접 바린고스로 올 수가 없지요. 그런 유형의 사람이 바린고스에 도착해서 한 시간 이내 이미 여기 사람들한테 살해당하게 될 테니까요…. 그런 이유로, 데니 같은 이런 분야의 전문가가 필요하게 되지요. 반대로, 대장님께서는 법정에서 검사 역할을 5분조차 제대로 하실 수 있겠습니까. 송충이는 솔잎을 먹고 살아야 하지 않습니까. 제 말이 틀렸습니까?"

내가 벽시계를 쳐다보면서 "자네는 청산유수처럼 설명은 잘하는군. 가까운 곳에 공중전화가 있는데, 그곳에서 파리에 전화를 걸 작정일세."

"게라디에게 말씀입니까?"

"맞네, 내일 우리를 맞이할 채비를 해 두라고 미리 일러둬야지."

시몽이 "대장님께서는 어쨌든 그 사람을 믿으셔야 합니다."

내가 사실은 "백 퍼센트 다 믿는 것은 아닐세."

이 친구가 또다시 머리를 흔들면서 "대장님께서는 잘못 생각하고 계십니다. 그 검사님께서는 우리 사이에 금이 안 생기도록 하는 복안이 분명히 있습니다." 게라디는 오직 클레버만 원하고 있다는 것은 분명한 사실이렷다.

"그럼 자네가 생각하고 있다는 뾰족한 수는 무엇인가…"

"지금 말씀드리기에는 힘이 들고, 차차 말씀드리도록 하겠습니다."

## 5. 기습

야영지 근처에 우체국이 있었지. 나는 그곳에 가고자 발걸음을 천천히 옮기면서도 주변을 이리저리 살펴보았다. 집에서 전화 거는 것보다 우체국에서 전화하는 것이 더 안전하므로 나는 안심이 되었다.

나는 파리 전화번호 2개를 신청했다. 먼저 마리 집에 전화를 걸었다. 마리가 수화기를 들자 나는 괜스레 기분이 좋았다.

"데니 맞습니까? 어머나, 선생님께서 저한테 전화를 걸어주시니 몸 둘 바를 모르겠습니다. 어디에서 지금 전화 걸고 계십니까?"

"마리, 꽤 먼 곳이요. 그러나 여기에 신경을 쓰지 말아요. 내가 떠난 뒤 수상쩍은 일이 없던가요? 길에서 당신을 미행하는 사람이 없던가요? 사무실에 경찰관처럼 생긴 녀석들이 어슬렁거리며 보이지 않던가요? 전에 한 번도 본 적이 없는 녀석이 나타나서 당신보고 갑자기 연애하자고 애걸복걸하는 놈은 없던가요? 당신 집을 감시하는 녀석은 없던가요?"

마리가 어처구니없다는 목소리로 깔깔 웃으며 "어머, 데니, 지금 질투하시는가 봐요?"

"그렇고 말고, 나도 아직은 이팔청춘이니까. 그건 그렇다손 치더라도 우리 직업상 생리 때문에 당신한테 그렇게 물어본 거요."

"염려 붙들어 놓으세요. 아무런 일도 없답니다. 하늘에 맹세할 수 있어요."

그 순간 게라디 부하들이 마리를 매수해 두었기 때문에, 이 아가씨가 능청스럽게 나한테 아무런 일도 없다고 그렇게 말할 수도 있겠구나. 특히 지성미가 넘치는 이런 부류의 여인들은 진주목걸이나 금팔찌를 남한테 선물 받게 되면, 너무나 황금에 눈이 어두워 자기 맡은 일을 소홀히 취급하는 경향이 있지. 그러나 내가 마리한테 전화 거는 것조차 다른 친구들이 모른다면, 어느 누가 우리 임무나 계획을 탐지해 내겠는가. 나는 마리를 믿고 또 마리도 나를 신뢰하길 기도하는 방법 외에는 다른 방도가 없지.

"마리, 정말 수고가 많소. 지금부터 잘 들어 두시오. 요즈음 일자리 구하러 사람들이 오고 있습니까?"

"'아프리카' 에서 일하고 싶다는 사내 두 명한테 연락이 왔더랬지요. 그래서 벨기에인 한 명하고 독일인 한 명을 추천해 수려고 합니다."

"그렇다면 벨기에인에게 연락을 취해서 이런 조직에서 일하게 되면 많은 보수를 받을 수 있다고 하면서 당신과 함께 내일 아침 오를리 공항으로 가 있도록 하시오. 우리가 입국 수속절차를 다 밟을 때까지 당신과 그 사람은 모두 공항 맞이방에 있도록 하세요. 당신이 공항 맞이방에 경찰들이 갑자기 쫙 깔리는 것을 알게 될 경우, 그 벨기에인더러 공중전화기가 설치된 곳으로 가도록 하고는 나에게 그 사실을 알려 주도록…."

나는 마리에게 미리 짜 놓은 계획을 모두 털어놓으면서도 내 통화를 도청하는 놈이 없기를 간절히 바랄 뿐이다. 또 마리 역시 내 지시대로 순수히 응해 주길 빌었지.

"…또 붉은빛 옷인데 긴 치마를 입도록 하시오. 꼭 붉은 옷이어야만 됩니다. 마리 알아들었소? 그때 오백 프랑을 준비해 두고 꼭 출구 7번 쪽에 당신은 서 있도록…."

전화를 두 번째 걸 때는 간단명료하게 끝을 맺었지. 나는 파리에 있는 게라디 전화번호를 찾았지. 즉각 처음 듣는 사내 음성이 들린다.

"게라디 특별검사 사무실입니다."

"나, 스카겐올시다. 우리는 벌써 상품을 구매했다고 게라디 특별검사님께 전해 주시오. 우리는 그것을 내일 아침 오를리 공항에서 전달하게 될 거요!" 그렇게 말하면서 나는 수화기를 제자리에 놓았다. 파리에 있는 전화기에서 내 통화를 녹음시킬 테지.

게라디가 내 통화가 녹음된 녹음기를 틀어 보면 "그 사람은 진짜로 내 목소리를 알고 있으므로 내 목소리가 진짜인지 가짜인지 알아내겠지."

내가 야영지로 되돌아오려고 걸어서 우리 은신처에 거의 다다르자, 때마침 택시 한 대가 문에 정지하고, 장대 같은 사내 한 놈이 택시에서 내리더니 문 쪽으로 성큼성큼 걸어 들어간다. 이때 나는 재빨리 둘레가 큰 야자수 나무 뒤에 몸을 숨겼지만….

내 시력이 워낙 좋으므로, 당장 알렉스였다는 것을 알 수가 있었지.

"대장님! 안녕하십니까? 저는 분부하신 대로 모든 것을 다 해 놓았습니다!"

이 녀석이 개똥철학을 읊조리며 "제 사전에는 실패라는 말이 없고 또 그렇게 되면 저는 지금 이 자리에 설 자격도 없는 놈이 될 테니까요. 저는 대장님께 즉시 모든 것이 상세하게 기록된 약도를 드리겠습니다."

"그러고 보니 자네는 참말로 언젠가 대동여지도 만든 김정호 닮아가겠는데. 어쨌든 자네는 이 분야에 탁월한 능력이 있는 것 같네, 그렇지 않은가?"

브랑코가 언제 왔는지 벌써 집에 앉아서 나를 기다린다. 이 친구는 때마침 눈 깜짝할 사이 냉장고에 넣어 둔 먹거리를 모두 먹어치우는 중이지. 이 친구는 이 속에 무엇을 잔뜩 넣은 채 종이 포장된 짐꾸러미를 나한테 내보이며

"데니, 병원에 가지고 온 물건일세. 성안나 병원 마당에는 구급차 몇 대가 주차하고 있으며 여기서 이 병원까지 거리는 4킬로미터쯤 되네."

"차 지키는 사람은 몇 명인가?"

"문지기 한 사람뿐일세."

"수고했네! 루버, 자네가 지금부터 목욕탕 앞에서 보초서게. 삼십 분 지날 때마다 놈의 동태를 감시하게."

루버가 참고 참다가 드디어 "대장, 저놈이 도대체 누구인가요?"

때마침 루버가 나한테 정곡을 찌른다. 애들은 이런 분위기를 너무 잘 알고 있으므로 말이 필요 없지. 애들 모두 긴장해서 고개를 쳐든다. 알렉스가 갑자기 연필을 놓고, 파드로니는 벽에 등을 기대며, 브랑코 입에서 먹거리 씹는 소리가 뚝 그치고 지금은 조용하다.

'대장' 인 나 혼자만 이 친구가 습관적으로 무엇이는지 계속 먹어야 한다는 것과 자기 할 일은 빈틈없이 마무리 짓지만, 일과 상관없을 때 이 친구는 이렇게 먹거리를 먹는 것이 취미지. 안절부절못하는 시몽은 손가락으로 의자를 똑똑 두드리고 있다.

루버가 "저기 목욕탕에 갇힌 놈이 이용가치가 아주 높은 거물인지, 아닌지 천 프랑 걸고 나하고 내기할 사람 없소?"

나는 마른 침을 삼켰다. 내가 벌써 클레버에 대해 몇 번 정도 모호한 이야기만 했지. 그러나 사실대로 이야기해 줄 시간이 다가왔다. 그래서 나는 이야기를 신중하게 해야 하기에,

"자네들 모두 대충 감 잡고 있을 테지만, 사실 우리는 저놈을 잡고자 이 바린고스로 비행기 타고 날아왔지. 믿을만한 친구들이 학수고대하면서 이 프랑코를 뵙고자 하네. 우리는 그분에게 이 녀석을 아주 쉽게 만나게 해 주기 위해 파리로 모셔가네. 주목할 사실은 이놈 몸값이 십만 프랑 더 나간다는 것일세."

갑작스럽게 침묵을 깨고 파드로니가 "잘 알겠습니다." 브랑코가 서서히 입을 오므리고 흡사 소가 되새김하듯 먹거리를 입안에서 다시 씹는다. 시몽은 고개를 숙인 채, 땅바닥만 뚫어지라 쳐다보고 있다. 나는 시간을 최대한 이용해야 하기에,

"오늘 밤 우리는 잠도 제대로 못 자게 될 것일세. 자정이 지나게 되면 루버 대신, 내가 보초 서겠네. 파드로니는 야자수 몇 그루 있는 곳으로 가서 우리 집과 주위를 감시하게나. 자, 여기 있는 무전기에서 한 대만 집어가게나…. 수상한 조짐이 발견될 시 즉각 나한테 경보음을 보내게. 브랑코, 자네는 이 냉장고를 바닷가로 운반하고 또 무전기도 가져가게. 알렉스, 자네는 맨 나중 옥상 정원에서

보초를 서게. 그러나 지금 자네의 참모습을 발휘해 보게나….”

우리 모두 알렉스가 대충 그려놓은 스케치를 보려고 머리 맞대고 고개를 숙이고 있자, 알렉스가 설명하길

“여기가 동쪽이며, 여기는 서쪽 착륙지점입니다. 여기 보이는 곳은 본관인데, 이 본관에서 승객들이 탑승합니다. 탑승객을 항공전용 버스에 태워서 비행기까지 바래다줍니다. 직원 전용 입구는 왼쪽에 있고, 여기에서 조금 더 먼 곳에 승객용 입구가 있지요. 고압 전류가 흐르는 철조망에 임시 건물이 있는데, 여기에는 경비병 한 놈이 지키고 있지요. 본관인데도 경찰 한 놈조차 배치 안 시키는 것을 봐서는 진짜 안전지대입니다. 그러나 공항 주변에는 군 초소가 네 군데나 있습니다. 도시 쪽으로 두 군데이고, 바닷가에 또 한군데 있는데, 이 세 번째 초소가 여기서 보면 북쪽이고, 마지막은 들판에 있습니다.”

“소형탁송화물 차량 몇 대를 어디서 구하면 좋겠는가?”

“대형 격납고 근처에 가 보시면 콘크리트 잔해가 수북하게 쌓여 있는 그 건물에서 구할 수가 있습니다.”

내가 “생각보다 멀리 있는데…” 알렉스 녀석이 비아냥거리며

“데니, 제가 바보인 줄 아십니까? 대장님께서 무슨 계획을 세우고 계신다는 것쯤, 저는 벌써 눈치로 때려잡았습니다. 우리가 공격할 대상이 무엇인지….”

“입 닥쳐!” 내가 이 녀석한테 경고하고 시계를 쳐다보면서

“아침에 가면 자네는 모든 사실을 다 알게 될 거다. 작전에 돌입하기 전, 나는 자네에게 모든 계획을 일러 주마.”

“결국은!” 이렇게 소리 지르면서 기분이 좋은지 연신 손을 비빈다. “아마 우리는 어떤 놈하고 한판 붙겠는데요! 나는 지금 밥 먹듯이 총싸움만 자꾸 하다 보니 이미 녹초가 다 되었어. 직접 맞붙어서 서로 주먹질하는 것이 재미있다고….”

“흡혈귀 같은 놈아, 정신 똑바로 차려!… 보초나 서러 나가! 조금

있으면 네 놈은 한 판 붙어도 크게 붙는다… 아니 아주 많이….”

석간신문 첫 쪽에 흥미진진한 읽을거리가 꽤 보이는구나. 나는 자동차 옆에 꼬꾸라져 있는 시체 두 구 사진을 보고 있었지. 오후 세 시가 조금 못되어서 낯선 살인자 몇 명이 이 사람들을 총 쏘아 죽였단다. 두 놈 중 한 놈 얼굴이 어딘가 모르게 낯이 익은 것 같은데…. 맞아, 며칠 전 모라레스에 있는 프랑코 별장을 지키고 있던 놈이구나. 다른 소식통에서는 4시 30분쯤 항구 근처에서 갱끼리 한바탕 서로 총격전이 벌어졌다고 한다. 경찰 측에서 보기는 세력 다툼 때문에 갱 집단끼리 서로 전투를 벌였을 것 같다. 시체 두 구는 오늘 점심때 바린고스 법정에서 구류 판결을 받았는데, ‘프랜취’ 애들이 아닐까 하는 추측 보도 기사를 내보내고 있었지. 아마 반대세력이 함정을 파놓고, 그 속으로 유인해서 살해한 것으로 보인다. 내가 신문을 읽다가 즉시 왈러한테 전화를 걸었다.

“데니입니다.”

“오! 데니, 당신이요… 신문을 읽어보셨소?”

나는 이 친구들의 전광석화 같은 행동에 감격해서, 진심으로 말하길 “예, 읽어보고, 또 읽어봤습니다. 나는 당신께 너무 신세 졌소!” 동시에 이 친구들이 그처럼 신속하게 일을 벌이는데 내가 신경이 곤두섰다.

왈러가 기고만장하게 “오늘 오후에 우리는 프랑크 애들 다섯 명이나 죽였지요.”

나는 마치 뚱뚱한 체구며 비곗덩어리 같은 이 녀석의 대갈통이 내 앞에 어른거리는 착각을 느꼈다. “데니, 당신은 내 앞에서 더 죽어가는 소리는 안 해도 좋을 것 같소이다.”

“선생님! 저는 불평불만 전혀 없습니다. 선생님께서도 아실 테지만 저 역시 작은 소출을 거두었습니다.”

“그건 그렇다손 치고, 당신은 나한테 부탁한 그 일을 꼭 해야 합니까…. 사실, 프랑코 애들이 자기 두목을 감옥에서 석방할 것 같아서 나는 그 점이 두렵소.”

“염려 붙들어 놓으시오. 그놈은 지금 내 수중에 있소. 마침 그 사실을 당신에게 알려주려고 내가 지금 전화 걸고 있죠. 내일 저녁에 나는 배가 꼭 필요하오.”

“당신이 가고자 하는 목적지는 어디요?”

“말하자면 잔소리이지요. 여기서 멀리 사라져야 하지요. 목적지가 **베네수엘라**나 **파나마**가 될 수도 있지요. 우리가 바린고스를 떠나게 되면, 나는 내 후임자 애들하고 접촉하게 될 거요.”

“데니, 당신 뜻대로 모두 잘 될 거요. 참 당신이 부탁한 배는 화물선이라도 괜찮겠소. 지금 나하고 전혀 관련이 없는 별개의 상품을 싣고 있는 그 배에 데니, 당신이 부탁한 그 ‘화물’ 을 내 부하들이 싣도록 조치하겠소. 그 배는 내일 점심때 파나마로 출항할 예정이지만, 내가 저녁까지 기다려 달라고 할 수도 있소.”

“우리는 발동기선 타고 그쪽으로 가도록 하겠소.”

“좋소. 오후 3시쯤 나한테 전화 주시면, 그때 나는 당신께 모든 것을 통지해 드리겠소.”

“왈레, 다음에 또 봅시다.”

“데니, 그럼 이만 실례하겠소.”

우리 두 사람 대화는 허심탄회하게 이루어졌어도 어딘가 모르게 나는 이놈이 영 마음에 안 든다. 우리들의 직업 세계에서는 항상 돌다리도 두드려보고 건너야 하기 때문이지. 다르게 표현하자면 나는 벌써 죽은 목숨이나 다를 바 없지. 왈러, 이놈은 사실 나한테 벌써 약속을 지켰지. 또 내가 부탁했던 대로, 자기 부하들이 프랑코 애들 몇 놈을 벌써 죽이기 시작했지. 그러나 자기 자신 부귀영화 때문에 그 짓을 하지는 않아. 왈러 배에 내 운명을 맡길 경우, 그 순간부터 내가 그놈이 쳐 놓은 함정에 빠져들 수도 있겠는데. 왈러 같은 놈들은 맞수가 살아있는 것을 못마땅하게 여길 테지. 현대판 해적선에는 우리 애들 숫자보다 왈러 부하 놈들이 분명히 더 많겠는데. 더러운 화물선 갑판에서 클레버와 나 자신을 지키면서 나는 불사신처럼 절대로 죽지 않겠지. 윤회 사상을 들먹이지 않더라도 죽어서 내 몸둥이는 상어 밥이 되어 생물 세계에서 또 다른 생명체로 환생한다는 것 때문에 내가 모든 일에 대해서 최선을 다하는 것은 물론 아니지. 내일 아침에 내 계획이 수포가 될지라도 나는 어쩌면 살아남게 되겠지마는… 나는 어쩔 수 없이 죽음의 강을 건너야만 되는 운명의 갈림길에 서 있구나.

이른 새벽 4시쯤 나는 대원을 모두 긴급소집했다.

애들은 지칠 대로 지쳐 피곤한 기색이 역력했다. 우리가 바린고스에 도착한 후부터 사실대로 말하자면 쉴 새 없이 전투를 벌였고, 늘 긴장하면서 잠을 잤기 때문에 나를 바라보는 애들 눈빛은 피곤함이 여실히 보이는구나. 나 역시 거울을 쳐다보면 그 속에 있는 얼굴이 이 애들 몰골과 똑같겠지.

“신속하게 각자 맡은 임무를 수행하게 된다면, 오늘까지 모든 일을 끝낼 수가 있을 것이다.”

그렇게 말하면서 공항이 상세하게 그려진 약도를 보도록 했지.

“브랑코가 클레버를 감시하게. 포로로 잡힌 이 녀석은 지금 잠들고 있는데, 잠시 후 깨우게 되면 반드시 우리가 자기를 어떻게 처리할지 자네한테 물어볼 거다. 그때 브랑코가 ‘만일 우리가 너를 죽일 작정이었다면, 어제 벌써 시체로 변했다’ 라고 그렇게 그놈을 설득시키게. 내가 신호하며, 프랑코와 함께 우리 모두 이 집에서 쥐도 새도 모르게 철수한다. 모두 내 지휘에 따르도록 하게. 파드로니와 루버는 우리와 함께 간다.”

내가 해안선과 접경을 이루고 있는 공항 착륙지점 한 곳을 가리키면서 “우리는 여기 보이는 이 지점으로 발동기선을 타고 떠나게 된다. 우리가 상륙할 지점은 화물차 주차장 뒤편, 바로 여기이니까 모두 주목해서 쳐다보게. 브랑코하고 알렉스 두 사람은 차 몰고 병원으로 가서는⋯.”

나는 이 두 사람에게 상세한 임무를 알려주는 동안, 잠자코 내 이야기만 듣고 있는 시몽이 마침내

“그리고 저는⋯? 제 임무는 아무것도 없습니까?”

“물론, 당연히 있고 말고, 걱정하지 말게. 자네에게도 임무를 부여할 테니까. 내 기억이 정확하다면, 현재에서도 자네 이름으로 된 여권을 가지고 있는 줄 아는데, 사실인가?”

“그렇습니다.”

“자네는 맨 나중 이 집에서 철수하도록 하게. 또 자네가 이 집 주인에게 임대료를 지급하면서 영수증을 꼭 챙기도록 하게! 만일 우리에 관해 누구든지 묻거든 돈 많은 부자 프랑스 여행객 행세하면서 아주 점잖은 몸가짐으로 침착하게 처신하게나. 이곳에서 모든 일을 마무리하고 공항으로 오는데 절대로 총을 가지고 와서는 안 되네. 알바트로스 항공사에 비행기 표를 예약해 놓았으니 그것을 찾아오게.”

“비행기 표라고요⋯ 목적지가?”

“남아프리카 공화국, 케이프타운행일세.”

“자네가 알아서 찾아내게!” 그러자 이 친구는 어리둥절하며 난색을 보이자, 알렉스가 시몽 얼굴을 쳐다보며, 이미 모든 것을 다 아는 양 빙그레 웃으면서

“우리는 케이프타운으로 갑니까?”

“내가 농담하는 줄 아나! 자네는 예약해 논 비행기 표를 돈 주고 찾은 다음, 평범한 짐꾸러미를 들고 검사대를 통과하게. 세관을 통과하게 되면 세관원들이 당연히 금속탐지기로 자네 짐꾸러미를 조사할 것이다. 어제 법원에서 자네가 우리한테 중계방송했던 그 ‘무전기’ 가 여기 있으니, 받게나. 자네는 이 무전기로 그쪽 상황을 나한테 수시로 보고하게. 바린고스 항공사 유럽노선은 몇 편 운항 안 하

므로 아직 최신형 비행기는 없네. 사람들은 여기에 있는 이 지점에서, 버스에 승객을 태우고 비행기 쪽으로 데려간다.”

시몽이 기분이 좀 풀린 지 쾌활한 음성으로 “이런 시설이야말로 우리기 일하기에 안성맞춤인데요.” 지금 이 친구 역시 내 계획을 눈치챘다. 우리는 교신 주파수에 대해서 논의를 거듭한 뒤, 내가 넛붙이길

“우리가 한 치 오차도 없이 빈틈없이 일을 처리할 수 있도록 모든 정보를 수시로 나한테 보고하라. 만일 우리가 공항에서 체포된다면, 그때는 모두 끝장…”

“4시 15분이다.”

내가 애들한테 “2시간 지나면 우리는 바린고스를 떠난다.”

꼭두새벽이어서 그런지 날씨가 찌푸리고 희미한 안개는 온 천지를 뒤덮고 있었지. 이런 지역에서는 이와 같은 기후가 흔히 발생한다고 한다. 중남미 제국에서 이미 몇 번이나 ‘위장병’을 앓은 적이 있는 파드로니가 적도 브라질 해안선에서 수평선을 바라다보고 있으면, 특히 아침나절 온 천지에서 안개구름이 두둥실 떠다닌다고 이야기해 준다. 우리는 한가하게 감상주의에 젖어 있을 시간적 여유가 없다.

5시쯤, 우리는 클레버를 집 밖으로 끌고 나왔다. 옥상 정원에 남아있는 시몽이 우리를 쳐다보고 있었다. 자기 엄마를 살해한 클레버 녀석을 잊지 않으려고 원한에 사무친 눈빛으로 이 녀석 뒤꽁무니라도 보고파 무진장 용쓰는 것 같다. 줄지어 늘어선 가옥 가운데 한 사람도 보이지 않고, 야자수조차 잠자고 있으며, 바람 한 점 없구나. 태양은 아직 수평선 밑에 숨어 있고, 동녘 하늘에는 벌써 여명이 비치고, 우리는 모래사장 위로 도둑 걸음으로서 잽싸게 건너갔다.

두 손이 결박된 클레버도 내 앞에 걸어가면서도 연달아 주변을 살

피다가 내가 곧장 앞만 보고 걸으라고 채근했지. 해안선 따라 우리가 도망칠 줄 누가 꿈에서조차 상상했겠는가!

루버가 배에 채워놓은 자물쇠를 열쇠로 열고 또 배를 묶어 놓은 두꺼운 쇠사슬도 치워버린다. 파드로니하고 클레버가 좁은 선실에 들어갈 때까지 나는 밖에서 기다리고 있었지. 우리가 파드로니를 볼 수 있도록 파드로니가 문이 활짝 열린 문지방에 털썩 주저앉는다.

내가 “출발한다!” 그렇게 소리치면서 시동 자물쇠에 열쇠를 넣고 돌려보지만, 꿈쩍도 안 한다. 나는 신경질 나서 입술을 지그시 깨물었다. 이것이 작동 못 하게 되면… 그러나 천우신조로 두 번째 시도에서 시동 걸라는 소리가 부르릉부르릉 난다.

“배를 밀어라··!”

루버가 짤막한 노 한 개를 잡고 나무다리에서 배가 멀리 나가도록 배 앞머리 쪽을 민다. 이때 내가 페달을 밟자마자 스크루가 돌면서 물결이 찰랑거리기 시작한다.

시야가 확 트인 바다로부터 미풍이 솔솔 불어오고 있었지. 일출이 다 될 무렵, 나는 남향으로 방향타를 잡고 있었지. 해안 야영지에서 공항까지 거리가 3km 되지만, 목적지까지 도달하기 위해서 부득불 부자들이 사는 별장 지역에서 툭툭 튀어나온 갑을 선회해야 하겠구나. 배가 신나게 달리는 동안 나는 소금기가 있는 바다 공기를 들이마셨다. 내가 단지 걱정스러운 일이 한 가지 있다면 우리가 정확하게 시간을 맞추어 목표지점에 도착 못 하게 될 경우, 무슨 일이 벌어질까? 우리가 행동 개시할 때까지 위험지역에서 숨어 있어야 할 상황이므로 너무 일찍 해안에 상륙할 입장도 아니지. 이 경우 몇 분도 채 안 되어서 사람들한테 우리가 발각되겠지. 그렇다고 태양이 대낮같이 훤하게 비쳐서, 해안 경비대에 우리가 포착되기 때문에, 너무 늦게 해안선에 상륙할 형편도 못 되는군. 공항 경비가 가장 허술한 시기에 도착하려면 나는 예정대로 정시에 도착하는 수 외에는 별도리가 없겠구나.

내가 루버보고 “동아줄 짧은 것 2개를 찾아오게!” 그러자 이 사내가 배 밑바닥에 놓아둔 경기단총 몇 정을 훌쩍 뛰어넘으며 갑판 여기저기 살피기 시작한다.

브랑코가 미국제 자동차를 운전하고, 알렉스는 길거리 쪽으로 시선을 고정하고 있었다. 20분 지나 두 사람은 성안나 병원을 지나갔다. 도로가 한산하다. 이런 기후 때문에 이곳에 사는 원주민들은 밤늦도록 활발한 생활을 하지만, 아침이 지나게 될 무렵에는 약간 신경이 무디어서 삶의 활력소를 잃는다. 그런 이유로 화물차 몇 대가 보이고, 화물차에서 짐 나르는 인부 서너 명이 보이는구나. 인도에 짐꾸러미와 화물포대가 산더미처럼 쌓여 있구나.

브랑코가 병원에서 조금 떨어진 골목길에 차를 세운 다음, 사내 두 명이 차에서 내리고는 병원 쪽으로 되돌아가고 있었다. 이 두 사람 모두 가방 속에 기관단총을 넣고 있었지만, 또 각자 호주머니 속에 권총도 휴대하고 있었지. 인명 구조차 몇 대가 주차장 콘크리트 마당에 세워져 있구나. 알렉스 혼자 주변 상황을 분석하면서, 자신 있다는 말투로 가방을 움켜쥐고는

“제가 수문장 시선을 다른 곳으로 끌 테니, 그동안 형님께서는 차를 잽싸게 훔친 다음, 골목 구석에서 저를 기다려 주십시오.” 이 친구가 그 골목 구석을 가리키고는 수위가 근무하고 있는 자그마한 막사 안으로 저벅저벅 걸어 들어가자, 그 순간 브랑코가 벽에 몸을 감춘 채 기회를 엿본다.

경비원이면서도 수문장인 사내는 체구가 땅딸막하다. 이 사람은 눈썹을 곤두세우고 철망 틈으로 어른 덩치처럼 생긴 이 젊은이를 훑어본다.

“무슨 볼일로 여기 오셨습니까?”

“아저씨께서 저한테 말을 걸어주시니 몸 둘 바를 모르겠습니다.” 하고는 따발총 같은 알렉스 수다가 전개되는 순간이다.

“제가 지금까지 어디를 가든, 어디에서나 저한테 말 걸어오는 사람이 한 사람조차 없었답니다. 진료실, 병원, 본관 입구, 지하실 출구에서도….”

수문장이 “말씀은 맞습니다만…” 하고 반론을 펼쳐보려고 하나, 이 외국인 수다 공세에 어찌할 바를 모른다.

알렉스가 수위와 악수를 하면서 “마침내 저는 아저씨처럼 너무나 친절한 분을 만나게 되어 얼마나 기쁜지 모르겠습니다.” 이 찰라. 알렉스가 고의로 책 한 권과 빈 유리잔을 바닥에 떨어뜨리자, 이것을 도로 줍기 위해 두 사람 모두 고개를 숙인 채 좁은 막사 바닥을 손으로 더듬기 시작했지. 이때를 노려 브랑코가 숨죽이면서 도둑 걸음으로 살금살금 수위 막사 문 앞을 통과하고는 가장 가까이에 주차해 논 빈 구급차에 접근했지. 이 구급차 승무원들이 모처에서 곤하게 잠자고 있는 무렵에서….

“선생님, 대단히 죄송합니다만 저는 지금 삼촌을 찾는 중입니다. 제가 듣기로는 어제 바린고스에 있는 어떤 병원으로 제 삼촌을 긴급후송해 갔다고 합니다만 저는 그 병원 이름을 알 수가 없어서…! 이 빌어먹을 이 도시에 무슨 병원이 그토록 많이 있는지….”

“예, 맞습니다. 이 도시에 병원 숫자도 셀 수 없을 만큼 많이 있지요. 그러나 당신 삼촌은 여기에 없으니 다른 곳으로 수소문해 보십시오. 보시다시피 우리가 있는 여기에 구급차 몇 대 주차해 있을 뿐입니다.”

알렉스가 덧붙이길

“삼촌은 변함없이 저한테 잘 대해 주셨기 때문에 숙모께서 정성들여 손수 만든 먹거리를 조금 그분께 전해드리려고 이 가방에 넣어서 가져왔는데…”

마당에서 자동차 시동걸리는 소리가 부르릉부르릉 나고, 수위가 고개를 쳐들자 브랑코가 페달을 힘있게 밟고 정문 쪽으로 쏜살같이 차를 몰고 도망친다. 수위가 창문으로 그것을 쳐다보려고 하자 알렉스는 자기 몸뚱이로 수위가 밖을 쳐다보지 못하게 철조망 틈을 막아서고는 계속 따발총 쏘듯이 수다를 퍼붓고 있구나…

"…제가 마침내 삼촌을 찾게 되면, 환자가 자기 운명이 어떻게 될지 그 점을 매우 궁금하게 생각하기에 선생님같이 너무나 친절한 분에게 삼촌이 건강하게 지내고 계신다는 사실을 꼭 알려 드리는 것이 예의 같아서…"

그러자 수위가 더 말을 들어줄 수 없다는 표정으로 화를 벌컥 내며 "병원 문지기한테나 가서 물어보시오."

"병원이라고요? 그 병원이 어디에 있습니까?"

"여기서, 오른쪽이오…!"

"고맙습니다!" 알렉스가 친절하게 인사를 하고는 자리를 떴지. 다음 네거리 골목길 한 방향에 구급차 한 대가 주차하고 있었지. 브랑코가 가방 또는 옷에서 무기를 모두 끄집어내자, 알렉스도 브랑코와 똑같은 동작을 취하고, 두 사람 모두 신속하게 변장을 한다. 바지 색깔이 하얗고, 위에 와이셔츠를 입고, 그 위에 또 외투를 걸치고, 마지막에 모자를 쓰는데, 둥그스름한 중절모자구나. 입던 옷 모두 가방 속에 구겨 넣고 차를 몰고 떠난다.

브랑코가 "우리가 여기에서 얼마 동안 있었지?"

알렉스가 짜증 내면서 "14분 전까지 우리가 공항에 도착해야 합니다."

내가 눈에 불을 켜고 해안을 아무리 찾아보아도 아무것도 보이지 않는다. 우리가 배를 몰고 한치 앞을 내다볼 수 없는 짙은 안개 속에 들어간 지점은 부자들이 사는 별장 앞이었다. 내가 방향타를 우현으로 고정하고 천천히 속력을 내었지. 안개가 서서히 걷히고 동쪽으로부터 희미한 빛이 강하게 내리쪼일 때, 나는 목적지보다 훨씬 더 먼 곳에 배를 몰고 있다는 것을 알아도… 마침내 항구가 내 눈에 들어오고 있다.

거리가 대략 300m 되어 보인다. 바람이 불자 안개가 걷히고, 몇 분 지나 선착장 한 군데가 시야에 전개되는데, 등대가 하늘을 찌를 듯 높게 세워져 있고 모두 바다에 에워싸여 있구나.

루버가 귓속말로 "저것을 보니 흡사 스페인 항구도시 **지브롤터**하고 똑같이 생겼는데" 나는 변속기어를 저속으로 고정하면서 또 자동에서 수동으로 전환하며 해안선으로 곧장 달려갔지. 얼룩말 무늬처럼 빨갛게 또 희게 도료를 칠한 레이더 안테나 여러 개가 설치된 안테나 기지가 내 눈에 띄는구나. 조금 더 먼 데에는 관제탑이 높다랗게 설치되어 있지만, 자욱한 안개 때문에 바다와 해안선 창공은 어둠침침하구나.

나는 야영장에서 떠나기 전, 알렉스가 그린 약도를 내가 태웠지마는 그래도 그 내용을 모두 암기하다시피 했지. 그러므로 위험지역이 어디이고, 우리가 안전하게 상륙할 지점이 어딘지를 알고 있지.

해가 솟을 때까지 몇 분의 여유밖에 없다. 나는 또다시 시동조차 끈 채, 최대한 속력을 낮추면서 발동기 소리가 안 나도록 조심조심 앞쪽으로 나아갔지. 배가 파도에 부딪히자 하얀 물보라가 생긴다.

"노 젓기를 준비하도록"

루버하고 나는 배 뒤에서 노를 저어 나갔다. 정방향으로 배가 나가도록 노를 저어 나가다가 뜻대로 되지 않아서 애간장을 몇 번 태웠지. 우리가 해안가에 거의 다다를 때쯤, 희뿌연 안개구름이 사라졌다가 또 나타나는데, 마치 솜 덩어리 커다란 뭉치가 해안선 여기저기 덮는다. 밀려오는 파도가 철썩철썩 바위를 때리는데 그 소리에 우리 귀가 아플 지경이다. "앞쪽으로!"

루버가 바다로 뛰어내리니 무릎까지 잠긴다. 그리고 단단한 동아줄로 배 앞머리를 단단히 묶는다. 파드로니도 프랑코를 배 밖으로 데리고 나올 때, 이놈이 바닷물에 첨벙거리며 뛰어들어 해안에 상륙할 그 순간에도 절망하지 않는 이 녀석 표정을 보고 오히려 내가 당황했다. 파드로니가 이 녀석 등에 권총을 겨누면서 뒤따라 간다.

내 생각인데, 이 녀석은 자기 몸값으로 자기 애들이 우리한테 돈 많이 주면, 자기를 풀어 줄 것이라고 그렇게 믿는 모양이구나. 그런 생각을 가지도록 우리도 지금까지 돈과 자기를 교환하는 조건인 양 그렇게 행세했지. 사실 이놈이 헛다리 짚는 줄은 알 턱이 없지. 가련하고도 불쌍한 녀석….

내가 갑자기 발동기선을 후진시키자 하마터면 스크루가 바위에 부딪혀 산산이 조각날 뻔했다. 그러나 배 균형을 잡고 밧줄로 조타기를 단단히 묶고 중간속도로 맞춘 후 내가 배에서 뛰어내리자 루버도 동시에 배를 묶었던 동아줄을 풀어버리니, 이 발동기선은 자기 스스로 바다를 향해 달리기 시작한다.

우리는 다시 돌아갈 이유가 없으므로 배가 더 필요가 없지. 우리가 발각되게 되면 인정사정 보지 않고 무자비하게 우리한테 총질할 것이 뻔한 경비 초소가 여러 군데 설치된 국제 항구에서 우리는 외롭게 기관단총 몇 정만 휴대한 채 서 있었지. 우리 애들이 해안가에 피신하는 동안, 나는 호주머니 속에서 작은 병 한 개와 솜을 만지작거리고 있었지. 가파른 구덩이 위쪽에 비행장이 보이자 이내 굉음을 내며 비행기 한 대가 우리 쪽으로 날아온다. 풀밭에는 태양이 작열하고, 그 풀밭에 줄지어 늘어선 푸르스름한 알루미늄 삼각 깃발이 우리가 서 있는 곳까지 윙윙 바람 소리를 낸다. 아까 우리 머리 위로 날아간 그 비행기가 지금 꼬리 부분만 보이기 시작하는구나. 이때 이륙하는 비행기 굉음 때문에 우리 머리가 흡사 터지는 것 같다. 이 비행기 고도가 약 200m 되는 성싶더니, 어느새 바다 위로 날고, 나중에 연기를 뿡뿡 내더니 높고 높은 푸른 하늘에 있는 정기항로에 진입하는구나.

내가 구덩이에서 빠져나와 위쪽으로 기어오르면서 항상 호주머니 속에 간직하고 있던 망원경을 끄집어냈지. 화물차 전용 주차장은 예상외로 가깝다. 망원경으로 멀리 쳐다보니 때마침 활주로에 설치된 전등을 불을 끄고 있었다. 여러 군데 설치된 격납고 알루미늄 방음 벽에 햇볕이 반사되어 그런지 누르스름하게 보이기 시작하는구나.

"자, 모두 올라오게."

납작한 지붕으로 덮인 임시 막사에 우리가 조심스럽게 접근하려면 최소한 15분 정도 계속 가야 하겠구나. 비행기 시동 거는 소리가 멀리에서도 시끄럽게 들려오고 있다. 루버가 조심조심 임시 막사 벽에 다가가서는 긴장한 채 동정을 살피고 있고, 두 손이 결박된 채, 약간 앞쪽으로 고개를 숙이며 가고 있는 우리들의 전리품인, 이 클레버를 파드로니가 시종일관 철두철미 감시하고 있는데, 지금 이 시칠리아 인은 네 놈이 도망치면 바로 총 쏘아 죽이겠다고 위협하면서 클레버보고 땅 위에 엎드리라고 명령하는구나.

해가 솟는다. 동시에 온 천지가 대낮처럼 훤하다. 모든 것이 밝자 새 삶이 시작된다. 본관에서 그다지 멀리 떨어지지 않는 지점에 공항이 보이는데, 여기에 비행기 6대가 일정한 간격을 유지하며 차례차례 줄지어 세워져 있구나.

내가 벽에 거머리처럼 찰싹 붙으면서 살금살금 앞으로 향하자, 루버도 내 뒤를 바짝 따라온다. 나를 쳐다보는 사람은 아무도 없다. 내가 주차장 모퉁이까지 가서 주위를 휘둘러 보았지. 나는 권총 한 자루만 가지고 있고 루버는 기관단총을 잡고 있었지. 주차장 입구로 통하는 콘크리트 마당에 차가 한 대도 보이지 않는다. 우리는 철문이 반쯤 열린 뒤쪽에서 누군가 이야기하는 소리를 듣고 있었지. 내가 더 가까이 미끄러지듯이 가서, 몰래 안쪽을 살폈다.

사진이 부착된 신분증을 가슴에 달고 담청색 정장 차림을 한 역무원 2명이 마주 보며 이야기를 하는 중이었다. 유리 벽 뒤에 있는 한 장소에서 전기로 작동하는 속이 텅 빈 탁송화물 소형차 두 대가 세워져 있었다. 내가 루버한테 신호를 보내는 동시에 전광석화처럼 침입했지. 사내 두 명이 깜짝 놀라 어안이 벙벙한 채 서 있고, 오직 이 친구들 검은 눈동자 4개가 내 권총만 쳐다보고….

내가 "손들어!" 이와 동시에 루버도 문을 박차고 주위를 살펴보지만 이 친구들 외에는 아무도 없다.

내가 역무원 두 녀석보고 "옷 벗어!"

이 녀석들이 어리둥절하면서 "옷, 옷을 벗으라고…?"

내가 욕을 하면서 "그래, 우리는 네놈들 옷이 필요하다."

이 녀석들이 우리한테 얼마나 겁을 집어먹었는지 바지에 오줌을 다 눈다. 이 녀석들은 틀림없이 우리가 테러리스트인 줄 아는가 보다. 그러나 목숨만 살려달라고 애걸복걸한다.

루버가 나중에 거의 벌거숭이가 다 된 이 사내 두 명을 서로 묶어 좁은 창고로 집어넣고는 문을 걸어 잠근다. 나는 이 순간 공항 쪽을 살피고 있는데, 루버가 뒷마무리하고 파드로니를 불러오기 위해 밖으로 도로 나간다. 동시에 내 호주머니 속에 있는 무전기에서 소리가 들려온다.

내가 "선장이다. 이상."

미리 정해놓은 암호로 알렉스가 "여기는 고깃배, 지금 우리는 항구에 정박한다. 입항하는데 아무런 문제가 없다. 이상."

"정확하게 목표지점으로 이동하라, 이상."

내가 한 역무원 녀석의 옷을 입어보니, 바지 폭이 어찌나 좁은지 단추조차 제대로 낄 수가 없구나. 어쩔 수가 없어서 내가 현재 입고 있는 옷 위에 그냥 걸쳤다. 파드로니가 클레버를 대동하고 들어오며, 루버도 나처럼 역무원 복장으로 변장한다. 우리는 주차장 정문을 활짝 열어젖혔다.

구급차 한 대가 콘크리트 지역 밑쪽에서 우리를 향해 쏜살같이 달려오더니 격납고 앞까지 온다. 솟아오른 태양은 이미 온 천지를 다 비춘다. 본관 쪽에도 햇볕이 비치자 마치 일광욕을 하는 것 같구나. 옆에 버스 수십 대와 사람들이 어찌나 많이 있는지 시골 장터를 방불케 한다. 때마침 2번 활주로에 비행기 한 대가 착륙을 시도하고 있다. 흰 바탕에 띄엄띄엄 초록빛으로 도료를 칠한 브라질 국적 보잉기 한 대가 더 가까운 활주로 쪽으로 달리고 있다. 이 비행기 소리 때문에 내 고막이 터질 지경이다.

내가 클레버에게 다가가서 어젯밤에 우리는 미리 계획한 대로 파드로니는 등 뒤에서 이 녀석을 거칠게 꽉 잡는다. 프랑코 눈에는 두려움으로 가득 차 있었지. 우리가 이놈을 생포한 이래, 지금까지 합하면 나는 꼭 두 번째 이 녀석 눈깔 두 개를 똑바로 바라보았지. 얼마나 겁을 집어먹었는지 사시나무가 떨듯이 파르르 떨고 있으면서도 나한테서 시선을 놓치지 않을 냥

이 녀석이 기어들어 가는 목소리로 "저, 저를 어떻게 처리할 작정입니까?"

까떼린 갈랭부인이 지금 살아계셔서, 눈 시퍼렇게 뜨고 멀쩡하게 살아있는 당신을 볼 수만 있다면 얼마나 좋아하겠는가. 변태성욕자나 살인마를 어째서 그토록 무서워했겠는가…! 선혈이 낭자하고 고문당하고 있는 그 여자 몸뚱이 앞에 지켜보고 서 있다고 내가 한번 상상해 볼까. 불쌍하고, 가엾은 여인, 까떼린…? 또 다른 놈은 무슨 짓을 했을까…?

나 역시, 내가 그처럼 사랑했던 사람을 다시 돌아올 수 없는 먼 곳으로 떠나보낸 경험이 있지. 두 손이 꽁꽁 묶인 채 공동묘지 속에서 썩어가는 시체 수백 구가 내 두 눈에 차례차례 보이더니 어느새 그 광경이 클레버 대갈통을 에워싸자, 이놈 머리에서 발까지 모조리 껍데기를 벗겨버리고 싶은 충동이 일지만은 꾹 참고, 나는 이 녀석의 뻰지르르한 대갈통만 쳐다볼 뿐이다….

몇 초 동안 그런 환상에 젖다가 문뜩 정신을 차리고

내가 마취제가 들어있는 약병 조그마한 것 한 개와 솜을 약간 호주머니 속에서 꺼내 보이며 "당신은 잠을 좀 자야 하겠소."

그제야 이 녀석은 고래고래 소리를 치며 최후발악을 한다.

"나한테 무슨 짓을 하는 거요! 당신은 나를 도대체 어디로 끌고 가는 거요?"

"네놈이 잠자나, 잠을 안 자나 우리 한번 내기해 볼까!" 루버가

이 녀석이 발버둥 못 치게 인정사정없이 꽉 붙들자, 내가 강제적으로 이 녀석 코앞에다가 클로로폼을 듬뿍 묻힌 솜을 갖다 대자, 두 번 발버둥 치더니 어느새 눈을 스르르 감는다. 구급차가 입구 앞에 급정거하면서 삐익 소리를 낸다.

눈부실 정도로 하얀 의사 복장으로 변장한 알렉스가 차에서 뛰어 내리면서 입이 째지도록 쫙 벌리면서 웃고는 "예, 여기에 환자 한 분이 계신다는 전갈을 받고 왔습니다만"

그 사이 브랑코가 정문을 향하도록 차 방향을 바꾸고 있었다. 또 애들은 구급차에 있는 환자 이동용 들것을 끄집어내 오고는 이 위에 프랑코를 눕히자, 가죽끈으로 이 녀석을 야무지게 묶고 그다음 담요를 덮어씌우라고 내가 지시했지.

또다시 무전기에서 소리가 들린다. 시몽이 공항 검사대를 통과하는 데 틀림없이 실패했을 것이라고 내가 성급하게 판단하고 있었지. 만약 그 친구가 내 명령대로 하지 않고 권총을 몸에 숨기고 있었다면 '무슨 일이 벌어질지는 불을 보듯 뻔한 일이지!' 그렇게 되면 공항 경찰한테 이 친구는 마침내 몸수색 당할 것이고… 운 좋게도 내 염려는 기우에 불과했다. 무전기에서 들리는 이 친구의 낭랑한 음성을 내가 듣자

"선장, 입항했소? 이상."

"내가 선장이다. 새 소식은 없소? 이상."

"항구에는 이상 무. 지금 우리는 갈매기 둥지로 출발 예정입니다."

잠시 잡음이 생기더니 신호가 뚝 끊어진다. 나는 애들에게

"모자를 벗고 당분간 스타킹으로 복면한다."

그런 다음 원래대로 모자를 다시 쓴다.

몇 분 지나자 시몽이 우리보고 호출하는 소리를 들었지.

"선장, 우리는 갈매기 근처에 있는데, 아무 이상 무, 둥지에 갈매기 알 16개가 있습니다. 이상."

내가 망원경으로 쳐다보며 16이라는 숫자가 적혀 있는 정사각형

콘크리트 기둥을 살펴보니, 과연 빨간색하고 하얀색으로 색칠한 비행기 한 대가 보인다. 이 비행기 옆에는 꽤 많은 비행기가 서 있었기 때문에 이 비행기 이름이 겨우 절반 정도 식별되지만, 내가 그토록 많이 보았던… 아트로스 항공기다. 남아프리카 공화국으로 이륙하려고 아트로스 항공기가 진짜로 보인다.

6시 2분이다. 아트로스 비행기 측면에서 마지막 승객을 내려놓고 지금 떠나고 있구나. 보잉기 중간급이지만 이 비행기 승선 최고 인원수가 아마 220명 될 건데. 사람들은 화물을 비행기 안에 있는 창고에 모두 집어넣고, 밑으로 내려온 넓은 문을 닫는 중이다.

너무나 긴장한 나머지 나는 입술을 자근자근 씹고 있었다. 13분이 지나게 되면 이 비행기가 이륙할 텐데…. 우리는 여태까지 여기에서 마냥 기다리고 있어야…. 승객이 한 사람 모자라도, 관제탑에서 조종사한테 즉시 이륙허가를 내줄지 만무하지.

나는 결단을 내렸다.

"친구들… 행동 개시!"

알렉스가 구급차 안으로 뛰어 올라타자. 브랑코는 구급차를 운전하면서 속력을 내고, 파드로니도 짐운반 차에 앉고는 천천히 출발한다. 그러면서 자기 총을 루버에게 건네주자, 루버는 자기 총과 함께 차 바닥에 이것을 놓고는 침착하게 총 위에 걸터앉는다. 나도 이 차에 뛰어 올라탔지. 잠시 후 바닥이 콘크리트 포장된 도로로 달리고 있었지. 우리 목표지점은 16이라는 숫자가 적혀 있는 정사각형 콘크리트 기둥이지.

천우신조 덕분에 지금까지 아무런 문제가 없었다. 이때 나는 위장병이 또 도지는 것 같았다. 확실히 이 통증은 이렇게 단순히 끝날 것 같지 않았다. 지금까지 우리는 운이 억세게 좋은 편이다. 어제 오후도 그렇고 또 오늘 아침까지, 또 나중에도…?

나는 복면한 스타킹이 이마 양쪽이 대칭되도록 손으로 조종했다. 내가 움직이다가 스타킹이 얼굴에서 벗겨지지 않도록 미리 예방 조치해 두고 싶어서 그랬지. 더 정확하게 표현한다면, 남들이 내 얼굴을 본다 하더라도 잘 알아볼 수 없도록 하기 위함이지. 그것도 부족해서 하늘빛 모자를 쓰고 있어서 복면한 스타킹이 잘 안 보이지. 호주머니에 총이 있구나. 구급차가 우리 앞에서 달려가더니, 어느새 이륙하고자 하는 보잉기 층층대 옆 정사각형 콘크리트 기둥 16번에 급정거한다. 확실히 애들은 일 처리를 요샛말로 끝내준다. 그 사이에 파드로니가 운전하고 있는 짐 운반차도 천천히 줄지어 서 있는 비행기 여러 대 틈바구니에 들어간다. 루버 얼굴을 쳐다보니… 덤덤하다. 이런 표정을 내가 쳐다보고 있으면 이 친구가 무엇을 느끼며, 무엇을 주의 깊게 살피고 있다는 것을 나는 잘 알고 있지. 이 친구 역시 바린고스 공항 콘크리트 바닥에서 죽고 싶지 않을 테니까.

우리가 도착할 때, 사람들은 이미 비행기 뒤쪽 출구를 닫은 상태였다. 이 보잉기 밑에는 무장한 군인이 있었지만 나는 이런 사실을 전혀 예측 못 했다. 아마, 바린고스에서 모든 비행기마다 이처럼 무장군인이 지키는 것은 관례인 것 같다. 첫 번째 사다리를 타고 하얀 의사 복장을 하고 있는 사람이 위로 올라가더니 이내 비행기 안쪽으로 사라진다.

알렉스가 비행기 속에 들어가자마자 날씬하고 잘 생긴 여승무원 몇 명한테 싱긋거리며

"저는 **버어지** 박사올시다. 저희는 환자를 데리고 가야만 됩니다."

여승무원 여러 명 중, 건강한 체구에다 검은 머리카락을 휘날리고 있는 미녀 한 명이 "박사님, 어떤 환자입니까? "

"탑승자 명단에 **맬라티**라고 적혀 있는 것이며, 이 환자를 위해 침대 한 개가 필요합니다." 알렉스가 몸을 돌리며 밑쪽에 있는 브랑코한테 신호를 보내면서

"환자를 모시고 올라오도록 하시오!"

다른 여승무원이 승객명단을 끄집어내면서 "박사님! 잠시만 기다려 주십시오. 제가 아무리 승객명단을 찾아보아도 맬라티라는 사람

의 이름은 없습니다만…"

또 다른 여승무원이 거들길 "중환자가 이 비행기에 탑승한다고 우리한테 연락을 미처 못할 수도 있지 않을까요?"

알렉스가 밑을 내려다보니, 지금 동료들 모두 짐운반 차에 타고 비행기 쪽으로 다가오는 것을 보고는 "확실히 어떤 오해가 있는 것 같습니다."

브랑코가 유일하게 변장하지 않고 원래 복장으로 서 있는 이탈리아사람인 파드로니를 부른다. 이 사람 두 명이 한 조가 되어 환자 이동용 들것을 들고 비행기 계단 위로 올라오기 시작한다. 덮었던 담요 밑에서 클레버의 머리만 보이는데, 진짜 병자처럼 핼쑥하구나.

검은 머리칼이 치렁거리는 여승무원이 근심스러운 듯이 "박사님, 하지만 이 환자를 어느 곳에 눕혀야 할지 잘 모르겠습니다."

'버어지 박사' 가 굳은 의지로 "이등석에 눕히도록 해 주시오. 저는 긴급히 기장님과 이 일을 상의해 봐야 하겠습니다…."

그리고 이 친구는 마치 자기 집 안방 드나들듯 앞쪽으로 뚜벅뚜벅 걸어간다. 알렉스가 이미 이 비행기를 수십 번이나 타본 경험이 있으므로 이 보잉기 기종에 관해 내부 구조를 속속 깊이 잘 알고 있을 터였지.

그는 소위 '주방' 이라고 하는 음식 준비하는 장소 옆을 스쳐 지나갔다. 다른 여승무원 두 명은 일등석 승객에게 점심을 마련하고자 전기요리 기계 곁을 분주히 돌아다닌다. 알렉스가 이 여승무원 두 명한테 눈짓으로 인사를 보내고 곧장 조종실 문 쪽으로 다가간다. 파드로니하고 브랑크가 들것을 위쪽으로 들고 올라오고 있고, 시몽은 일반 승객으로 가장해서 호기심 많은 승객인 양 옆에서 일 번 통로 앞 좌석에 두 사람이 들것을 내려놓고 있는 광경을 물끄러미 쳐다보고 있다. 점잖게 생긴 어르신 한 분께서는 읽던 신문을 중단하고 있고 꼬마 녀석 하나가 큰소리로 "저 아저씨가 무엇 때문에 누워 있습니까?"

브랑코가 잽싸게 시몽한테 플라스틱 통 한 개를 주는데 흰색이다. 이 남자는 스타킹으로 동인 권총 무게의 둔탁한 촉감이 안쪽에서 느껴진다. 그러자 이 친구가 가장 가까운 곳에 있는 화장실 쪽으로 간다.

항공사 직원 서너 명이 푸른 제복을 입고, 비행기 옆 콘크리트 바닥에서 비행기 바퀴 양쪽에 버팀목을 때마침 치우고는 자기 볼일은 끝났다는 식으로 떠나간다. 자기가 손수 차를 몰면서 관제탑 요원 한 명이 이 비행기 쪽으로 다가오더니, 비행기 주둥이 앞에 정지하면서, 시동 1번을 작동해 보라고 창문을 쳐다보며 조종사에게 손짓한다. 차례차례 시동 모두 정상적으로 작동하자, 고막이 터질 정도로 시끄러운 소리가 나기 시작한다.

그러나 루버는 여태까지도 콘크리트 바닥에 서 있으며, 주위를 살펴보더니, 맨 나중에 고가사다리 쪽으로 달려가는데, 흡사 지휘관에게 머리를 숙이는 자세, 바로 그 모습이다. 이 친구의 번개 같은 동작 때문에 내가 하도 놀라 장승처럼 멍하게 쳐다만 보고 있었지. 기습당한 관제탑 요원은 좁고, 낮은 자기 운전석에서 약간 이탈하여 타고 있는데, 이 녀석은 벌써 루버한테 태권도 정권 한방에 기절한 것 같다. 이 녀석이 의식을 차리려면 꽤 오랜 시간이 걸리겠구나.

나는 비행기가 이륙하는데 방해받지 않도록 구급차를 약간 후진시켰지. 기관단총을 어깨총 자세로 취하면서 보초병 한 놈이 마지못해 비행기 날개 밑에서 걸어오고 있었다. 내가 이 녀석 뒤를 쫓아가고 있는데도 워낙 큰 비행기 소리 때문에 내 발걸음 소리조차 못 들은 것 같다. 내가 몇 초 더 빠르게 무전기에 입을 갖다 대고

"친구들… 행동 개시!"

예기치 못한 한 방을 목덜미에 강타하자 이 병사가 땅바닥에 풀썩 주저앉는다. 운이 좋아도 이만저만이 아닌 것은 하필 우리 구급차 옆에서 일어났기 때문이지. 공항직원 여러 명이 아직도 이 비행기 주위에 서 있는데도 이 일을 아무도 눈치 못 채고 있으니 얼마나 다

행한 일이 아니겠냐. 내가 재빨리 이 군인이 가지고 있던 기관총을 발로 차서 차 밑으로 밀어 넣었지.

루버가 한 방 맞고 뻗은 관제탑 직원을 억지로 정신 차리게 하고서는 또다시 일으켜 세우면서 권총을 뽑아 이 녀석 목에 총구를 갖다 대며

"이쪽으로 와… 천천히…"

조종실 안에는 지금도 쉴 새 없이 입씨름이 벌어지고 있었지. 기장은 '버어지 박사' 한테 우리는 보호를 해줄망정 모든 책임은 못 진다고 한다. 이 기장은 뚱뚱보인데, 나이가 쉰 살가량 될까 말까 하며, 얼굴 주위에 주름살이 아주 많이 보이는 황인종 녀석이다. 홀쭉한 몸매인 부조종사는 두 사람이 말하는 것을 잠자코 듣고만 있고, 기사와 항법사는 기계 작동 여부를 살피는 중이다. 무전기에서 공항하고 관제탑 사이 교신내용이 들리고 있으며, 마침 이 사람들은 비행기 항로 몇 군데 때문에 기상자료 내용을 읽고 있었다. 항법사는 통신문을 받으며, 알렉스 역시 그 내용을 듣는 중이었지. 이 찰라. 알렉스가 입고 있는 하얀 의사복 윗주머니에 있는 소형무전기에서 '친구들, 행동 개시!' 라는 소리가 들리자, 흰 모자를 벗어 집어던지고, 재빨리 스타킹으로 복면한 채, 조종사 친구에게 총구를 들이대자, 이 광경을 보고 기절초풍을 한다.

"선생님들, 서툰 짓 하지 마라!… 나 혼자만 아니다. 이미 우리 동료들이 이 비행기를 모두 점령하고 있다.!"

루버가 무서움에 떨고 있는 공항직원한테 고가사다리를 운전하라고 눈에 불을 켜고 고함을 친다. 이에 때를 같이하여 나도 사다리 위쪽으로 달라붙고는 검은 색칠을 한 사다리를 밑쪽으로 내려오도록 했지. 아래쪽에 펼쳐진 세상을 쳐다보니 현기증이 나지만 나는 꾹 참고 견디고 있었지. 루버가 공항직원한테 위협하길 "내가 지금! 이라고 말하면, 네놈은 아주 천천히 후진하면서 차를 운전해, 알아들

었나?"

내가 층층대 맨 꼭대기에 도달할 때, 승객 통로 곁에 여승무원 서너 명이 백지장 같은 얼굴을 하고서 브랑코 총구 앞에 안절부절못하고 서 있었다.

파드로니 역시 스타킹으로 복면한 채, 승객용 입구를 딱 버티고 서 있구나.

루버 역시 고가사다리에서 비행기 계단 위쪽으로 훌쩍 뛰어 넘어오자, 내가 루버 대신 공항직원에게 총을 겨누었지.

시몽은 벌써 스타킹으로 복면한 채, 화장실을 빠져나와 '주방' 쪽으로 가고 있었다. 파드로니가 여승무원 몇 명 앞에서 지켜보고 서 있으니, 이들은 미동조차 하지 않고 서 있구나. 시몽은 조종실을 향해 바로 달려가고 있다. 항법사는 무조건 항복하겠다는 의사표시로 자기 의자에 가만히 앉아있고, 키가 작고, 다혈질인 젊은 기사는 얼굴이 달처럼 하얗게 되어 가지고 있구나. 시몽 갈랭이 아주 침착하게 "이분들을 잘 감시하게" 하고는 좁은 조종실 안으로 들어갈 때, 문 곁에 서 있던 알렉스가 자기 권총을 높이 치켜들고 있었다.

시몽이 기장을 쳐다보며

"기장, 겁먹을 필요는 없소. 당신이 우리한테 순순히 협조를 잘 해 주신다면, 여기 있는 사람 모두 목숨만은 살려주겠소."

기장이 마른기침을 꿀꺽 삼키면서 "우리는 어디로… 어디로 날아갑니까?"

"우리는 비행기 일정표대로 날아갑니다. 다시 말해서 3분 지나게 되면 관제탑에 이륙허가를 받도록 요청하시오. 나는 당신을 지켜보겠소. 아시다시피 나는 비행기를 조종할 줄 압니다. 그래서 만약 당신께서 이 비행기에서 일어난 일을 비밀암호나 다른 방법으로 관제탑하고 교신을 시도할 때는 내가 직접 당신을 사살하게 될 거요."

조종사 두 명은 서로서로 얼굴을 번갈아 바라보고 있었다. 잠시 후 기장은 헛기침하더니, 단조로운 음성으로 관제탑과 무전 연락을 취

한다. 루버도 마침내 비행기에 올라타자 문밖에서 고개를 숙이며 관제탑 요원 쪽으로 기관단총을 겨누면서

"뒤돌아 갓…!"

겁먹어서 얼이 빠진 이 친구가 순순히 내 말대로 한다. 이 순간 나는 어떤 쾌감을 느꼈지. 아마 지금 모든 일이 순조롭게 진행되고 있기 때문이지. 사실 클레버 녀석을 포함해서 우리 애들 모두 아무 탈 없이 비행기에 무사히 오를 수 있었으니까. 고가사다리가 갈지자로 점점 멀어진다. 비행기 양 날개 거리보다 더 멀리 사라지고 있다. 아무 탈 없이, 그러나 우리 쪽으로부터 약 200m 되는 콘크리트에 군차량 기지가 눈에 보이더니, 그곳에서 16번 정사각형 콘크리트 기둥을 향해 군 차량이 신속하게 달려오고 있구나. 내가 그것을 목격하자 무전기에 입을 갖다 대고 "시몽, 비행기를 이륙해라!"

"여기는 관제탑… 알바트로스, 비행기에 무슨 문제가 발생했는지 응답 바람, 이상?"

우리는 비행기 주변에서 어떤 낌새를 즉각 알아차렸지만…

영문을 전혀 모르는 관제탑에서 "알바트로스, 응답하라!" 라고 계속 호출한다.

시몽은 초조한 나머지 입술을 잘근잘근 씹고 있으면서, 그럼, 혹시 우리 일이 뜻대로 잘 안되는 걸까…? 바로 그때 시몽은 무전기에서 흘러나오는 내 명령을 듣고 있다가

"즉시 이륙해…!"

그가 기장 머리에 총을 갖다 대면서 "출발해!"

그러자 기장이 물으면서 "이륙허가도 없이 말입니까?" 아마 이 기장 녀석은 어떤 방법을 쓰더라도 시간을 질질 끌 생각 같아 보인다.

시몽이 다급하게 고함을 계속 치면서 "페달을 밟아! 정면으로 이륙해. 이 새끼들! 내 말 안 들으면 모조리 죽여버릴 테다!"

비행기 시동 걸라는 소리가 얼마나 시끄러운지 귀가 먹먹하다. 덩

치가 큰 비행기가 움직이기 시작하더니 어느새 콘크리트 위에서 달리기 시작한다.

내가 문 열린 비행기 안의 2층이나 되는 높이에 서 있으면서 군차량 기지를 살피고 있는데, 무전기에서 다급하게 들려오는 목소리가

"대장님, 놈들이 우리를 눈치챈 것 같습니다. 그래서 우리는 한바탕 몸을 풀어야 할 것 같습니다."

내가 "활주로 쪽으로 비행기를 몰아라!" 그리고 문 곁에 서 있는 브랑코와 파드로니 두 사람을 불렀다.

내가 군차량 기지를 가리키면서 "두 사람 모두 기관단총으로 중무장하게!"

관제탑에서 우리가 탄 비행기에 절대로 이륙허가를 내주지 않겠구나. 또 이 친구들은 우리가 바린고스를 절대로 못 빠져나가도록 비행기 바퀴에다 즉시 총질을 하겠지.

브랑코는 문 옆에서 무릎꽈 자세로 총을 거침없이 계속 쏘고 있는데, 이 친구가 계속 볶아대는 총소리 때문에 비행기 안까지 귀먹을 정도로 시끄럽다. 승객 몇 사람은 겁에 질려 고함지르고, 여자 몇 사람은 단말마 비명을 지른다. 파드로니는 즉각 응사하지 않고, 필요한 경우를 대비해서 탄알을 아낄 생각인지, 지금 그는 먼저 호주머니 속에 들어있는 탄창을 만지작거리고 있었다.

비행기가 서서히 오른쪽으로 달리고 있고, 시몽은 내 기대에 어긋나지 않게 완벽하게 일 처리를 해 주었으면 했지. 그런 생각을 하는 찰라, 시몽의 음성이 무전기에서 흘러나온다.

"대장님, 놈들이 오른쪽에서도 쫓아오니 주의하십시오! …"

내가 머리칼이 검은 여승무원 팔을 붙잡자, 이 아가씨가 나를 노려보고 있어도 이 여자는 검은색 스타킹으로 복면한 남자 얼굴만 식별할 따름이지.

이 순간, 어제 내가 클레버 두 눈을 본 것과 똑같이 이 아가씨 두 눈동자도 겁에 질려 있었다.

내가 오른쪽 바닥 문 쪽으로 몸을 던지면서 “문 열어! ”

그 순간에도 서로 기관단총에서 치열한 총격전이 벌어지고 있었다. 마치 천둥소리 같구나. 좁은 공간 벽 양쪽에서 총소리가 메아리처럼 울려 퍼진다. 여승무원 여러 명이 총알을 피하고자 바닥에 엎드리자, 승객 중 몇몇 사람은 아까보다 더 비명 지르는 소리를 나는 듣고만 있었지. 이 여승무원이 타원형 문을 힘차게 잡아당기면서 열자, 세찬 바람이 내 얼굴을 할퀸다. 그 사이에 이 여승무원은 아주 재빠르게 이 문에서 안전한 곳까지 도망친다. 이때까지 비행기는 활주로에 진입 못 한 상태였지. 오른쪽에서도 또 다른 군차량이 우리 쪽을 향해 돌진하고 있다. 운전병 옆에 타고 있는 병사 한 녀석이 카빈총을 들고 어깨 쏴 자세로 있는 것을 내가 먼저 발견하자, 내가 아까 그 승무원을 멀리 밀어제치고 경고사격으로 내 쪽으로 달려오는 차를 향해 무차별 총알 세례를 퍼부었지.

내가 루버한테 내 위치를 내주면서 “루버, 여기를 나 대신 맡게나··!”

총성을 듣고 난 뒤, 조종실에서 나와 우리를 지원하기 위해 알렉스도 왔다. 지금 그는 루버 옆에 서 있었다.

바로 그때, 비행기가 활주로 방향으로 선회하는 중이었지. 항공기 규정상 관제탑에서 무전으로 이륙허가가 날 때까지 비행기가 여기에 멈추어서 대기해야만 한다. 지금 그런 규정 따위에 운운할 시간적 여유가 없으므로 나는 ‘주방’ 쪽을 통과하면서 뛰어들어갔지.

절묘한 순간에 내가 조종사 문을 강제로 부수면서 열어젖히자, 시몽은 조종사 두 녀석에게 총을 겨누는 중이었지. 하지만, 기사 녀석이 자기 뒤에서 묵직한 쇠연장 한 개를 손에 들고 시몽 머리를 내리치려고 하는데도 시몽은 그 사실을 모르고 있는 것이다.

내가 “조심해!” 그렇게 고함치자, 시몽은 반사신경이 너무나 잘 발달하였기 때문에, 그 위기일발에서 구원을 받았지. 그 찰라. 나는 공중으로 번개처럼 날아가서 기사 녀석 팔을 잡고 벽 쪽으로 두 사람 모두 나뒹굴었지. 레이다 깔판 날카로운 모서리에 내 발이 부딪혔는지 내 넓적다리가 굉장히 아프다. 시몽은 귀신도 탄복할 만큼 신속한 몸놀림으로 기사 녀석의 목덜미를 권총 손잡이로 한 방 내려치자, 의식을 잃고 땅바닥에 꼬꾸라진다. 내가 이 녀석을 타고 넘어가서 혼비백산하고 있는 기장 녀석한테

"내가 관제탑하고 직접 담판하겠다!"

이 친구가 묵묵히 자기 마이크를 나한테 건네준다. 동시에 비행기 안내방송에서도 아수라가 넘쳐흐른다. 관제탑 쪽에서 계속 알바트로스 비행기를 호출하고 있었다. 비행기 조종실 앞 창문으로 쳐다보니, 완전무장을 한 병사 수십 명이 승차하고 있는 세 번째 군차량이 콘크리트 활주로에서 오고 있었지.

내가 송신기 개폐기를 켜면서

"바린고스 관제탑, 여러분께 알린다!"

시끌벅적한 대혼란이 즉시 멈추더니, 이내 사내 음성이 말한다.

"관제탑이다. 말하라."

"당신네가 즉각 군병력을 철수하지 않으면 우리는 승객 전원과 함께 이 비행기를 폭파하겠소! 승무원 한 명은 벌써 죽였다. 우리는 죽는 것조차 두렵지 않다. 당신은 내 말뜻을 알아듣겠는가?"

대답은 필요 없다. 내가 무전기에 입을 대고 "친구들, 수류탄을 준비하라!"

관제탑에서 아무런 응답이 없다. 우리는 비행기를 계속 운전하고, 총알은 우리 쪽을 향해 비 오듯이 쏟아지고 있었지.

시몽은 그 사이에 조종사 두 녀석 보고 "속도를 더 내도록 하라!" 이 녀석들은 꼿꼿한 자세로 의자에 앉아서, 앞쪽만 쳐다보고 있다. 나는 속도 중앙계기판 바늘이 아주 천천히 올라가고 있는 것을 보니까, 60… 70… 80㎞까지 올라간다.

파드로니가 군차량 한 대를 향해 정조준하면서 한 방 냅다 쏘자,

차가 불타기 시작하며 동그라미를 그리면서 달린다. 차위에 타고 있는 한 놈이 살아보려고 발버둥 치며 재빨리 뛰어내린다. 잠시 후 아주 큰 화염과 더불어 이 차가 하늘 높이로 솟구치며 '펑' 하는 소리와 함께 폭발한다.

한편으로는 브랑코하고 알렉스가 군용차량이 비행기 쪽으로 더 접근 못 하도록 오랫동안 집중사격을 퍼붓고 있었지. 벌써 가속이 붙은 비행기 전방에 세 번째 군차량이 출현한 사실을 브랑코하고 알렉스가 있는 쪽에서는 새까맣게 모르고 있었지. 이 군차량은 왼쪽 날개에 15m 혹은 20m 떨어진 지점에서 우리와 함께 활주로 쪽에 수평으로 달리고 있었지. 병사 한 놈이 벌써 기관단총을 어깨 쏴 자세를 취하고는….

내가 기장보고 "더 속력을 내라! 더 빨리!" 비행기는 지금 시속 120km로 달리고 있다. 우리는 이미 활주로 절반쯤 달려온 것 같다. 이쯤 되면 놈들은 더 비행기를 제지할 수 없겠구나. 또 우리 주위에 바다가 있잖아. 속도계가 130, 150, 160km를 가리킨다.

내가 흰 물거품을 일으키는 파도를 쳐다보면서… 인제야 비행기가 참말로 날게 되겠구나. 만약 군인들이 비행기 바퀴에 집중사격하게 되면, 우리는 정지할 틈도 없이 바닷속으로 처박히게 되겠는데….

내가 시몽보고 "이쪽으로!" 우리 두 사람은 조종실 문을 박차고 나오면서 뒤쪽을 향해 쏜살같이 뛰어갔다. 또 한 번 나는 탕탕탕 기관단총 소리를 들었다.

여승무원 사이를 빠져나올 때, 때마침 알렉스가 수류탄 한 발을 아래로 향해 투척하는 것을 바라보면서 "그럼, 놈들은 아직 우리를 끈질기게 추적하고 있단 말인가?" 나는 내심 혀를 내둘렀다. 다른 쪽에는 총성이 멎었고, 마침 루버가 문을 닫는 중이었다.

브랑코가 으악 비명을 지르면서 총을 떨어뜨린다. 몸 중심을 잘 가누지 못해 비틀거리자. 내가 이 친구 곁으로 쫓아가니, 무슨 말을 하는데, 시끄러운 소리 때문에 전혀 알아들을 수가 없다. 비행기 아래쪽, 먼 곳에서 수류탄 터지는 소리가 내 귀를 먹게 한다. 그 순간 오색 찬란한 빛깔이 사방으로 퍼져나가는 동시에 앞을 제대로 볼 수가 없구나. 내가 눈을 감고, 다시 눈을 떴을 때, 브랑코 몸뚱이가 비행기 밖으로 떨어지려고 하는 순간이었다.

나도 모르는 사이, 본능적으로 브랑코가 늘 차고 다니고, 지금도 매고 있는 널따란 가죽 허리띠가 보였지.

필사적으로 나는 허리띠를 꽉 잡아당겼지.

떨어지려는 브랑코 몸통 체중 때문에 오히려 내가 밑으로 끌려갈 형편이다. 왼손은 벌써 비행기 문 쇠 손잡이를 꽉 잡고 밑을 내려다보니 콘크리트 활주로가 전속력을 내며 뒤로 가고 있구나. 갑자기 비행기가 요동을 친다.

브랑코가 비행기 밖에 매달리고 있다. 내 오른손에 대롱대롱 매달려서 이 친구 몸은 공중에 붕 뜨고 있었지. 바람은 내 오른손과 오른발을 무지막지하게 내리친다. 내가 브랑코한테 지렛대의 받침목 지점을 찾아주려고 해도 전혀 보이지 않는구나. 내 발밑에는 내 오른손에 대롱대롱 매달린 브랑코 외에는 아무것도 없다. 그러나 바린고스 섬이 보이고 또 조금 있으면 태양 때문에 콘크리트 활주로가 벌겋게 달아오를 테고, 해변, 그리고 바람조차도….

원인 모를 힘 때문에 내 몸뚱이가 갈기갈기 찢어지는 것 같다. 브랑코 몸 체중이 얼마나 무겁나 하면, 내가 지금까지 결코 경험하지 못한 그런 무게만큼 무겁다. 눈에 핏발을 세우면서 이 친구를 붙잡고 있으니까 인대가 늘어나서 아파 죽을 지경이다. 그리고 무서움이 나를 엄습한다. 만약 내가 이 친구의 손을 놓게 될 경우, 어떻게 될까? 불가항력이겠지. 아니야, 내가 죽는 한이 있더라도 절대로 이 친구 손을 뿌리칠 수는 없지.

내가 심지어 고통스러워 악을 쓰는데도 나는 전혀 그 사실을 모르고 있었지. 브랑코 몸무게가 땅 쪽으로 나를 잡아당길 때, 그 충격 때문에 내 손이 떨어져 나갈 만큼 고통을 느끼면서도 아래쪽만 쳐다보고 있었다. 비행기가 활주로를 완전히 벗어났을 때, 더 요동을 치지 않는 대신, 무시무시한 바람이 뒤쪽으로 나를 쳐 밀어 넣자, 내 팔이 문 모서리에 부딪힌다. 다른 곳이 또 아파지기 시작한다. 내가 버틸 수 있는 극한 상황까지 왔다.

우리가 아래를 내려다보니 바다에서 형용할 수 없는 색깔이 난무하는구나. 비행기가 상공을 비스듬하게 날고 있고, 내 손은 기압 차이 때문에 점점 더 무거워지는 것 같은데….

바로 그때 내 어깻죽지를 잡아주는 손이 있었지. 내 속살까지 꽉 잡고 비행기 속으로 세게 끌어당긴다. 잠시 후 다른 손 역시 나를 잡는 것 같다. 누군가 나를 위쪽으로 잡아당겨 비행기 속으로 끌어넣는 것 같다.

투명유리가 나를 감싸는 것 같고, 또 내 귓가에 매서운 바람이 윙윙거리는 착각을 느끼면서도 한편 애들의 고함이 어렴풋이 들려오는 것 같다. 나는 살아야 한다. 살아야지, 암. 살아야 하고 말고… 내 왼손가락 모두 문 쇠 손잡이 부속품이 다 된 것 같다.

내가 위쪽을 쳐다보니 어디서 본 것 같은 시몽의 얼굴이 보인다.

나는 이 친구가 그처럼 힘이 센지 도저히 믿을 수가 없었다. 이 친구가 비행기 안쪽에 머리로 지탱하면서 나를 잡아당겨 올리고 있었고, 루버하고 알렉스가 브랑코를 나 대신 잡고 끌어올린다. 나중에 이 친구들이 하는 말인데, 한 손으로 브랑코 혁대를 잡고, 또 다른 손으로 문손잡이를 잡고 그렇게 끈덕지게 오랫동안 꽉 잡은 사람은 평생 처음 보았다나. 우리가 마침내 비행기 문을 닫을 때, 고도 300m를 유지하면서 비행기는 날고 있었지. 그동안에도 파드로니가 비행기 승무원 모두에게 기관단총을 겨누면서 승객들이 앉아있는 곳 바로 곁에 서 있었다.

시몽이 숨을 헐떡거리며 "데니, 자 안심해도 됩니다." 나는 이 말만큼 또렷하게 들었다. 검은 스타킹으로 복면하고 바라보는 세상은 전처럼 또 그렇게 시작되지만, 아직 내 눈앞에서 불똥이 난무하고 있었다.

내가 "조종사 녀석들한테…"

내 말이 떨어지기가 무섭게 알렉스가 쏜살같이 앞쪽으로 뛰어간다. 루버가 입에 피를 토하고 눈 두 개는 이미 감겨버린 브랑코를 의자에 억지로 앉게 한다.

침통한 표정을 짓고 있던 파드로니가 "심장에 맞았구나."

시몽이 여승무원 여러 명한테 "아가씨, 여기 멍청이 서 있지 말고, 승객 중에 의사가 없는지 알아봐 주시오." 잠시 후 이 친구가 나한테 고개를 숙이면서

"데니, 몸은 좀 어떻습니까?"

내가 힘없는 목소리로

"괜찮네, 내가 오히려 자네한테 신세 졌네."

시몽이 피식 웃으면서

"대장님께서는 브랑코를 꽉 붙잡고 있는 것처럼 저 역시 대장님을 포기할 수가…."

루버가 냉담하게 "우리가 다 함께 왔다면, 다 함께 가야지."

이 순간, 이 친구의 불그스레한 못생긴 얼굴이 왜 그렇게 내 마음에 쏙 드는지 모르겠다. 나는 기분이 만점이다. 나는 살았고 또 모든 일도 잘 되어가고…

어쨌든 나는 살아있다.!

우리는 파리를 향해 날고 있었지.

## 6. 납치범

검은 스타킹을 머리에 뒤집어쓰고 복면한 채 일등석에 나 홀로 앉아 내가… 편지를 쓰고 있으니 내가 나를 쳐다보아도 우스꽝스럽다. 한 손에는 연필을 쥐고 다른 한 손에는 기관단총을 가지고 있으니 말이다. 20세기 말엽, 시인 혁명가인 양, 스타킹을 덮어쓰고 있는 내 몰골이 그런 얼굴하고는 너무나 대조적이다. 머리에 스타킹을 덮어쓰고 글을 쓰려고 하니 마음고생이 여간 아니다. 그렇다고 아직 복면을 벗어 던질 시기도 아니지.

내가 옛날에 쓴 적이 있는 가장 야릇한 문장 첫머리는 항상 '진주처럼 영롱한 마리에게'로 시작되곤 했지. 우리 원정 일정이 비록 짧지마는 그래도 원정 중, 흥미진진한 모험이 꽤 있었다고 늘어놓았지. 어떤 녀석이 마리 차를 미행하는지 항상 확인하고 요즈음 어떻게 지내는지 안부 이야기와 우리 직업상 일어날 수 있는 일에 대해 여러 가지 충고 이야기도 쓰고, 내 친구 중 기자 한 녀석이 있는데, 그 친구 이름, 주소 및 전화번호를 적고, 라셀 산속에 있는 친구 별장 가는 길을 상세히 묘사하면서 적었다. 내 친구가 미국에 몇 년 동안 머무른다고 해서 이 친구 별장을 나한테 빌려주었다고 하면서, 열쇠를 감춰놓은 비밀장소에 관해 눈에 보이는 것처럼 그렇게 묘사했지. 또 다른 편지에 "마리가 필요한 경우에만 2만 프랑을 주도록 해 주십시오"라는 내 서명이 적힌 백지수표 한 장을 넣어 놓았지. 그리고 피에르 게라디와 게오르그 클레버에 관해서도 몇 마디 언급했지.

편지에 온갖 미사여구를 다 구사한 뒤, 마침내 편지를 다 쓰고 여승무원한테 편지봉투 한 장을 나한테 가져오라고 했지. 비행기에서 일하는 아가씨 모두 전처럼 탑승객을 위해 일을 시작하고 있었지. 승객들은 비행기가 우리한테 납치된 것 때문에 어느 정도 충격을 받고 난 뒤 본래의 모습으로 되돌아오기 시작하는구나. 승무원 모두 자기 맡은바, 적재적소에서 열심히 일하는구나. 비행기가 지금 고도 11km 큰 바다 창공을 나는 중이었지 우리가 머리에 스타킹으로 복면한 채, 기관단총을 손에 쥐고 왔다 갔다 돌아다니지 않는다면, 이 비행기 여행은 다른 비행기 여행과 별반 차이가 없겠구나.

내가 기내 방송을 통해 "승객 여러분께서는 절대로 농요하지 마시고 또 우리는 어떤 사람한테도 절대로 피해가 가지 않도록 하겠습니다. '우리는 절대로 테러리스트가 아닙니다.' " 내가 이 말을 여러 번 반복했음에도 불구하고 승객 모두 여전히 불안해하는 눈치였다. 우리 애들이 승객 가운데 서 있으면, 승객들은 우리를 보고 무서워하는 기색이 역력하구나, 하지만, 우리는 진짜 비행기 납치범이나 테러리스트 놈들처럼 가끔 자행하는 방식대로, 승객끼리 서로 묶지도 않고, 승객을 한구석으로 몰아넣고 총부리를 갖다 대며 으박지르지도 안 했고, 심지어 소리 한 번 지른 적도 없잖아. 나는 제물받이로 제비뽑기해서 승객을 골라내지도 안 했고, 우리는 사실 그런 일을 저지를 아무런 이유가 없기 때문이지. 앨버트로스 항공 소속인 이 보잉기가 우리를 위한 운송수단에 불과하지.

이륙 후, 20분 지나서 우리는 비행기 항로를 변경했다. 동남쪽에서 동쪽으로 기수를 돌렸다. 우리 목적지가 파리임을 알아차린 기장이 방해 공작을 시작하려고

"연료가 모자라게 됩니다만…"

시몽이 "당신은 우리가 멍청이로 보이나? 나도 옛날에 비행기 조종을 수십 번 해 본 경험이 있소. 비록 이 비행기처럼 큰 비행기는 운전해 보지 않았지만, 바린고스하고 파리나 바린고스하고 케이프타운하고는 거리가 똑같지 않소."

기장은 "기상청에서 동쪽 800km 브리타니 앞바다에 폭풍우가 있다고 예보해 주었기 때문에, 그쪽을 선회해야만 하기에 더 많은 연료가 필요하지요."

시몽이 "항공기 규정상 모든 비행기가 목적지에 가야 할 연료보

다 최소한 10톤 이상 더 연료를 싣게 되어 있는 것도 몰라요 ”

내가 “파리 오를리 공항으로 비행기를 조종하시오 ”

지금까지 다소곳하게 침묵을 지키던 부조종사가 “당신네가 우리한테 요구하시는 것은 도대체 무엇입니까?”

내가 정중한 말투로 “아무것도 없소, 다만 오를리 공항에 이 비행기를 착륙시켜 주시길 선생님 여러분께 진심으로 부탁드립니다. 그다음부터는 우리가 알아서 처리하겠습니다.”

기장 녀석은 내 말에 다소 위안이 되면서도 “우리는 케이프타운 쪽으로 비행 되도록 기계 조작이 맞추어져 있습니다.” 그렇게 말하는 이 녀석의 얼굴을 쳐다보니 우리가 비행기 속에서 문제를 계속 일으키지 않는다는 내 말을 못 믿는 눈치였다.

“우리 비행기가 파리관제탑 무선기지국과 오늘 목록에 기재되어 있지 않기 때문에, 프랑스 영공에 예정 없이 출현하게 되면 큰 혼란이 야기될뿐더러, 심지어 다른 비행기 항로에 지대한 영향을 초래하는데도 사전에 말 한마디조차 안 한 상태입니다.”

내가 기장 녀석이 거의 눈치채도록 시몽을 쳐다보며 고개를 끄덕거리면서도 비록 기장 녀석 말이 사실이라도 지금은 물불을 가릴 때가 아니지.

“어쨌든 여러분께서는 기수를 파리로 향해 주십시오. 파리 해안에 접근하기 20분 전에 절 불러 주십시오. 그때 우리는 모든 것을 결정하겠습니다.” 우리는 조종사 옆에 따로 앉았다. 넓은 바다 위쪽을 쳐다보니 확실히 우리 비행기 뒤를 쫓아오는 것은 아무것도 없고, 우리는 목적지로 날아가기만 하면 되는구나. 우리도 나침반을 가지고 있어서, 만일 조종사 애들이 항로를 변경할 것을 대비해서, 창문을 통해서 들어오고 있는 햇빛을 보고 방향을 읽고 있었지.

내가 “프랑코 녀석 상태는 어떤가?”

알렉스가 “놈은 벌써 의식을 차렸습니다.”

우리들의 ‘환자’ 그놈은 여태까지도 들것에 꽁꽁 묶여 누워 있는 중….

루버가 "'일층' 에 있는 승객 모두 다른 곳으로 배치해 놓은 지가 오래되었네."

이 '일층' 은 음료수를 마실 수 있게 탁자 작은 것이 있고, 또 일등석 승객 전용 장소로써 보잉기에서 가장 좋은 전망을 바라볼 수 있는 곳이다. 내가 비행기에 오르자마자 맨 먼저 일등석 문을 봉쇄하라고 지시하자, 벌써 애들은 그 일을 말끔히 처리해 둔 모양이구나.

"그놈을 들 것에서 끈을 풀어주고, 화장실로 데리고 간 다음, 적당히 몸을 씻도록 하라. 그리고 난 뒤 점심을 제공하라. 어제 점심 먹고 난 이래, 그놈은 샌드위치 한 조각만 먹었지…."

시몽 갈랭 두 눈에서 우울한 표정이 나타난다. 이 친구는 차라리 클레버 그놈이 기아상태로 굶어 죽었으면 하는 바람이다. 그렇지만 이 친구가 내 명령을 거역하지 못하지. 비록 마음이 내키지 않지만, 내가 시키는 대로 하고 있구나.

먼저 애들이 클레버를 화장실로 데리고 가는 사이, 나는 브랑코가 있는 곳으로 가 보니, '일층' 맨 끝에서 의자 여러 개를 묶어 침대처럼 만들어 놓은 곳에 누워 있었다. 출혈이 너무 심해서, 안색은 백지장처럼 차갑게 보이며, 가쁜 숨을 몰아쉬면서 겨우 목숨만 붙어 있었다. 우연히 이 비행기를 타고 여행을 즐기던 전직 의사처럼 보이는 늙은이 한 사람이 브랑코 옆에서 간호하고 있었다. '테러리스트' 처럼 복면을 한 우리 애들이 곁에 둘러앉아 있었다. 이 의사가 우리를 쏘아보며, 분노와 울분을 못 참겠다는 표정으로

"당장 수술을 할 수 있도록 도와주시오. 여러분께서 정녕코 이 분을 살리고 싶은 마음이 있다면, 바린고스로 되돌아가도록 하시오."

내가 "되돌아가자고요. 말 같은 소리 작작하시오."

이 의사가 "그럼, 이 분을 죽게 놔둘 작정이오?" 이 늙은이가 지금 어쩔 수 없어 고래고래 고함을 지르고 있구나. 이 사람은 의사다. 그래서 진심에서 우러러나오는 말로 어떻게 해서든지 이 환자를 살

려보겠다는 말은 어쩌면 당연할 수도 있겠지. 그 이유를 정확하게 알기 위해서 내가 이런 의사가 필요하지. 아니면 언제, 어느 곳에서 의사가 필요하겠는가.

시몽이 "두 시간 후, 우리는 착륙하게 될 것 같습니다."

단언하는 말투로 의사가 "그때쯤 되면 수술 시기를 놓치게 됩니다."

내가 "그럼, 이 환자가 가능한 고통을 덜 느끼며 괴로워하지 않도록, 통각상실증 조치를 서둘러 해 주시오. 의사 양반."

의사는 고개만 끄덕거린다. 내가 브랑코쪽을 물끄러미 쳐다보니, 가슴에 피범벅이 된 채, 반쯤 벌거벗은 상태로 침대에 누워 있었다.
"브랑코, 나를 용서하게, 자네도 잘 알다시피 우리는 바린고스로 되돌아갈 형편이 못되잖아, 자네가 내 말을 조금이라도 알아들을 수 있다면, 자네 생각도 나하고 똑같겠지. 안 그런가?"

파드로니가 브랑코한테 물 한 잔 갖다 주려고 하자, 의사가 아무 말 없이 고개를 가로저으며, 갖다 주지 말라는 시늉을 한다. 그러자 이 시칠리아 인은 발에 한 대 차인 강아지처럼, 슬픈 표정을 짓고 자리를 떠난다.

내가 브랑코 얼굴을 하염없이 쳐다보며, 벌써 우리 두 사람은 20년 지기구나. **오유카** 대통령님을 제거하려고 반대파가 모반을 꾸밀 때도 이 친구는 늘 내 곁에 그림자처럼 같이 붙어 다녔지. 심지어 지금 이 순간까지도 그는 나에게 항상 충고해 주곤 했지. 오유카 반대세력이 나중에 이 오유카 대통령님을 그렇게 중상모략을 퍼부어도, 이 친구의 조언 덕분에 우리 두 사람은 무사히 살아남을 수 있게 되었지. 무장폭동이 일어나자 이 친구가 오유카 대통령과 그의 가족에게 헬리콥터를 타지 말라고 권고했지. 그래서 반대파 세력들은 그 사실을 모르는 채, **리오 무니**로 향하는 헬리콥터에 폭탄을 장치해서, 이 헬리콥터를 공중폭파시켰지만, 브랑코 조언 덕분에 오유카 대통령과 그의 식솔을 모두 죽음에서 구출시켰지. 그 외에도 브랑코와 나는 **잠베지** 강가에도 서 있었고 또 **알마랑 오아시스**에도 늘 같이 있었지만….

울분을 참지 못해 내가 아래쪽으로 내려오는데, 내 얼굴을 쳐다보는 여승무원들이 기절초풍한다. 이상한 예감이 든다. 아하, 이 아가씨들이 확실히 나를 두려운 존재라고 의식하는 모양 같은데…!

아래에서 나하고 그 기사 녀석하고 마주쳤는데, 머리에 붕대를 두르고 '주방' 이라고 부르는 통로 좁은 공간에 서 있으며 여승무원이 이 녀석에게 커피 한 잔을 부어 주는 중이었다. 내가 기관단총을 휴대하면서, 말없이 이 녀석 곁을 지나갔지. 애들한테 저런 소 영웅 같은 놈을 신경 써서 감시하라고 지시했지. 진짜 테러리스트 애들이 이 비행기를 점령하고 있었다면, 저놈은 벌써 황천객이 되었겠지. 이놈이 조종실에서 저지른 행동 때문에 진짜 테러리스트 애들한테 걸려들었다면, 벌써 이놈을 본보기로 처형시켰을 거다.

나는 비행기가 출발할 때부터 우리 애들이 여기에 있는 일등석 승객 모두 다른 곳으로 배치해 논, 일등석 두 번째 줄에 앉아있었지. 운 좋게도 이 비행기에는 좌석이 남아돌아서 내 마음에 든다. 시몽이 나를 따라 들어오면서 내 곁에 앉더니

"데니! …"

이 친구가 무슨 말을 하려고 하는 눈치였지만 내가 시치미 뚝 떼고, 묻고 있는 이 친구의 얼굴만 멍하게 쳐다보고 있었지. 한참 지나서 이 친구가 결국 말문을 여는데

"우리한테 문제가 있다는 사실을 대장님께서는 알고 계십니까?"

내가 그렇다고 고개를 끄덕거리자, 이 친구가 계속 말하길

"우리가 오를리 공항에 착륙하게 되면, 우리보다 한발 먼저 그곳에서 테러 진압부대가 우리를 기다리고 있을 것입니다. 그 친구들은 비행기 바퀴를 집중하여 사격해서 비행기가 오도 가도 못 하게 할 것이며, 우리하고는 절대로 협상하지 않을 것입니다. 우리가 마치 아랍인, 레바논인, 아일랜드인 혹은 아르메이나인 과격 테러리스트

라고 그들은 믿고 있기에, 우리가 비행기에서 밖으로 한 발자국 옮기게 되면, 그 친구들은 즉시 총 쏘아 우리를 죽일 것입니다."

"내가 어제저녁에 자네한테 게라디 검사를 믿느냐고 그렇게 물었던 적이 있었을 텐데?"

"저는 그분을 철석같이 믿습니다. 그러나…."

"하지만이라는 조건은 필요 없네. 자네가 그분을 믿는다면, 아마 자네가 비행기에서 제일 먼저 내려가게 되면 되잖아?"

우리들의 의리를 저버리고 자기 혼자 탈출할 가능성에 별로 마음이 내키지 않는 기색이었다.

시몽이 "그럼, 대장님께서도 게라디를 믿습니까?"

"절대로 그 사람을 믿을 수가 없지. 다만 그 검사분께서는 큰 업적을 이루기 바란다면, 사리판단을 분명히 해서 경거망동한 일을 저지르지 않길 바랄 뿐이지. 착륙하게 되면, 우리는 더 많은 시간을 벌기 위해서, 진짜 테러리스트들처럼 행동해야 할걸세."

이 친구가 내 속셈을 간파하고는 "그럼, 인질을…?" 내가 고개를 끄덕거리면서

"모든 승객이 우리 인질이 될 수도 있지. 우리 모두 비행기에서 무사히 빠져나갈 수 있으며, 어떤 녀석도 우리한테 공격 못 하도록 게라디 검사가 보장해 줄 때까지 우리는 인질극을 벌여야만 하지."

파드로니가 옆을 지나가자, 내가 그를 불러서

"탑승객 명단에 남자, 여자 또 애들이 각각 몇 명이 되는지 승무원한테 알아보게!"

시몽은 일어섰고, 나는 창문을 쳐다보고 있노라니, 아래쪽에서 바다 난류가 위쪽에서 구름 한 점 없는 청명한 날씨가 보인다. 내가 비록 시몽을 똑바로 바라보고 있지 않더라도, 이 친구가 뭔가 말을 더하고 싶다는 것을 눈치채면서 자기 스스로 말할 때까지 나는 묵묵부답한 자세를 취하자, 결국 이 친구가 자기 비밀을 털어놓는데

"지금 우리가 클레버 그놈한테 사실대로 이야기해 줄 때가 된 것

같지 않습니까?"

내가 등을 돌리면서 시몽의 두 눈을 똑바로 바라보았다. 그래 이 친구 말이 옳은 것 같아. 나도 그런 생각을 한 번도 잊어본 적이 없지. 이 친구가 시금까지 자신의 울분을 자제하려고 그 얼마나 피눈물 나는 노력을 했는가. 솔직히 말해서 이 친구의 말에 동감한다. 이 친구 두 눈에서 복수로 불타고 있는, 성난 불빛이 이글거린다. 아주 옛날에 나도 이와 유사한 눈을 본 적이 있었지. 이 눈빛을 보는 순간, 시몽은 클레버 그놈을 죽여버릴 수도….

내가 그런 상상을 해 보니, 나 자신도 지금 놀라서 정신이 없을 지경인데, 만약에 자기 어머니를 살해한 장본인이, 지금 자기 바로 곁에 있다면, 그 살인마를 그냥 내버려 둘 사람이 이 세상천지에 어디 있겠는가. 그것도 내 수중에 있는데도…?

이 친구의 얼굴에 긴장감이 깃들고 손가락이 서로 부딪혀서 부스러질 만큼 그렇게 두 주먹을 전처럼 또다시 불끈 쥐는데 이 친구가 옛날에 클레버한테 능지처참하게 살해당한 자기 엄마, 까떼린을 생각하는 것 같다. 이 친구가 실패, 좌절 그리고 자기 인생의 치욕 때문에 클레버 그놈한테 죄를 심판하고 싶겠지만, 이 피비린내 나는 복수를 나는 바라지도 않고, 지금은 더더욱 안되지. 우리가 클레버를 프랑스 정부에 인도한 후, 그 녀석에게 복수해도 늦지 않겠지.

내가 지금 우리 애들의 인생을 책임져야 하므로, 그 점이 염려된다. 가까운 장래에 우리들의 삶은 결코 장밋빛 같은 인생을 보장받을 수 없는 것은 확실하니까. 런던의 도박사 놈들은 오를리 공항에 우리가 탄 비행기가 착륙한 뒤 한 시간 이내, 우리 애들 한 명마다 300g 정도 총알 세례를 받는다고 장담하면서, 우리 애들이 한 명씩 특수테러진압부대 애들한테 죽을 때마다 100파운드 돈을 걸고 도박 놀음을 시작하겠구나….

"가세."

우리는 일등석으로 다시 돌아왔다. 기관단총을 어깨총 자세로 메고 있었지. 우리 애들이 클레버 녀석의 한 손을 풀어놓고, 다른 한 손만 걸상에 꽁꽁 묶어 놓았지. 이 녀석이 먹거리와 마실 거리를 해결하고, 또 커피 한 잔과 레몬을 곁들인 마티니 한 잔을 마시는 것을 내가 지켜보고 있었지.

내가 옆에 앉으면서 "점심을 일등석에서 하신다? 당신은 정말로 행운아구나." 그러자 이 녀석은 내 말투에서 불길한 예감을 느낀다. 문지방에 서 있는 시몽 갈랭은 계속 클레버 표정만 살피고 있었다.

마티니 한 잔을 쭉 들이마시고 난 뒤, 그 잔을 탁자에 도로 올려놓으면서, 쉰 목소리로 "저는 일을 더 좋게 처리할 수도 있습니다만, 그건 그렇고 저를 도대체 어디로 끌고 갈 작정입니까?"

"파리에."

이 말을 듣자마자 이 녀석은 돌부처처럼 굳어버렸다. 아마 이 녀석의 생각으로는 바린고스 내에 있는 갱단끼리의 세력 다툼에 관한 일이거나, 혹시 거물급 인사가 비밀리에 개인 자격으로 자기와 접촉하고 싶어 하는구나! 그런 정도로 생각하고, 그럴 때 자기는 합당한 대가를 충분히 지급할 용의가 있다고 믿는데 얼토당토아니하게 청천벽력같은 파리행이라니… 이 녀석은 교활하면서도 사물을 꿰뚫어 보는 녀석임은 틀림없다. 그런 이유로 우리 애들이 지금까지 자기 몸에 손가락 하나라도 건드리지 않는 것을 보고는 자기를 데리고 오라는 우리들의 의뢰자가 자신을 거물급 인사로 취급한다는 것을 벌써 알고 있는 눈치였지. 이 녀석은 파란만장한 인생 속에서 지금까지 항상 자기 뜻대로 일이 모조리 다 이루어졌고, 아주 심한 폭풍우에서도 생존했고, 결코 수장되거나 침몰하는 일이 없이 칠전팔기 오뚝이 인생처럼 살아서 활개 쳤지. 그러나 지금 이 녀석이 가진 거라곤 주둥이뿐이고, 또 지금까지 악착 꾸러미처럼 일구어놓은 모든 영화가 한 줌 재가 되는 순간이었지.

이 녀석이 얼마나 놀랐는지 말조차 더듬는데 "파, 파리로 간다고요…?"

“판사 하고 검사 몇 분께서 당신하고 면담하고 싶다는구먼. 게오르그 클레버 네놈이 옛날 알제리에서 오 에이 에스애들과 함께 저지른 만행에 대해 그분들께서 조사하게 될 거요.”

내가 이 녀석의 진짜 본명을 이야기해 주자. 너무나 자기 자신을 속속 깊이 알고 있는 사실 때문에 충격이 이만저만 아닌 것 같다. 표정이 몇 초 동안 번갈아 가면서 바뀌는데, 흡사 영화 속의 필름 한 장면 같구나. 클레버 녀석 얼굴이 갑자기 확 늙어가는 것 같고, 입과 코 옆에 수심이 가득하구나. 얼마나 놀랐는지 눈깔 두 개에서 도깨비 같은 푸르스름한 빛이 반짝거린다. 입술은 무서움에 질려서 새파랗고, 심지어 파르르 떨고 있다. 이 녀석 표정에서 기절초풍하는 빛이 역력하구나. 내가 이런 표정을 직접 보지 못했다면 단 몇 분 만에 살아있는 사람이 이처럼 팍삭 늙어가는 몰골은 절대로 믿을 수가 없다. 전신의 힘조차 모두 쭉 빠져서 두 손도 제대로 가누지 못한다. 무슨 말을 하려고 하나, 알아들을 수 없는 옹알이 같은 괴상한 소리가 들려온다. 루버가 쟁반을 치우나, 무거운 침묵만이 계속 흐른다.

나한테 옛날, 잔혹한 근성이 다시 일어나자, 나는 이놈에게 정신적으로 더 많은 고통을 주기로 작정하고, 시몽이 언젠가 나한테 일러준 그 이야기가 생각난다.

알제리에서 폭탄테러 사건이 터지고, 오랑과 콘스탄티 하얀 담벼락이 산산이 조각나며, 낙하산 부대가 공격한다. 이런 장면을 나는 영화관이나 텔레비전에서 상세히 보았지. 시체들이 땅 위에… 기관단총을 잡은 이 클레버녀석이 헐렁한 군복차림을 하면서, 입가에는 잔인한 미소를 띠고 서 있었지. 그 당시 이 여인이 유치원에서 애들을 위해 도움이 역할을 하고 있었던, 까떼린을 이놈이 기억하고 있겠는가…. 사실 나도 실물로 그 여인을 본 적이 없지만 고통받고 있는 내 동료가 그 사진을 나한테 보여주었기 때문에 나 역시 그 여인을 내 마음속에 깊이 각인해 두었지.

내가 시몽한테 손을 내밀면서 "그 사진을 좀 보여주게나." 시몽도 내 의도를 알아차리고 자기 엄마 사진을 내 손에 쥐여주자. 그것을 클레버녀석한테 보여주며

"당신은 이 여자를 본 적이 있는가··? 당신이 기억한다면, 당신은 이 여인에게 무슨 짓을 했는가?"

이 녀석 눈깔 두 개가 미동하는 것을 보고 이 녀석은 이 여인을 아는 눈치였다. 이 순간 온몸이 사시나무 떨듯이 이 녀석은 그렇게 떨고 있었다. 내가 시몽한테 이 사진을 되돌려주면서 클레버한테 시몽을 똑바로 바라보도록 한 다음 "클레버, 이 젊은 친구를 자세히 쳐다봐! 몇 년 전부터 이 친구가 너를 찾아다녔어. 너도 대강 짐작할 테지만, 이 사람이 바로 아까 그 사진 속에 있는 여인의 아들이야." 지금 시몽은 손에 기관단총을 잡고 있었지. "클레버, 잘 들어! 이 친구가 너를 즉시 죽일 수 있는 거리까지 와 있어···!"

이 말을 하면서 나는 볼일을 다 보았다는 시늉으로 자리에서 일어섰지. 시몽은 클레버 녀석을 눈이 빠지도록 노려보고 있었다. 문 뒤에서 내가 루버한테

"시몽이 어리석은 짓을 못 하도록 자네가 들어가서 단단히 감시하게."

아래쪽에서 파드로니가 나를 찾으며

"대장님, 이 비행기에 승객이 190명이고 승무원이 8명입니다. 승객 중에 111명이 남자이고, 63명은 여자인데, 나머지 16명이 어린이입니다."

"수고 많이 했소. 30분 지나서 시몽이 무슨 짓을 하고 있는지 자네가 일등석으로 가서 살펴보게."

"대장님 분부대로 그렇게 하도록 하겠습니다."

알렉스하고 내가 기내를 한 바퀴 돌아보았다. 좌석 배치가 길게 늘어진 승객 사이로 우리가 돌아다니자, 모든 승객은 마치 못 본 것을 본 양, 그렇게 우리 두 사람을 꼴사납게 쳐다본다. 청춘남녀가

등에 가방을 메고 있고, 옷을 멋쟁이처럼 차려입고 있는 장사꾼 옆에 부인인지 애인인지 정확히 알 수 없으나, 다정히 앉아있고, 백발노인네, 또 가냘픈 여자애도 보인다. 화장한 여인네, 쭈글쭈글한 피부를 가진 여자, 인종전시장처럼 백인종, 흑인종, 황인종도 보이네. 한국 소녀가 우아한 한복 차림새로 앉아있고, 치아가 눈처럼 하얀 흑인이 즐겁게 웃고 있으며, 노리개, 보석, 온갖 종류의 시계가 반짝거린다. 저고리 속에는 돈과 수표를 넣어 둔 지갑이 분명히 있을 테고, 우리가 진짜 테러리스트라면, 지금 당장 우리가 승객들의 호주머니를 몽땅 강탈하겠지만….

우리가 제자리로 다시 돌아올 때쯤 파드로니가 저 멀리서 나한테 손짓하는데, 영 예감이 좋지 않구나.

"대장님… 브랑코가!"

갑자기 현기증이 나며, 사지에 힘이 쭉 빠진다. 브랑코 얼굴이 갑자기 내 앞에 어른거린다. 잠베지 강가에서, 파리에서, 또 바린고스에서도 레토리아 스트리이트에서 이 친구가 발목 관절이 탈구되어서 절뚝거리는 모습도, "데니, 자네가 나를 여기에 내버려 두지 않고, 끝까지 나를 구해주어서 정말로 고맙네." 하는 그 목소리가 생생하게 내 귓가에 맴돈다. '브랑코, 절대로 나는 이 비행기 속에 자네를 남겨두고 떠나지 않을 테다.'

내가 "브랑코가 아무 말도 하지 않는가?" 내 입술은 말랐고, 혀조차 나무토막 같다. 나는 갑자기 말문을 잃어버렸다.

"그는 지금 혼수상태입니다."

내가 화장실로 들어가면서 "여기에서 잠깐 기다리게." 내가 차가운 거울에 이마를 짓누르면서, 어쩌다가 이 지경이 되었는지, 거울 속에 비친 내 얼굴을 감히 쳐다볼 수가 없다. "브랑코, 브랑코, 그럼, 자네도 결국 그렇게 가는구나…. 우리 모두, 결국 자네처럼 그렇게 가야 하는가?…"

내가 찬물로 세수를 하면서 나 자신을 진정시켰지. 화장실에서 뛰어나오다가 때마침 내가 그 의사하고 정면으로 부닥쳤다. 이 의사는 브랑코 옆에 더 머무를 필요가 없었지만… 이 의사가 나를 한참 동안 노려보더니, 아무런 말도 하지 않은 채, 터덕거리며 내 시야에서 사라진다. 내가 심호흡을 깊게 하면서, 그럼 결국 그렇게 되는구나. 머베이도, 브랑코도 결국 다시는 건너올 수 없는 강을 건너고 마는구나. 우리 곁에서 오늘 저녁까지만 살아있어도…?

최소한 저녁까지만 살아있어도…? 치료 한번 제대로 못 받고, 우리 곁에 너무 오랫동안 머무르고 있었지. 파드로니가 다가오면서

“대장님, 시몽은 말 한마디조차 하지 않고 프랑코한테 총만 겨눈 채, 가만히 서 있습니다. 그 친구가 장승처럼 그렇게 서 있다가 몇 분 전에는 얼마나 슬피 우는지. 그런 식으로 프랑코 녀석에게 겁을 주고…”

“시몽을 나한테 데려오게.”

이 사내는 느림보 걸음걸이로 아래쪽을 향해 내려간다. 아까 30분 전, 이 친구가 브랑코하고 단둘이 이야기하도록 내버려 둔 뒤, 새삼 이 친구의 얼굴을 쳐다보고 오히려 내가 약간 놀랐다. 지금은 전보다 더 어른스러워졌고, 외모도 더 성숙해진 것 같다. 클레버 녀석을 직접 대면하고 난 뒤, 이 친구 역시 그놈처럼 그만큼 무서운 고통을 경험했구나. 잔인하게 죽어간 어머니를 꿈에서조차 그리워하면서 ‘연대장’ 직책을 가지고, 자기 졸개를 거느리면서 ‘살인’을 밥 먹듯이 했던 놈, 클레버 이 녀석이 우리 엄마한테 그 얼마나 숱한 고문을 자행했던가. 운 좋게도 이 저주받을 이놈이 내 코앞에 두 손이 결박된 채, 2m 바로 앞에 있구나. 솔직히 말해서 이 자리에 이놈을 그냥 즉결총살시켜 버릴 수도 있지. 또 이놈은 맨손인 데 반해, 나는 기관단총도 가지고 있는데….

이런 일을 저지르는 것은 시몽, 자기 자신에게도 너무나 잔인한 짓이다. 만약 시몽이 혼자 이 녀석을 잡았다고 가정하면, 그때에는 여지없이 이놈한테 총 쏘아 죽어버렸을 것이다. 사실 식인호랑이가

설쳐대는데, 그 누가 그냥 보고만 있겠는가.

또 시몽이 두려움에 떨고 있는 클레버를 보는 순간, 시몽 갈랭 역시 무서움에 떨고 있는 사실은 하늘도 모르고 땅도 모르고 오직 시몽 자기 자신만 아는 사실이지. 그래서 이 친구는 감정과 이성 사이에서 격렬한 투쟁이 벌어졌으나, 결국 이성이 이겼지. 그래 참자, 또 참자. 기관단총을 움켜쥔 손가락으로 격발하고 싶으나 머리에서 명령을 내리지 않자, 대신 방아쇠만 살짝 건드렸다. 그러다가 또 이 클레버 녀석이 우리 엄마한테 저지른 그 만행을 생각하면 할수록……

이때 참말로 내가 이성을 잃고 옛날, 무지막지한 맹수가 성을 이기지 못해 물불을 가리지 않는 것처럼 이 클레버 녀석에게 무자비한 총알 세례를 퍼부으니, 이 녀석의 몸뚱어리가 걸레 조각처럼 살덩어리가 이리저리 휘날리는데도 분이 풀리지 않자, 이 살덩어리를 내 발로 질근질근 밟는데…

내가 제일 먼저, 지금 이 순간에도 분을 못 삭여서 두 손이 부르르 떨고 있는 것을 보고, 여기 있지 말고, 다른 장소에 가도록 하자. 동시에 이 친구의 고통도 끝나게 해 준 데 대해, 오히려 나한테 고마워하는 눈치였다.

"젊은 친구, 진정하게." 내가 이 친구를 화장실로 데리고 가서, 찬물로 세수 좀 하라니까. 내 말 따라 세수를 하니 정신이 번쩍 드는 모양이다.

"데니, 제가 하고 싶은 대로 다 했습니다."

우리 두 사람은 숨을 깊게 들이마시며 의자에 나란히 앉았다.

검은 머리카락을 휘날리고 있는 가장 용감한 여승무원이 우리 두 사람보고 "점심을 무엇으로 하시렵니까?" 하고 물어본다.

'점심' 이라는 그 말을 듣는 순간, 죽기 직전에 본 브랑코의 창백한 얼굴이 떠오르자, 내 위장에서 심한 경련이 일어난다. 미안하지만, 지금 나는 식사할 마음이 별로 없습니다.

우리 두 사람만 따로 남게 되자, 내가 "사람들이 게라디를 신임하는지 그 점에 관해 우리는 흉금을 터놓고 이야기해 보세."

내가 이렇게 묻자마자, 시몽은 기다렸다는 듯이 "우리는 어쨌든 그분을 믿어야 할 것입니다. 그분은 우리한테는 별로 관심이 없지만, 클레버 이놈만 손아귀에 넣으려고 혈안이 되어 있을 것입니다."

내가 "나도 자네와 같은 생각일세. 그럼, 게라디 검사께서 일을 제대로 못 하게 방해 공작하도록 내 계획 일부분을 실행에 옮겨야 하겠는데."

시몽이 의아해하면서 나를 물끄러미 쳐다보며

"대장님께서는 벌써 어떤 계획을 세워놓고…?"

"그렇다네. 우리가 오를리 공항에 착륙하게 되면, 인질의 일부분을 석방할 작정이네, 구체적으로 말하자면 남자 승객 모두일세."

"왜, 하필 남자들만? 테러리스트 놈들은 항상 맨 처음에는 여자와 애들만 석방하던데요."

"그것이야말로 그들이 가끔 실수하는 것… 이렇게 하면 비행기 속에는 감시하기에 더 힘들 뿐만 아니라, 위협하기도 상당히 신경써야 하는 남자들만 남겨놓는 꼴이 되지. 그 반대 관점에서 한번 생각해 보면, 비행기에 여자나 어린이가 한 명도 없다고 가정할 경우, 테러진압 특수부대 요원들은 죽을 둥 살 둥 덤빌 것이고, 정부 당국도 납치된 비행기를 향해 공격명령을 쉽게 할 것은 뻔하잖아."

"대장님 말씀에 저 역시 동감입니다."

"그렇지. 우리가 남자들을 석방하는데 석방하기 전, 내가 남자는 절대로 이 비행기에서 석방하지 않는다고 기내 방송으로 알려 주겠지만, 그것은 내 연막전술에 불과하지. 자네의 경우는 남자를 석방하기 전 몇 분 앞서, 자네는 화장실에 가서 복면을 벗고, 본래 복장으로 옷을 갈아입고 승객과 뒤섞여서 나가도록 하게. 자네도 인질이 된 사람으로 행세하게. 승객들이 이 비행기에서 나갈 때, 내가 몇 분 동안 아수라가 판치는 무법천지로 만들어 놓을 테니…."

"다른 동료들은 내버려 두고, 저 혼자만 도망치고 싶지 않습니다.! 대장님은 승객을 석방한다는 명분으로, 저를 멀리 가도록 하기 위한 수작이 아닙니까?… 저는 대장님과 클레버 녀석을 여기 놔두고, 절대로 승객들과 함께 이 비행기에서 한 발자국도 벗어나지 않을 작정입니다."

"잘 알아들었네. 솔직히 말해서 게라디측 애들도 자네가 우리 일행에 합류하고 있는 것을 알기 때문에, 그들은 절대로 자네가 이 비행기에서 도망치는 것을 그냥 눈뜨고 쳐다보고만 있을 것 같나….나 역시 그 점을 골똘히 생각해 보고 내린 결론일세. 총알 방패막이로 승객 한 명과 함께 나가도록 하게! 비행기 뒷좌석에서 등에 가방을 메고 앉아있는 초라한 옷차림의 학생 몇 명을 나는 눈여겨보고 있었지. 이 친구 중에서 한 녀석 정도는 졸지에 파리를 구경하게 되어서 오히려 잘 되었다고 생각할지도 모르잖아. 하찮은 심부름해 준 대가로 낯선 승객으로부터 수백 프랑씩이나 자기 호주머니에 굴러들어오는데 그 누가 이 제안을 거절하겠는가…?"

아침 7시가 지나서 피에르 게라디는 오를리 공항에 도착하자마자, 그는 대뜸 공항의 보안을 책임지고 있는 장교와 연락해서 만났다. 그러자 이 장교가 게라디한테 텔렉스 전문을 보여주면서

"검사님께서는 바린고스하고 무슨 연관이라도?"

6시 10분과 6시 20분 사이 정체불명의 테러리스트로부터 케이프타운행 알바트로스 항공기 소속 보잉 747기를 공중 납치당했음. 이륙 전 쌍방간 격렬한 교전이 있었고, 목격자 진술로는 최소한 테러리스트 한 명이 크게 다쳤음 이라고 이 보안 장교가 전문을 모두 읽어준다.

"이 비행기에 탑승한 인원은 모두 얼마나 됩니까?"

"190명입니다. 승무원이 8명입니다만, 테러리스트 놈들 숫자는 알 수 없습니다만 추측하건대 최소한 4명에서 5명 정도 되는 것 같습니다."

"지금 이 비행기의 위치는 어디쯤 됩니까?"

"지금은 그 누구도 위치를 찾아낼 수 없습니다. 레이더망에 전혀 잡히질 않고 있기 때문입니다. 짐작하건대 대서양 상공을 날고 있을 것 같습니다. 케이프타운으로 날아가고 있지 않다는 것만은 확실히 말씀드릴 수 있습니다."

게라디가 무슨 말을 하고자 생각을 하고 있지만, 아직도 때가 아니라서 망설이고 있는 상태였지. 그저께 보고받은 전화 내용을 곰곰이 음미해 보는데 "우리는 화물을 싣고 내일 아침에 오를리 공항에서 그 화물을 전달하겠소."

게라디가 마른침을 꿀꺽 삼키면서

"저하고 함께 사장님을 좀 뵙도록 해주십시오."

공항 관계자가 즉시 게라디를 오를리 공항 사장님한테로 모셔간다. 이 사장이라는 작자는 왜소하고, 약간 독두같고 쾌활한 성격의 소유자 같구나.

게라디를 날카로운 시선으로 쳐다보자마자

"무엇 때문에 알바트로스 비행기 납치극에 우리를 끌어들였소?"

"추측해 보면 우리하고는 아무런 관련이 없습니다만, 납치범들이 비행기를 타고 파리로 오고 있다는 연락을 제 사무실로 연락을 해 주었기에 이렇게 여기까지 오게 되었습니다."

사장이 어깨를 들먹이면서 "사실 그렇다고 가정해 봅시다. 그래도 비행기가 하필 오를리 공항에 착륙한다는 그 자체가 이치에 맞지 않습니다. 이 테러리스트 놈들은 여기보다 르부르제 공항이 더 제격일 텐데요."

게라디가 "어쨌든 이 비행기가 이쪽으로 오는 것은 확실합니다." 보안 장교와 사장은 서로 물끄러미 쳐다볼 뿐이다.

"검사님, 검사님께서 진짜 하고 싶은 말씀은…"

게라디는 가슴이 철렁 내려앉았다. 그러나 이 두 사람은 어렴풋이 그 무언가를 짐작하고 있어도, 무슨 일이 벌어졌는지 내막을 일부분만이라도 알았으면 하는 눈치였다. 물론 이 두 사람의 협조 없이는 아무 일도 못 하지만 그렇다고 콩이네, 팥이네 모조리 까발릴 수가 없어 신중하게 처신해야만 되는 처지이었지. 이 사건에 관련된 자기 자신의 고유한 영역에 대해 너무 일찍 발설할 필요가 없다고 결론짓자⋯.

“두려움을 모르는 무장괴한 일당이 바린고스에서 오늘 오를리 공항으로 온다는 첩보를 저에게 알려주었소. 그놈한테 우리 정부가 그토록 탐을 내는 그 무엇을 가지고 있으니⋯ 그런 사실 때문에 제가 사장님께 협조를 부탁드리고자 합니다.” 게라디가 보안 장교에게 시선을 쳐다보며

“테러진압 특수부대 요원들을 총출동시켜 주시오. 비행기가 착륙하게 되면 이 친구들이 비행기 전체를 포위하고, 중요 인사만 제외하고, 그 외 사람들은 어떤 수단을 취해서라도 비행기에서 한 사람도 못 나오도록 비행기 문을 원천 봉쇄해야 합니다. 가능하다면 한 사람도 죽이지 마시길⋯.”

보안 장교가 “그럼 테러리스트 녀석들이 도대체 어떤 공작을 꾸몄습니까?”

게라디가 마른침을 꿀꺽 삼키면서

“제가 아까 말씀드린 바와 같이 이 일이 그렇게 마무리될 수 있도록⋯ 그럼 우리 세 사람은 머리를 맞대고 가장 효율적인 수단을 취해 보도록 지혜를 모아 봅시다.”

사장이 심각한 표정으로 머리를 설레설레 흔들면서 대뜸 “제가 본 견지로는 정치문제 같군요.”

게라디는 묵묵부답이다.

내가 조종실에 가 보니 짙은 커피 향 내와 가리개 틈에서 빛이 반쯤 새어 들어오고 있었다. 내가 들어가도 기장은 못 본 척하고 있고, 시몽한테 한 방 맞은 그 기사 녀석은 머리에 칭칭 동여맨 붕대를 매

만지다가 나를 힐끔거리고서 외면을 한다. 시몽이 문에 서 있으면서 기관단총 총구를 제복 차림의 조종사 친구에게 겨누고 있었지.

부조종사가 호의적으로 "대장님, 저희는 해안 쪽으로 접근하는 중입니다."

"언제쯤 우리가 오를리 공항에 도착하게 되겠소?"

"22분쯤 될 것입니다."

"그들에게 무전으로 호출하도록 하시오."

항법사가 파리관제탑 무전 주파수에 정확하게 맞추고 오를리 관제탑에 호출을 받아 몇 번씩이나 시도하자. 잠시 후 항법사가 기장한테 무언으로서 고개를 끄덕거린다. 이때 비로소 기장이 나를 쳐다보면서

"예, 기장이요. 이 비행기에는 아무런 이상이 없습니다. 머지않아 비행기의 연료가 떨어질 것 같습니다. 또 우리 비행기가 착륙하기 위해 비상활주로가 필요합니다. 잠깐 할 말이 더 있으니 기다려 주십시오. 비행기 납치범이 무전으로 직접 귀국과 교신하고 싶다고 합니다. 이상!"

"검사님…!"

게라디는 대형 유리 벽을 쳐다보면서 서 있었다. 전망대에서 허공을 보고 있으니 콘크리트 활주로에는 햇살이 쏟아붓고 있고, 공기가 열대지방처럼 파르르 소리 지른다. 오를리도 지금 여름철이지.

게라디가 바깥 경치에 심취하고 있다가 "뭐라고 하셨소…?"

이 더운 날씨 때문에 어린 시절로 되돌아가고 있었지. 참말로 그때, 얼마나 더웠는지 가만히 있기만 해도 몸에서 땀이 주르르 흐르는 살인 더위였지. 내가 울면서 이 세상에 태어난 곳도 남쪽이었지. 세상 물정을 깨우쳐 준 그 어린 시절은 내가 살아있는 동안 계속 내 기억 속에 남아있겠지.

피에르 게라디의 삶은 어쩌면 쉰 살, 예순 살, 아니야 여든 살까

지 계속된다고 한다면? 그리고 그다음은 결국…? 이 성취욕 때문에 이 사람은 오래 살지 못하겠구나. 내가 죽고 난 다음, 이 세상도 그 전처럼 똑같다고 그 누가 장담할 수 있겠는가? 태양은 변함없이 불타고, 도로에서 자동차가 쏜살같이 달릴 테고, 배는 항해하고, 꼬마 녀석들은 유치원에 갈 테고, 공원마다 청춘남녀가 모여 사랑을 속삭이고, 증권거래소에서도 사람들은 아우성치며 주식을 사고팔겠지만…. 이 모든 일이 나, 피에르 게라디가 사라져도 계속되겠지.

"검사님 말씀대로, 조금 전, 비행기를 납치한 그놈한테 직접 무선으로 파리 영공에 접근 중이라는 연락을 받았습니다."

게라디는 더 희고, 회색이고, 붉은 색칠에다 푸른 칠로 도색한 비행기 수십 대와 급히 달려가고 있는 자동차 몇 대가 보이는 활주로에서 고개를 돌리면서 '드디어, 올 것이 왔구나!' 속으로 중얼거리며, 연락을 취해준 이 남자 뒤를 따라간다.

사장실에 신경이 몹시 날카로워진 보안 장교가 앉아있는 것을 보자, 게라디가 인사도 하지 않은 채 "전문 내용이 무엇이오?"

사장이 "20분 지나면 그들이 여기 도착할 예정이고, 지금 저들은 벌써 마지막으로 비축해 둔 예비용 연료까지 사용 중이라고 합니다.

우리는 저들에게 착륙허가를 허락해야 할 것 같소이다."

"좋소, 그럼 사장님께서 직접 장관님과 통화하시겠습니까?"

사장은 지금 이 검사를 쳐다보지도 않은 채

"좋소, 장관님께서 이미 이 사건에 대해 알고 계시고, 그분께서 지시하신다면 우리는 어쩔 수 없이 그분의 지시에 순종할 수밖에 없지요."

게라디는 '이 사장 녀석은 이 일에 관여되길 아주 싫어하는 눈치'를 보이면서도 이 사장은 할 수 없이 나하고 싫든 좋든 같이 일해야만 되는 처지이지. 정부 측으로 볼 때, 이 오를리 공항에서는 이 사장만 유일하게 이 일을 완벽하게 처리할 수 있는 인물로 보기 때문이지. 아마 모든 일이 뜻대로 잘 되어 가길 내가 바라지마는….

보안 장교가 “제가 벌써 특수테러진압부대를 출동하라고 지시해 놓았습니다. 제1조 요원 스무 명을 2번 활주로 옆에 각각 배치해 놓았고, 제2조 애들은 헬리콥터를 타고 4분 후에 여기에 도착할 예정입니다.”

사장이 신경질을 내며 “눈치 못 채도록 하시오!”

검사도 즉시 “사장님 말씀대로 그렇게 해 주시오. 귀신도 눈치 못 채게 할 수 있다면 할 방법은 다 동원하도록 해 주시오.”

다부진 목소리로 사장은 “무장괴한이 탈취한 비행기가 얼마 남지 않은 연료를 가지고 착륙하기 때문에, 내가 소방서와 의료진에게도 연락을 취해야 합니다. 이런 경우에, 우리는 항상 그렇게 일을 처리해 왔지요” 게라디가 ‘이 녀석 말하는 것을 보니 자기 출세에 지장이 있을까 굉장히 염려하는군. 만일 이 사장 녀석이 사건 전모를 알게 될 경우, 나 자신도 내 장래에 대해 얼마만큼 먹구름이 질게 끼게 될…?’

12분 지나게 되면 공항에서는 예측불허한 일이 생기게 되겠군.

활주로 한 군데에 소방차 수십 대가 비상대기하고 있고, 병원에서 의료진을 태우고 구급차 수십 대가 이미 출동해서 이쪽으로 오는 중이구나. 경찰차 두 대가 본관 앞에서 대기하고 있고, 고가사다리를 탑재한 자동차와 물탱크를 실은 차, 여러 대가 다른 쪽에서 대기하고 있었지.

검사가 “우리 모두 관제탑에 올라가는 편이 어떻겠소?”

이런 경우에 관제탑에서 테러범과 무전으로 협상하는 것을 영화에서 본 기억이 나지… 사장과 보안 장교가 서로서로 눈짓하는데, 별것도 아닌 일을 가지고 그렇게 신경 쓰느냐? 하는 투로 나를 빈정거리는 것 같다.

사장이 자기 책상 곁에서 일어서더니, 무전기를 가리키며 “그렇게까지 과민반응할 필요가 있겠습니까? 이것만 가지고도 우리는 테러리스트 놈들하고 관제탑하고 아무런 지장 없이 충분히 이야기할 수 있지요.”

사장이 송신기를 작동시키면서 아주 청아한 목소리로 마이크에 입을 대면서

“여기는 통제소이다. 알바트로스 소속 항공기가 근접방향 레이더 화면에 출현하고 있다. 6분 후, 이 비행기가 착륙하게 된나. 우리는 이 비행기에 비상착륙허가를 내주어야 한다. 6천 미터 상공에 날고 있는 비행기 조종사가 고도를 적당히 낮출 수 있도록, 우리는 모든 비행기를 서쪽 상공에서 나가도록 조치해야 할 것 같다.”

“비행기 속에서 무슨 일이 벌어졌는지 귀국에서 말씀 안 하셔도 당국은 모두 수용하겠소.”

“승객 모두 무사하며, 건강합니다.”

“행운을 빕니다.”

전화기가 여러 대 있는데, 그중 한 대에서 소리가 들린다.

보안 장교가 수화기를 들자, 잠깐 의아한 표정을 지으며 게라디를 쳐다보며,

이 친구가 웬 사람과 통화하면서 “예, 그분은 지금 여기에 계십니다.” 그러면서 수화기를 게라디한테 건네주면서 “웬 사람이 검사님과 통화하고 싶다고 합니다.”

게라디는 깜짝 놀랐다. 내가 여기에 와 있다는 사실은 어떻게 알아냈을까? 법무부 소속 애 중, 극소수에 불과한데, 그런 생각을 하면서 귀에 수화기를 갖다 대자마자, 첫마디부터 법무부 소속 애들이 아닌 것을 알아낼 수가 있었다.

“당신이 바로 게라디 검사요? 그렇다면, 당신이 지금 무슨 짓을 꾸미고 있는지 잘 생각해 보시오! 우리는 지금 이 공항 여러 군데마다 애들 몇 명을 배치해 놓고 있소, 당신도 잘 아시다시피, 스카겐 친구들이지만…

당신께서 만일 우리 동료한테 문제를 일으킬 경우, 그렇게 되면 당신도 마찬가지로 오늘 저녁때까지밖에 목숨을 유지하지 못하게 될

거요. 그러기에 신중하게 처신하시오. 검사 나리!…”

그리고 일방적으로 수화기를 놓는 소리가 찰칵 들린다. 게라디는 하도 어이가 없어서, 아직도 귀에 수화기를 갖다 댄 채, 서 있다가 잠시 후, 수화기를 전화기 위에 살며시 제자리에 갖다 놓자.

보안 장교가 “불길한 소식입니까?” 게라디는 아니다는 표정으로 고개를 흔들어 보이면서 아까 통화한 그놈의 대화를 꼼꼼히 음미해 보았다. 그렇다면, 스카겐 이 녀석이 나보다 한 수 위인 셈이군. 또 이 공항에는 스카겐 애들이 도대체 몇 명이 있단 말인가…? 그럼 내가 지금 아까 전화질했던 그놈 말대로 그렇게 해야 하겠군. 그렇다고 내 심정을 그대로 노출할 형편도 못 되는군.

‘하다가 그만두겠지. 그렇고 말고 제풀에 지치면 그만두겠지.’ 내가 얼마나 용의주도한 인물이라는 것을 아까 그 친구들도 나중에는 분명히 알 테지. ‘현재 상황은… 아마 이 상황은 몇 분만 있으면, 전혀 다른 방향으로 변할 수도…’

모두 마이크에서 흘러나오는 관제탑 직원 목소리에서 “비행기가 육안으로도 보인다. 담당자는 이 비행기하고 계속 연락을 취하고 있으며, 지금 11시 방향으로 기수를 변경 중이며… 조종사가 1번 활주로 쪽으로 착륙을 시도하고 있고… 테러리스트들이 지금 이 공항의 최고책임자하고 통화하고 싶다고 무전으로 호출하고 있으며… 그 사람들은 사장님과 직접 통화하길 바랍니다.”

사장이 이 소리를 듣자마자 무전기 쪽으로 자기 의자를 끌고 가서는 “그럼, 나에게 연결하도록 하시오!” 게라디도 사장이 앉아있는 곳까지 따라가면서, 결국 이 순간이 올 것을 예상했지. 또 조만간 스카겐 목소리가 무전기에서 흘러나올 게 뻔하겠구나.

스카겐은 손에 송신기 마이크를 단단히 움켜쥔 채,

“알바트로스 항공기를 지휘하는 대장이다. 내 요구사항을 전달하겠다. 착륙하게 되면 우리가 탄 비행기는 본관 쪽으로 가지 않고 활주로 두 군데 있는 그사이에 우리가 정지하게 될 것이다. 반복한다. 알바트로스 항공기를 지휘하는 대장이다. 내 요구사항을 전달하겠다. 활주로 두 군데 있는 그사이에, 출입구 한 곳이 보이는 그곳에 착륙하겠다. 우리는 다른 비행기 운항에 지장을 주지 않도록 최선을 다할 것이며, 귀국 역시 지나치게 예민한 행동을 자제해 주길 바란다. 또 비행기가 멈춘 뒤, 비행기에서 2백 미터 근처에 한 사람도 얼씬하지 않도록 당부드린다. 만약 우리 비행기 곁에 한 놈이라도 접근할 경우 경고사격 없이 우리한테 총알 밥이 될 것이다. 급한 대로 이만큼만 요구…!"

더 말이 없고, 다만 송신기 끄는 소리가 찰칵 들려오는구나. 이때 이미 우리는 활주로 쪽으로 비행기 고도를 낮추며 내려오고 있었지. 제일 먼저, 대형 조명등이 수직으로 일정한 간격을 유지하면서 서 있는 것이 보이자마자 회색 콘크리트 활주로가 널따랗게 전개되더니, 어느새 우리 비행기가 눈 깜짝할 새 활주로에 착륙하면서, 너무나 빠른 속도로 우리 곁의 활주로가 훤하게 나타난다. 고도가 급강하하자 내 속이 울렁거린다. 비행기 조종사 모두, 이 순간 우리들의 존재조차 잊은 채, 안전하게 착륙하고자 심혈을 기울이며 비행기 조작에 열을 쏟는다. 시몽은 권총을 손에 꽉 잡은 채, 비행기 문턱에 기대서 있으면서도, 스타킹으로 얼굴을 가린 자기 흰 눈동자에서 빛을 발하기 시작하는구나.

무전기에서 "이 공항 사장이다." 이와 동시에 비행기가 무섭게 요동치기 시작하더니 위쪽에서 활주로 쪽으로 순탄하게 내려앉는 것 같다. 나는 조종사 의자 한 부분을 꽉 잡았지. 붉고 흰 점들이 우리 정면에 나타나고, 차 여러 대가 활주로 곁에 정지해 있는 것이 보인다. 이때 내가 입에 마이크를 갖다 대면서

"우리는 아무런 탈 없이 무사하게 착륙했다. 소방차와 구급차는 필요 없다. 당장 철수하라!"

사장이 "그렇게 하도록 하겠소." 이 순간 비행기가 더 빠른 속

도로 달리는 것 같더니 어느새 정지하는 느낌을 받았다. 조금 지나자, 날쌘 자동차 속도처럼 달리더니, 활주로 끝까지 거의 다 간다.

우리가 비행기 창문을 쳐다보니 또 다른 활주로가 보이자, 내가 기장보고 그곳을 가리키며 "저쪽으로!" 기장은 순순히 내 명령에 복종하면서, 서서히 속도를 줄이면서 왼쪽으로 기수를 돌린다.

몇 분이 지나자 우리는 비로소 널따란 이륙 장소 사이에 있는 좁다란 콘크리트 활주로에 도달하자, 주변은 풍경화처럼 그림물감으로 풀밭을 칠한 것 같고, 태양은 눈 부시고, 구름 한 점 없는 쾌청한 날씨구나. 나는 속으로 제발 비행기 앞쪽이 태양 정면으로 일치하지 말도록 빌었지.

"좋소, 바로 이곳이오!"

시몽은 자기 권총을 겨우 보일락 말락 할 정도로 감춘다. 비행기가 드디어 멈추었다. 비행기 시동 돌아가는 소리가 차례차례 멈추기 시작한다.

무전기에서 "여기, 사장이요. 당신의 목적이 도대체 무엇이오?"

내가 "당신과 타협하고 싶소." 그러자 아무런 응답이 없다가, 잠시 후

"이 친구들은 분명히 대화를 시도하겠지."

아니나 다를까 응답이 즉시 온다.

"당신은 어느 분하고 협상하고 싶소?"

"누구를 말씀하시는지요?"

내가 숨 쉴 틈도 주지 않고

"당신 외에도 누가 그곳에 있습니까?"

내가 게라디 이름을 첫 번째 바로 말하지 않고, 일부러 뻥 둘러서 물어보았다. 우리가 5일 동안이나 여기에 없었기 때문에, 그동안 파리에서 무슨 변화가 생겼을 수도 있을 테고, 그렇게 되었다면 우리는 그 점을 전혀 예상할 수가 없잖아. 어쩌면 게라디는 벌써 자신의 상관인 법무부 장관의 눈 밖에 나가 있을 수도 있겠구나?

"공항을 책임지고 있는 보안 장교 한 사람과 특별검사 한 분이 있습니다."

"그분의 성함은…?"

나는 일을 벌이기 전에 확실히 짚고 넘어갈 문제가 있었지. 게라디가 지금 사장 곁에 있는 것 그 자체 때문에 얼마나 많은 변수가 생길지 꿈엔들 생각해 보았겠나. 안 그래? 만약 사람들이 내가 어제 전화 내용에 관해 게라디에게 알려준 사실을 모르면…

"피에르 게라디라고 합니다."

내가 안도의 한숨을 쉬면서, 내가 시몽을 쳐다보며 일이 뜻대로 잘 풀리는 것 같다.

"우리는 그 검사하고 타협하고자 합니다. 친히 그 사람하고 보안 장교 두 사람이 함께 오도록 하며, 보안 장교가 직접 이동 고가사다리를 몰도록 하시오. 또 당신에게 경고하겠는데 그쪽에서 어떤 장난을 시도할 경우, 그때 우리는 승객을 대량학살하게 될 거요."

사장이 "승객을 어떻게 하실 작정입니까?"

"우리가 즉시 여기를 빠져나가게 될 경우, 절반보다 더 많은 승객을 밖으로 나가도록 하겠소. 그것이 우리들의 성의 표시인 동시에 담판 결과에 따른 시험대가 될 것이요. 내가 일이 잘 풀리면 무전으로 통보하면, 그때 당신은 버스 여러 대를 우리 비행기 쪽으로 보내도록 하시오." 그렇게 말하고는 무전 송신기를 끄고 시몽을 쳐다보며 "우리가 계획한 대로, 자네는 화장실로 가서 내가 지시한 대로 그렇게 행해라. 참 먼저 루버를 여기에 오도록 하게나."

몇 분 동안 기내가 조용하다. 조종사 모두 두 다리를 쩍 벌리고 가만히 앉아있었다.

내가 조용한 목소리로 이들에게 "무서워할 것 없소이다." 인정미 넘치며, 평상시처럼 내가 그렇게 말하면서 나 자신도 깜짝 놀랐다. 이 말을 듣고 난 후, 조종사 모두 나를 테러리스트의 지도자로 보지 않는 눈치였다. 동시에 이 조종사 얼굴에서 안도의 빛을 나타내는 것을 내가 처음 보았다. 우리는 이미 파리에서 도망칠 곳은 어디에도 없는 사면초가 신세이지만, 우리가 공항 지휘부하고 적당하게 타협이 잘될 경우, 한 두 시간 지나게 되면 우리가 이 친구에게 작별인사를 나누게 될 것 같은데. 내가 항법사의 얼굴을 쳐다보면서

"여기 계신 조종사 여러분에게 커피 한 잔씩 갖다 주라고 여승무원들에게 말하도록 하시오."

루버가 내 곁으로 다가오면서 근심스러운 듯 조종사들을 쳐다보며

"대장…?"

"자네가 저 친구들을 감시하도록 하게. 만약 저 중에 어떤 놈이라도 자네한테 덤벼들거든 즉시 총을 사용하게. 또 사장이 무전 연락을 나한테 해 오거든, 자네 소형무전기로 나한테 즉시 연락을 취해주게나."

"대장, 자네가 시키는 대로 그렇게 하도록 하겠네."

내가 조종사 문을 열고 밖으로 나가니, 주방에서 여승무원들이 북적거리고, 승객들의 불평하는 소리가 내 신경을 자극한다. 파드로니가 문 곁에 서 있었지.

"첫 번째 문을 모두 열면서 이상이 없는지 살펴보게! 만약 테러진압 특수부대 놈들을 발견할 경우 주저하지 말고 위협 사격 없이 총을 쏘게… 그러나 맛보기로 공중을 향해 조준하게!"

문을 열어젖히니 상쾌한 공기가 쑥 들어온다. 산들바람이 광활한 들판에서 숨바꼭질한다. 저 멀리 쳐다보니 비행기 여러 대가 내리고 뜨고 하는데, 마치 알루미늄 옷을 입고 있는 것 같은 커다란 새 몇 마리가 날갯짓하는데, 햇볕을 받아 반짝거리고, 마지막 소방차가 때마침 철수하는 중이다. 내 시야에는 한 사람조차 찾아볼 수 없고, 주변에는 푸른 잔디가 넓게 퍼져 있고 또 우중충한 콘크리트만 보인다.

알렉스가 한쪽, 파드로니가 다른 쪽 문을 지키고 있고, 나 혼자 승객들이 앉아있는 곳까지 가니 모든 시선이 나한테 집중된다. 이 사람들은 스타킹으로 내 머리를 뒤집어쓴 복면한 내 모습 하고 또

어깨총 자세의 기관단총을 보고 있지만, 나는 이 모든 승객 얼굴이랑, 눈까지 또렷하게 바라보노라니, 무서움에 떨고 있다는 것을 직감했다. 나는 절대로 테러리스트가 아니면서도, 지금은 부득이 진짜 테러리스트인 양 행세해야 하는 처지지. 내가 승객들이 앉아있는 한 중앙에서 이들을 마주 보며

"여러분, 조용히, 조용히 해 주십시오." 그러자 쥐죽은 듯이 조용하다.

"우리는 지금 파리 오를리에 있습니다. 이 공항 사장님과의 협정 여하에 따라, 우리는 단계적으로 승객 여러분을 석방 조치할 방침입니다. 제일 먼저 석방하는 승객은 남자 승객들만 이 비행기에서 나가도록 하겠습니다. 일어서서 제가 서 있는 옆에 줄을 차례로 서도록 하십시오… 남자 이외는 절대로 일어서지 마십시오!"

서로 먼저 일어나려고 아우성이다. 그 찰라. 내가 시몽을 쳐다보니, 때마침 와이셔츠를 입고 화장실 문에서 나오는 중이었다. 물론 머리에 덮어쓴 스타킹도 벗어 던지고 또 자기 총도 벌써 귀신도 모르게 숨겨 놓은 상태였지.

"지금 당장 이 남자만은 석방할 수 없어. 프랑스 관료는 더 여기에 머물고, 외국 사람들부터 맨 먼저 나가도록 하겠소…!"

보안 장교가 차에서 내려 걸어 나오고, 게라디가 느릿느릿 이 사람 뒤를 따라 나온다. 레이다 안테나 기지와 승객 이동용 고가사다리가 줄지어 서 있는 목조건물 몇 채 뒤쪽에 군복차림으로 손에는 각자 중무장한 채, 근육이 우람한 신체조건을 겸비한 사내들이 숨어 있는 것을 이 보안 장교만 아는 사실이다. 이 친구들이 소위, 특수 테러진압부대 요원들이지.

보안 장교가 이 부대 지휘관한테 "잠깐 여기서 대기하도록 하시오. 우리가 먼저 테러리스트 애들과 평화협상을 시도해 보겠소. 무조건 승객 일부분이라도 즉시 석방하도록 저들을 설득해 보겠소. 검

사님, 자 갑시다."

보안 장교가 승객 이동용 고가사다리에 부착된 나지막한 의자에 앉고, 게라디는 이 사다리 옆을 빙 둘러 가서, 맨 아래에 있는 계단에 선다. 콘크리트 위로 차를 전속력으로 몰고 있을 때, 게라디는 속으로 혹시 내가 저놈에게 노리갯감이 되지 않을까? 그 생각에 골몰하다 보니 날씨가 얼마나 뜨거운지 그것조차 전혀 못 느낀다. 스카겐 이놈이 위험한 놀이를 시작했을 테고, 또 스카겐 이 녀석이 이 월요일에 검사인 나조차 물고 늘어지는 물귀신 작전을 펼쳤는데, 정말 그렇게 되면 이 일이 영 꼬이게 되겠는데….

좁다란 콘크리트 활주로 위에 알바트로스 비행기가 푸른 풀밭 한가운데에 멈추어 서 있었다. 게라디가 비행기 타원형 입구를 쳐다보는 순간,

'저놈들이 우리 두 사람한테 총질을 하지는 않겠구나' 하는 생각이 불현듯 번쩍 떠올랐지. 2층쯤 되는 높이에 검은 스타킹으로 머리에 뒤집어쓰고, 복면한 사내 한 명이 문 곁에 서 있는 것이 보인다.

이 보안 장교는 확실히 여러 분야에서 모르는 것이 없는 다재다능한 녀석이 틀림없다. 이 장교가 고가사다리를 얼마나 잘 운전하는지, 아주 정확하게 보잉기 문 밑에 한 치 오차도 없이 갖다 댄다. 아니 귀신도 이만큼 잘하지 못할 것 같이 그처럼 운전을 능수능란하게 잘한다. 사다리를 튼튼하게 고정하고 게라디와 가까이에서 함께 계단을 걸어 나온다.

반쯤 자기 동료를 쳐다보고 있던 복면한 사내 한 명이 "거기 섯!"

분명히 그 순간 이 녀석이 옆에 있는 동료에게 주의하라고 경고하는 것 같다. 몇 분을 지루하게 그렇게 서 있다가 마침내 무장한 사내 한 명이 손짓하면서

"들어오시오."

입구 쪽에 복면한 웬 사내가 이 두 사람을 마중한다. 복면한 사내

두 명은 전문가답게 검사와 보안 장교 몸수색부터 한다. 이 비행기를 방문한 두 사람은 승객을 직접 마주 볼 수 없는 위치에 서 있었지만, 복면한 사람 중에서 웬 사내가 무전기로 자기 동료에게 승객을 태울 수 있는 버스를 비행기 쪽으로 오도록 지시하는 내용을 그때, 이 두 사람은 엿듣고 있었지.

심하게 이탈리아식으로 강한 말투를 쓰는 조그마한 체구의 테러리스트가 “일등석으로 올라가시오. 그곳에 우리 대장님께서 당신을 기다리고 있을 것이요.”

게라디가 맨 먼저, 그다음 보안 장교가 들어오는구나. 시몽하고 나는 얼굴에 스타킹으로 복면한 채, 위쪽으로 올라갔지. 마침 게라디 정면에서 우리 두 사람 얼굴을 감춘다는 것은 사실 무의미한 짓이지만.

이 검사가 위층으로 가다가 맨 먼저 죽은 브랑코 시신이 덮여 있는 것을 유심히 쳐다보고 몇 초 동안 안색이 변하고 있는 것을 내가 먼발치에서 그 광경을 보고 있었지.

검사가 “승객은 어찌 되었소?”

내가 “아무런 부상자도 없소. 오직 우리 동지 한 사람만, 당신은 죽은 그 사람이 누군지 알 수 없을 테니까.”

검사가 주위를 휘둘러보면서 “참, 그는 어디에 있소?”
내가 이 검사를 2층에 마련되어 있는 조그마한 응접실로 안내했지. 물론 내가 기관단총을 손에 꽉 잡은 채였지.

클레버하고 게라디가 만나는 장면을 내가 비스듬히 서서 지켜보고 있었고, 시몽은 뒤쪽에서 가만히 쳐다보고만 있었지.

클레버 처지에서 보면 이 검사가 생면부지인 것 같다. 자기가 볼 때는 이 낯선 이가 한낱 외국인에 불과하기 때문이지. 꽉 다문 입술하며, 돌같이 차가운 외모를 풍기는 이 사람은 벽 쪽으로 멍하게 시선을 돌리다가, 얼굴에 미소를 지은 채 클레버 앞으로 지나가는 사내가, 잠시 후 다시 한번 분노를 자제하려고 필사적으로 몸부림치고 있었지. 내가 클레버 녀석을 묶었던 밧줄 상태가 제대로 되어 있는지 손과 발을 재차 점검해 보았지.

그 찰라, 게라디 얼굴에 핏기가 갑자기 사라지고, 돌부처처럼 몸이 일시적으로 굳어지며, 겨우 제정신을 차리고 있는 것을 내가 언뜻 쳐다보았지. 이 검사는 클레버 출현에 기절초풍하는 것 같았다. 그러나 마른 침을 몇 번이나 꿀꺽 삼키고선, '연대장' 이라는 직책을 가지고 왕년에 잘 나갔든 클레버 녀석에게 시선을 고정시킨 채, 그저 멍하니 쳐다보고 있구나.

이 말없는 시간은 모두에게 굉장히 어색하였다. 보안 장교는 영문도 모르는 채, 첫 번째 검사를 쳐다보고 그다음에는 나를 살펴본 후, 우리 두 사람이 이미 안면이 있는 사이라는 것을 그제야 눈치를 챘다.

보안 장교가 "도대체 이 사람이 누구입니까?"

내가 "오 에이 에스를 창설한, 아주 잔인한 우두머리 몇 놈 중, 그중의 한 녀석이며, 계속 도망 다니고 있는 전범자, 게오르그 클레버라는 작자이지요."

내 대답 소리 때문에 게라디가 정신을 번쩍 차리고는 나에게 밖으로 나가자는 시늉을 하자, 우리 두 사람은 일등석에 마련되어 있는 조그마한 휴게실로 나갔다.

내가 비아냥거리며

"검사 나리, 아마 이 마실 거리는 당신을 위해 준비해 둔 것 같습니다. 내 생각이 정확하다면, 당신께서는 아마 매우 흔한 마티니 한 잔이 생각나실 테지요."

그러자 내 말에 성질을 불끈 내며 나한테 대들길 "잘못 알고 있소! 당신은 지금 무슨 짓을 하고 있소. 가엾은 친구! 당신은 아무도 모르도록 조용하게 클레버를 파리로 데려오겠다고 우리 두 사람이 약속했지 않았소!"

내가 냉소적으로 "검사 나리, 우리 두 사람이 약속한 사항을 나도 아주 정확하게 기억하고말고요. 그러나 우리가 살아서 돌아오는 방법에 관해서 일언반구도 없지 않았소. 당신은 나에게 단지 클레버만 데리고 오라고 하지 않았소. 그러나 우리가 바린고스에서 신속히 철수해야 하는 처지가 되고 말았소. 그쪽 경찰과 클레버 애들이 우리를 계속 추적하고 있었고, 바린고스에서 파리행 비행기는 오늘도, 내일도 없는 관계로, 불가항력으로 우리가 이 비행기를 납치할 수밖에 없는 사면초가였지요…. 당신은 이해가 될지 모르지만, 심지어 소형 발동기선을 타고 바다를 건너올 생각까지 했소.”

검사가 자기 머리카락을 쥐어뜯으면서 “하지만 당신은 왜 하필 나까지 이 일에 말려들게 하는가 말이요!”

보안 장교가 안절부절못하는 검사를 지켜보고 있고, 나 역시 사실 그대로 이야기해도 화가 난다. 우리 두 사람이 처음 만났을 때, 그 당시 이 검사는 너무나 침착한 사람인데, 어쩌다가 이 지경이 되었는가? 이 친구 신변에 말 못 할 어떤 기류가 흘렀는가…? 아니면 배후에 있는 고위층이 벌써 이 친구를 일회용 반창고로 생각하고 헌신짝처럼 차버렸는가? 무엇 때문에 이 친구가 그렇게 고뇌하는지?

특수테러진압부대 요원에게 행동 개시를 알리는 경보가 발령되자, 이 친구들이 즉각 비행기 주변에 진드기처럼 착 달라 은폐하고 있다. 모든 승객하고 이 비행기의 승무원 모두 테러리스트들한테 납치되어서 여기에 불시착했다는 것을 알고 있었지. 테러리스트들이 바린고스에서 알바트로스 소속 비행기를 납치했다고 통신사 모두 이미 보도하고 있었지. 머지않아서 왜 테러리스트들이 이 비행기를 납치하게 되었는지 동기를 상세히 알게 되겠지.

그때 복면을 벗고 시몽이 다가오고 있자, 때마침 보안 장교가 승객들은 모두 아무 탈 없이 잘 지내고 있다는 것을 확인하고자 이 자리를 떠난 상태였지. 게라디와 시몽 두 사람은 서로 얼굴을 번갈아 보자, 검사가 갑자기 안도의 한숨을 쉰다.

시몽이 “아버지, 그동안 별일 없었습니까?”

“네가 살아서 돌아오다니, 정, 정말로 기쁘구나…”

게라디가 얼굴색이 변하면서 신음을 내더니, 브랑코 시체를 가리키며 "내가 이 비행기에 올라와서 첫 순간에, 이 덮개 밑에 네가 숨어 있는 거로 내가 생각했지."

나는 하도 어이가 없어서 숨도 제대로 쉴 수가 없었다. 정말로 귀신이 곡할 노릇이지, 세상에 이런 변이 다 있나! 그럼 이 시몽의 진짜 이름은 갈랭이 아니고 게라디란 말씀이군. 또 이 친구가 그렇다면 이 검사의 아들이라고. 나는 벌어진 입을 다물지 못했다. 연기가 정말 훌륭해… 까떼린은 이 검사의 아내일 테고, 그럼 이 검사는 자기 아내의 복수를 위해서 국고로써 다른 대륙의 사람을 납치해 오도록 우리한테 밀령을 내렸단 말인가?…

내가 잘못 생각하고 있을 거다. 절대로 내가 잘못 알고 있겠지. 어쩌면 이 검사를 존경의 대상으로 삼아야 할지도 모르겠다. 이 친구는 심지어 자기 아들도 호랑이굴 속까지 보내는 일을 서슴지 않고 하지 않았는가. 하지만 이런 일을 처음 당하고 보니 게라디의 교활한 참모습을 나는 비로소 알 수 있게 되었지. 사실은 나 같은 전문가가 필요하나, 나와 다른 애들은 절대로 믿을 수가 없고, 오직 자기 아들인 시몽만 진짜 믿을 수밖에 없다 그 말씀이군. 그럼 우리는 내내 시몽의 손아귀에서 놀아난 꼴이 되었군?

이 뒤죽박죽된 상태에서 이 검사를 어떻게 하면 도와주고 싶은 그 방법 외에는 별 뾰족한 수가 없겠구나. 나도 진심으로 이 부자 모두 살릴 수 있는 묘안이 있으면 좋겠다. 그러나 현재 이 응접실의 분위기가 너무나 무거워서 금방이라도 폭발할 것 같은 예감이 든다.

보안 장교가 되돌아오자, 상황이 매우 급하게 돌아갔다. 나도 처음에는 영문을 몰랐지만, 나중에 가서 무슨 일이 일어났는지 알았지만, 게라디와 시몽은 전혀 모르는 낯선 사람으로 행세한다. 이 두 사람의 비밀은 나만 알고 있는 사실이지.

내가 "침착하게! 지금 우리 애들이 내 계획대로 일을 차근차근 진행하고 있소. 승객들이 서로 먼저 나가려다 부딪히지 않도록 신경 쓸 것이고 또 그들을 석방하며, 당신은 클레버를 데리고 가는 대신, 나에게 돈을 주면 될 것이고, 그러면 각자 집으로 가게 될 테니까요."

게라디의 심기가 몹시 불편한 듯 "그것은 이미 불가능한 일이요. 이미 너무 때가 늦었소! 당신이 비행기를 납치한 사실은 삼척동자도 다 아는 사실이요. 우리가 스카겐, 당신 발밑에 붉은 양탄자를 깔아주고 기자회견이라도 자청하려고 그렇게 생각하시오?"

나는 지금 보안 장교를 쳐다보며 "천만에, 하지만 당신은 기자들이 여기에 발붙이지 못하도록 확실히 영향력을 행사할 수가 있지요. 비행기 승무원 모두가 여기에서 무슨 일이 일어났는지 다 알고 있는데 그것조차 모두 입 막을 수는 없겠죠….

게라디 선생, 당신께서 국민의 눈코를 모두 가리고 싶으면, 정녕 그렇게 하시오. 나 역시 조용히 이 일을 매듭짓고 싶으니까요."

게라디가 "특수테러진압부대 요원들이 이 비행기를 공격할 텐데도 괜찮겠소?"

아니야 이 검사 녀석이 나한테 겁주려고 하는 소린가?

내가 딱 부러지게 못 박길 "그 친구들은 절대로 그런 짓 못 하게 될 거요. 장관에게 전화 한 통만 걸면 당신의 일을 방해하게 될 것이고… 두 번째 이 일이 깨끗하게 마무리될 때까지 이 비행기 속에는 여자와 어린이들이 계속 남아 있을 테니까요."

"여자하고 애들을…?"

내가 이 두 사람을 보고 창문을 가리키며 "창문을 쳐다보시오." 밑을 내려다보니 이동 고가사다리 옆에 마침 마지막까지 남아있던 남자 승객들이 차 속으로 들어가는 것이 보인다. 또 우리 모두 승객 쪽으로 총부리를 겨누고 있는 알렉스도 보고 있었지. 버스 두 대가 벌써 출발했고, 출발하지 못한 버스 2대도 비행기 옆에 아직도 주차해 있었다.

내가 "남자 승객이 백 열한 명이나 되지요."

"그럼 여자 승객은?"

내가 보안 장교 쪽을 쳐다보며 “여자 쉰 세 명하고 애들 열여섯 명이 아직도 비행기 속에 앉아있지요. 만일 저 친구들이 우리에게 공격할 경우, 여기, 이 비행기에 남아있는 승객 모두 살 수 있다고 그 누구도 장담할 수 없지요.”

게라디 이마에 식은땀이 줄줄 흐른다.

“스카겐, 당신이 정말 나를 협박하는 거요.”

“천만의 말씀을. 나는 지금 허기에 지쳐 있소.”

이 두 친구가 전혀 이해가 안 되는지 “무슨 말씀입니까?”

벌써 열한 시가 다 지나갔다. 나는 늘 하던 버릇대로 정각 열세 시가 되면 으레 중앙통 아늑한 음식점에서 점심을 즐겼지. 파리를 떠나온 지가 벌써 5일이나 되다 보니, 옛날 버릇이 다시 살아나는지 프랑스 먹거리가 얼마나 먹고 싶은지… 그럼 한 시간 반이 지나게 되면 나는 모든 일을 제쳐두고 분위기 좋은 장소에서 맛있게 점심을 들고 있을 텐데.

“스카겐, 당신은 진짜 테러리스트가 다 되었군요.”

“검사 나리, 단지 심부름하는 테러리스트에 불과하지요.”

검사가 내 암시를 알아차린다. 그리고는 이놈이 감히 나한테 협박을 다…?

우리 두 사람은 긴장한 채 속셈을 알아차려 보려고 서로서로 불꽃 튀는 눈싸움을 계속하다가, 마침내 게라디가 클레버 쪽으로 되돌아간 뒤

“이 친구를 풀어주면 우리가 데리고 가겠소. 참 당신이 생각하고 있는 계획이 있다면 말해 보시오?”

지금 나는 진짜 성깔을 내며 “당신 눈에 내가 바보로 보이시오. 당신은 클레버를 절대로 못 데리고 나갈 거요. 우리 두 사람이 처음 약속한 대로 돈을 받고 또 우리 신변이 안전하게 삶이 보장되는 교환조건일 경우에만, 그때 우리는 꼭 프랑스 정부에 이 클레버를 넘겨주겠소!”

게라디가 입술에서 피가 나도록 깨물고 있다가 보안 장교 쪽을 쳐다보며

“갑시다. 사장에게 되돌아갑시다. 그럼 나도 장관에게 전화를 걸어야 하겠군.”

내가 게라디 뒤통수에 “결과만 나한테 알려주시오!” 꽥 고함질렀다. 시몽은 몸 둘 바를 모르고 내 곁에 서 있었다. 만약 이 친구가 아버지하고 나 사이에서 한 군데만 선택받으면 이 친구는 어느 편에 가서 서 있을까? 기분 좋게도 이 친구가 내 옆에 서 있구나. 그러나 진심 어린 우리 두 사람 우정에서 나온 행동이 아니란 걸 나도 알고 있었지. 시몽은 클레버를 남겨두고 자기 혼자만 절대 가지 않기 때문이지. 또 자기 아들조차 우리 편에 있는데, 이를테면 특수테러진압부대 요원에게 우리보고 사살 명령을 내리는 어리석은 짓을 게라디 역시 할 수 없을 테니까. 물론 이 세상에서 이보다 더 나쁜 짓을 하는 몰상식한 놈도 있지만.

내가 창문을 쳐다보니 승객용 이동 고가사다리가 철거되고, 저 먼 곳에서 아물거리면서 사라진다. 풀밭이 너무나도 파랗고, 콘크리트 활주로 모서리마다 귤색 조명등 수십 개가 땅 위에 우뚝 세워져 있었다.

내가 고개를 돌리니 클레버가 아무런 말도 하지 않고 다만 나를 물끄러미 쳐다만 본다. 우리가 파리로 비행기가 날고 있다는 사실을 알고 난 후부터 클레버는 일체 말문을 닫았다. 그리고 지금 우리 두 사람 모두 정확하게 이곳, 파리에 와 있었지. 이 친구도 창문을 통해 오를리 공항 본관을 쳐다보면서도 내내 침묵으로 일관한다. 그러나 가끔 우리 두 사람은 서로서로 눈만 마주칠 뿐이지. 클레버 이 녀석의 몰골을 쳐다보니 어제 오후보다 오늘 이 순간 십 년이나 더 폭삭 늙어버린 것 같다. 서로 눈싸움을 하다가 결국 내가 졌다.

시몽은 포로가 된 클레버를 더 보지 않으려고 등 돌리고 서 있기에

“가방 메고 있는 룩셈부르크 남학생에게 내가 쓴 이 편지를 갖다

주게.”

“대장님 생각으로는 이 계획이 성공할 것으로 믿습니까?”

내가 “당연히 성공하고 말고, 나는 게라디가 떠나기 전에 했던 말과 이곳에 도착해서 한 말에 상당한 괴리가 있다는 것을 확실히 알아챘지. 자네가 게라디의 혈육인데도 불구하고, 자기 아들에게도 모든 사실을 숨기는 비정한 아버지 모습을 보였지만… 게라디의 희망 사항은 무엇이고 하면, 우리가 아주 은밀히 프랑스로 클레버를 데려왔으면 했고, 또 만일 자기 일에 우리가 짐이 되면, 그는 우리 모두를 몰살시키라고 그렇게 명령할 피도 눈물도 없는 그런 인간이지. 다만 자네는 제외할 테고… 하지만 재수가 없게도 우리가 비행기를 납치해서 여기로 올 줄은 꿈도 못 꾸었고, 또 우리들의 선한 행동에 굉장히 당황한 눈치였지. 이렇게 되므로 자기가 미리 짜 놓은 모든 계획이 수포가 되었지.”

시몽도 치가 떨려서 “참말로 그런 것 같습니다.”

“이 사건이 쥐도 새도 모르게 감쪽같이 끝마무리 되길 자네 아버지께서도 학수고대했겠지. 아마 지금 자네 아버지께서 검사직책으로서 손수 이 사건을 해결하고자 외국까지 가서 사람을 불법으로 납치해 오도록 국고금으로 우리를 고용했다는 사실을 나중에 그 누구한테도 발설 못 하도록 나와 우리 애들을 모두 죽이려고 계략을 꾸미고 있을지도 모르지…. 또 지금 내가 보기에 법무부 장관 역시 이 모든 계획을 소상히 알고 있는 것이 확실하네. 어쩌면 처음 이 계획을 꾸밀 때부터. 다시 말해서 자네 아버지는 우리를 한낱 도구로만 취급할 따름이지. 그래서 생각하다 못해 3만 프랑으로만 모든 일을 꾸밀 수 있는 적임자를 고른 걸세. 아주 단순하게 생각해 보니 게라디가 우리를 속인 거지, 자네는 인제야 모든 것을 이해하겠는가? 또 우리 중에서 살아서 돌아올 수 있는 사람은 아무도 없다는 것조차 미리 짐작했지. 만일 누구라도 살아있다는 것을 알게 되면, 이를테면 틀림없이 비밀경찰 비호 아래 살아있는 사람을 모두 살해하려고 계획을 세워둔 거지. 특별검사나 비밀경찰 모두 한통속이라는 것은 뻔한 사실이잖아. 돈은 벌써 챙겼을 테고, 국고에서 우리한테 주기로 한 돈을, 우리 대신 그 친구들이 똑같이 사이좋게 나누어 가질 테지. 자신들이 해야 할 일을 우리보고 하게 한 다음, 이름 모를 어촌이나 항구에서 전광석화처럼 우리 모두 사살하기로 말일세. 하지만 일이 우습게 꼬여서 이 친구들 의도와는 전혀 딴판이었지. 비행기 타고 파리로 직접 날아들자 운 좋게도 그 친구들보다 먼저 기자녀석들이 우리 일에 냄새를 맡았지. 우리가 비행기를 납치하게 된 것이 우리한테는 오히려 전화위복이 된 셈일세."

"지금까지 말씀이군요."

"지금까지는 그래 맞네. 다음에는 어떻게 될지 나는 전혀 예측할 수가 없네. 지금 게라디와 배후의 실력자들도 진퇴유곡에 빠졌겠지. 지금 그 친구들이 시기를 놓쳤기 때문에 먼 곳에서 우리를 총 쏘아 죽일 수는 없는 이유는 이미 수많은 사람이 우리가 파리에 도착했다는 사실을 알고 있기 때문이고, 정부 당국도 클레버가 너무나 이용 가치가 있는 인물이기에 수단과 방법을 가리지 않고 클레버를 손에 넣으려고 용을 쓰는 중이고 또 현 정부는 우리가 전범자를 응징하고자 남의 나라까지 쫓아가서 잡아 왔다는 사실을 전 세계에 대서특필하고자 일을 꾸미고 있을 테니까."

"정치인들은 이 사건을 당리당략으로 이용할 테고요."

"그렇고 말고, 모든 놈이 다 그 나물에 그 밥이지. 선거철이 임박하자, 대기업들도 또 그놈들 편에 서서 알제리 대규모 유전가스공사를 발주하게 되었지. 아마 지금 모든 사람의 관심거리는 클레버가 살아 돌아와서 여기 머물고 대신 파리로 클레버를 데리고 온 테러리스트들 모두 사라졌다고 대서특필하고 있겠지만… 시몽, 잘 듣게, 만약 우리가 이 일을 제대로 처리 못 하게 될 경우, 아마 가공할만한 이 정부의 어떤 조직이 우리를 박살 내려고 할걸세!"

"맞습니다. 그렇다면 우리는 진짜 테러리스트 놈들처럼 계속 그런 흉내를 내면서 연기를 꾸며야 하겠습니다. 사람들이 우리한테 강한 지지를 보내면 우리가 여기에서 살아남을 수 있지만, 그 반대로 우리에게 돌팔매질을 하면 끝장이겠군요."

하면서 시몽이 힘없이 말한다.

"자네 지적이 맞네. 어떤 검사 말 한마디 때문에, 우리가 사람도, 비행기도 납치했다고 하면 그 말을 누가 믿겠는가…"

내가 다시 한번 창문을 쳐다보니, 너무나 아름다운 태양이 자태를 뽐내고 있구나. 한편 비행기 주변에 방탄조끼를 입고, 완전군장을 한 특수테러진압부대 요원이 은폐하면서 몇 분도 채 안 되어 카빈총 총구에 불을 뿜으면서 우리를 향해 집중포화를 퍼붓겠고 또 한순간 연막탄을 떨어뜨려서 내 시야를 볼 수 없도록 암흑천지로 만들 수도 있겠지… 그러나 네놈 뜻대로 잘 안될 걸 하면서 나는 고개를 설레설레 흔들었지.

내가 혼자 중얼거리면서 "지금 이 모든 일은 마리의 솜씨 여하에 달려 있지!"

마리는 출구 7번에 서 있으며, 붉은 여름철 옷을 입고 있으니, 뭇 사내들이 힐끔힐끔 쳐다본다. 늘씬한 다리와 쭉 빠진 외모 때문에 많은 사람이 가끔 마리를 쳐다보고는 침을 질질 흘리고 있었다. 널따란 맞이방인데도 불구하고 발 디딜 틈도 없이 인산인해를 이루고 있었다. 맞이방에 설치된 확성기에서는 쉴 새 없이 착륙 또는 이륙하는 비행기 상황을 알려주고 있었다. 황인종, 백인종, 흑인종 등 여러 부류의 여행객들이 삼삼오오 짝을 맞추어 왔다 갔다 하고, 공항 소화물 담당 직원 몇 명은 이동용 여행 가방을 끌면서 가고 있었지.

마리가 옛날 친위대 요원이었던 넝치 큰 벨기에사람을 우리 일을 도와주도록 이 오를리 공항으로 오도록 했는데, 때마침 그 사람이 군중 사이에서 걸어 나온다. 이 친구가 조심스럽게 주위를 살피고 난 뒤, 마리에게 다가오면서

"이 옥상에서 쳐다보면 비행기를 똑똑하게 쳐다볼 수 있겠습니

다. 승객들이 버스 4대에 분승해서 이쪽으로 오고 있는데, 그들 모두 남자 승객들뿐입니다."
그때 벌써 20분이 거의 다 되었지. 지금 사내 두 사람이 이동용 고가사다리를 타고 비행기가 있는 쪽으로 떠나는 중인데, 그중 한 사람은 제복을 입고 있었지.

"수고했습니다. 선생님께서는 이 근처에 머물도록 해 주십시오."

이 두 사람은 따로따로 약간 떨어져서 기다리고 있었지. 숨 막히는 몇 분이 지나갔다. 이 순간에도 사람들의 행렬은 끝도 없이 계속 지나간다. 잠시 후, 곱슬머리 짧게 한 19세가량 되어 보이는 남학생 한 명이 눈에 띄는데, 자세히 살펴보니 반바지 차림에 여행용 구두를 신고 있었다. 이 학생은 사람들 사이에서 무엇을 찾는지 두리번거리고, 또 위쪽에 쓰인 출입구 번호를 찾으면서 내 곁으로 다가오더니, 내가 붉은 옷을 입고 있는 여자라는 사실에 멈칫 놀라면서도 반가운 기색을 하면서…

"마리 아가씨입니까?"

"예, 제가 마리입니다."

"**바르텔리** 선생님께서 아가씨에게 이 편지를 꼭 좀 전해달라고 부탁했습니다. 아시다시피 저는 조금 전에 석방된 알바트로스 항공의 승객 중 한 사람이었지요. 그 외 나머지 승객들은 비행기 속에 아직도 남아있습니다."

마리는 바르텔리 선생님을 한 번도 본 적이 없는 인물이지. 그렇다고 얼굴에 나 그 사람 모르오 하고 내색할 수가 물론 없지. 마리는 봉투에

"마리에게, 출구 7번, 붉은 옷. 이 편지를 전해주시는 분에게 500프랑을 지급 좀 해 주시오" 라고 쓰인 낯익은 필체를 보았다.

마리가 이 젊은 남학생에게 500프랑짜리 수표 한 장을 주면서 "선생님, 저는 선생님의 친절 덕분에 몸 둘 바를 모르겠습니다. 부디 파리에서 즐거운 여행을 하시길 진심으로 바랍니다!"

이 학생이 천진난만한 웃음을 지으면서 “고맙습니다! 사실 저는 케이프타운으로 여행 좀 해 볼 참이었는데…” 그러면서 떠나가자. 벨기에 사람인 전직 친위대 요원이 군중 속으로 사라질 때까지 이 젊은 학생을 보호하면서 배웅해 준다.

마리가 편지봉투를 뜯고, 첫 줄만 읽어보고는 즉시 벨기에인 보고 손짓을 하며

“차 있는 곳으로 갑시다.”

주차장 안에 세워둔 차 속에서 마리는 편지 내용을 전부 읽고 난 뒤, “시내로 차 타고 가다가, 적당한 곳에 차를 세워서 전화 한 통화 해야 하겠습니다.”

공항 사장은 불쾌한 심기를 억누르면서 귓속말로 보안 장교 보고

“쥐새끼 같은 놈들, 정말로 더럽게 놀고 있네.”

이 특별검사가 내가 하는 소리를 듣게 되면 서로 얼굴만 붉히게 되니까. 그러나 다행스럽게도 지금 게라디가 때마침 장관하고 직접 전화상으로 이 일에 관해 대책을 논의하는 중이었지. 전화 통화를 끝낸 이 검사는 갑자기 온종일 피죽 한 그릇도 못 얻어먹은 사람으로 변했다. 얼마나 긴장했는지 하얀 손수건을 꺼내서 얼굴에 흥건한 땀방울을 닦는다. 왜 이다지도 날씨까지 덥나.

“장관님 말씀은 우리가 산채로 클레버를 테러리스트 놈들한테 인도받아야 한다고 거듭 강조하셨소.”

“그럼 우리가 저놈들 지시대로 순순히 응해야 한다는 말씀이군요.”

“저는 약간 다른 견해를 가지고 있습니다. 장관님께서 말씀하신 의도는 우리보고 이 사건에 대해 전권을 행사하면서 끝까지 깨끗이 마무리하라는 것 같습니다. 하지만 결과에 따라서 나중에 아마 우리한테 훈장을 받게 하던가, 아니면 좌천시키거나, 심지어 모든 직책을 파면시켜버릴 수도 있겠지요…!”

보안 장교는 오늘 아침 근무하기 시작할 때부터 예감이 영 좋지 않았다. 밤에 두통 때문에 밤잠도 설쳤어. 아침에 의사한테 그 사실을 이야기해서 오늘 하루 결근하고 푹 휴식을 취했더라면… 지금 나는 이 더러운 정치 음모에 말려들지 않았을 텐데.

사장이 게라디를 노려보며 "어떤 의미로 봐서 당신도 책임이 있군요. 우리는 테러리스트 놈이나 장관하고 서로 절충점을 찾아서 타협할 수 있다면 당신이 시키는 대로 그렇게 하겠소."

이 검사가 번개처럼 번쩍 떠오르는 생각에 '놈들 모두 책임질 일에 대해서 꽁무니는 잘도 빼고 있네' 동시에 '이 사람들과 입씨름해 봐야 아무런 소득이 없겠구나. 만약 이 공항의 모든 직원이 나를 총지휘관으로 알아주는 것이 어쩌면 나한테 더 유리할 수가 있겠는데. 그렇게 되면 내가 이 사건을 신속하게 처리하게 되겠구나.'

게라디가 마침내 입을 열면서 "우리 계획 중 제 일 단계는 승객을 전부 승박시킨 다음, 비행기 속에 있는 전범자 역시 신속하게 인도받은 다음에… 그렇게 하려고 모든 수단을 마련해서라도 우리는 강제적으로 비행기 안까지 진입해야 할 것입니다."

사장이 게라디가 말하는 중간에 끼어들면서 "아니면 테러리스트 놈들과 협상한 다음, 그들이 자발적으로 비행기에서 철수하도록 하는 방법이겠군요."

보안 장교가 반대의견을 내놓으며 "공격하는 것은 위험천만한 발상인 것 같습니다. 테러리스트 놈들은 200m 조금 더 되는 곳에서도 사람들을 정확하게 맞춰 총을 쏠 수 있는 명사수들이니까요. 그 계획은 다시 생각해야만 됩니다."

검사는 생각에 생각을 거듭하면서 속으로 자문자답을 하고 있었지 '진짜 해결책이 바로 그거다. 비행기 조종사가 활주로 쪽으로 비행기를 운항하는 것처럼 위장해서 이 비행기 속에 특수부대 요원을 태운 다음, 납치된 알바트로스 소속 항공기에 가능한 한 가까이 다가가면 놈들과 거리는 약 100m 되니까…'

사장이 전혀 가망이 없다는 식으로 “그리고 특수부대 애들이 들판을 가로질러 비행기 쪽으로 100m 돌격 앞으로 하게 되면, 테러리스트 놈들은 승객 전부 자폭을 시도하는 그런 소리는 작작하세요.”
사실 게라디도 이 계획에 확신이 서지 않아서 그저 침묵만 지킨다.
사장 책상에 놓인 전화기에서 소리가 나자, 시부렁거리면서 수화기를 드니, 여비서의 목소리가 들려온다.

“사장님, 알바트로스 항공사에서 자기 비행기가 어떻게 되어가고 있는지 물어오고 있는데요. 어떻게 답변할까요?…”

“당연하고 말고, 우리 쪽에서는 벌써 승객 절반 조금 더 되는 사람을 구출하는 데 성공했다고 하고, 또 남아있는 승객, 승무원 모두 구하기 위해 전력투구하고 있다고 전해 주시요. 또 이러면 늘 하는 방식대로 당신이 어떻게 답변하는지 잘 알고 계시잖소.”

“예, 사장님 분부대로 그렇게 말씀드리도록 하겠습니다.”

사장님 수화기를 제자리에 도로 갖다 놓으면서 게라디를 성난 얼굴로 쳐다보며

“자, 검사님 고견은 무엇인지 한 번 들어봅시다.”

“전광석화같이 공격하는 방법만이 승리의 지름길이죠. 그러므로 군인들이 기내로 들어가야만 되죠. 군인들이 기내에 침투하기만 하면, 모든 것은 식은 죽 먹기이고, 설령 군인들이 테러리스트를 모두 죽인다 해도, 세상 사람들은 우리에게 찬사를 보낼 것입니다.”

보안 장교가 약간 빈정거리면서 “검사님, 검사님께서 계획하신 대로 우리가 당연히 도와드려야 되고 말고요.”
그러면서도 게라디를 빤히 쳐다보며, 심각한 표정으로 “우리는 특수 목적으로 만들어진 먹거리 혹은 마실 거리를 준비해서 비행기 안으로 들어간 다음, 그 특수 목적용 상자에 들어가서 나온 다음 비행기 안에다 신경가스를 테러리스트 놈들한테 살포할 수도 물론 있지요….”

게라디가 말을 받자마자 “테러리스트 놈들을 지휘하는 놈은 진짜

전문가입니다. 옛날 그놈 역시 특수테러진압부대 요원이었기 때문에 그런 유치한 계획으로는 그놈을 절대로 속일 수가 없소.”

사장이 답답하다는 식으로 “그럼, 당신 계획은 도대체 무엇이란 말이요?”

“우리가 비행기를 기습하는 방법 외에는 별다른 대안이 없습니다!”

“벌건 대낮에 말입니까?… 당신 미쳤소. 내 생각으론 차라리 밤중이라면 그래도 나은 편이지. 그러나 설령 밤중이라 한들 결과가 어떻게 될지 심히 의심 가는 마당에.”

게라디가 의자에 앉다가 다시 일어서면서 “그렇다면 또 다른 묘안을 한 번 더 생각해 봅시다. 우리는 테러리스트 놈들이 비행기에 현재 남아있는 승객 모두 석방하도록 설득해야 하겠군. 승객 모두 석방해 주는 조건으로 그놈들이 요구하는 그 어떤 것을 들어주게 되면…. 그놈들도 이 조건에 동의할 경우, 버스 몇 대에 군인들을 숨겨서 그 비행기 쪽으로 우리가 버스를 몰고 가면 어떻겠소. 첫 번째 출발하는 버스 출입문 곁에서 비행기 입구를 지키고 서 있는 테러리스트 놈들을 즉시 총 쏘아 고꾸라뜨리게 하는 명사수를 분승시키고, 동시에 다른 요원들이 잽싸게 신경가스 폭탄을 비행기 속으로 투척하는 방법은 어떻습니까? 방독면과 방탄조끼로 중무장한 특수테러진압부대 요원들이 공격 앞으로 하면서 사다리 위쪽으로 쏜살같이 달려가게 되면, 그다음은…” 게라디가 말을 다 마치기도 전에 보안장교가 모든 사항을 신속하게 고려한 다음

“그런 계획은 가능성이 있지만, 우리 쪽에서 너무나 많은 희생이 따를 뿐이지요. 어떠한 방법도 없을 때, 최후의 수단으로서 이 수단을 취해야 할 것 같습니다.”

사장이 무전기에서 “그 비행기에 연락을 취해 보세요.”

몇 분이 지나자 게라디가 무전 송신기에 입을 갖다 대고는

“스카겐 맞소…? 승객들의 친지와 알바트로스 항공 측의 중역들

이 인질 때문에 상당히 불안에 떨고 있소."

"잘 알겠소. 하지만 우리는 승객들한테 조그마한 피해도 주지 않도록 노력하겠소."

"당신이 승객을 모두 석방해 주신다면, 그때 우리끼리 서로 흉금을 터놓고 이야기 좀 해 봅시다."

"우리는 벌써 남자 승객들을 전부 석방해 주었소."

"그것으로 부족하오. 더 석방하시오."

"우리로선 할 만큼 다 했소. 여자와 애들만 비행기 속에 있는데도 당신네의 군인들이 이 비행기를 공격하지는 못할 텐데요…?"

"그러나 정부 측 생각은…"

"당신네 정부하고는 난 관심조차 없소. 게라디, 당신만이 유일하게 이 문제를 해결할 수 있는 인물이라고 나는 믿고 있소. 또 당신의 생애에 먹구름이 낄 수도 있겠지만, 만약 클레버 납치계획을 진두지휘한 사람이 누구인가 신문사 모든 곳에서 알게 될 경우, 당신이라는 사람의 모든 미래는 한낱 물거품으로 변하게 될 테니까요."

"스카겐, 당신이 지금 날 협박하는 거요."

"천만의 말씀을. 우리는 다만 앞에 한 약속대로 모든 것이 순리대로 풀릴 수 있도록 확실한 보장을 받고 싶을 따름이요. 우리가 클레버를 당신에게 인계하고, 대신 당신은 전에 약속한 대로 우리한테 돈만 주면 되지요. 그렇게 되면 우리 두 사람은 서로서로 마음 편하게 헤어질 테고, 다시는 더 만나게 되는 일은 없을 테니까."

"헛소리 작작해. 우리는 테러리스트 놈들 같은 당신을 절대로 석방 못 시켜!"

"게라디, 그동안 내가 결국 해답을 찾았지. 차 3대를 우리 쪽으로 보내도록 하시오. 사람이 타지 않는 대형차 2대 하고, 세 번째 차는 중형차 정도면 됩니다. 이 대형차 2대에 각각 비무장한 정복 차림의 경찰관 2명만 타도록 하시오. 그렇게 이 비행기 쪽으로 오면, 내가 비행기에 있는 승무원 전용 출구를 열어보면서 한 놈이라도 의심이 가거나, 갈만한 놈이 있는지 살펴보겠소. 그 이유는… 그다음, 게라디, 당신도 우리한테 처음 약속했던 대로 돈을 가지고 와서 우리와 함께 이 차를 타게 될 거요. 승객을 대신해서 당신이 우리 인질이 되는 셈이지! 2호 차에 우리 애들이 클레버를 싣고 차를 운전하는 동안, 비무장한 경찰관 2명이 우리 뒤를 따라오도록 하시오.

우리가 어디를 가는지 그 목적지를 말해 줄 수가 없소. 도시 어느 한적한 곳에 우리가 클레버를 인도 쪽으로 내보낼 때, 그때 뒤따라오는 경찰관이 이 클레버를 체포하도록 하시오. 그때부터 앞서가고 있던 차 2대는 전속력으로 도망칠 것입니다. 그런 다음, 다른 도시의 어떤 지점에 도달해서 당신이 돈을 가지고 있질 않으면 당신 역시 살아남게 될는지는 우리 손에 달렸소."

"그렇다면 당신은…?"

"우리는 옛날로 돌아가야 하지요."

게라디가 "그럼, 당신은 내 이름도…? 이 모든 사건도? 모두 지울 수 있겠소."

"그렇소. 우리 두 사람은 진짜 전문가들이니까. 좋은 게 좋은 거지요. 그 외에도 며칠 지난 후 우리 애들 몇 명을 유럽에서 떠나도록 도와주시오. 참, 신분을 밝힐 수 없는 젊은 친구 한 명이 있는데, 이 찌든 세파에 더 물들지 않도록 오랫동안 마음 편하게 살 수 있도록 해 주시오. 나 역시 진짜 조용히 흙 속에 파묻혀서 오손도손 살고 싶소만… 만약 어떤 운명이 나한테 덮친다면, 내가 분명히 말씀드리는데 이 사건을 온 세상에 사실대로 이실직고하겠소. 특별검사나리, 예를 들어 내가 갑자기 뚜렷한 이유도 없이 어떤 놈한테 살해될 경우이지요."

게라디가 입술을 깨물면서, 노심초사한 뒤

"좋소. 조만간 우리 쪽에서 무전으로 결과 여하를 통보해 드리겠소."

깊은 한숨을 쉬며 게라디가 힘없이 전화기를 제자리에 갖다 놓는

다. 사장은 하도 좋아서 입을 쩍 벌리며

"그렇게만 된다면, 우리가 테러리스트 놈들이 비행기에서 제 발로 기어 나오도록 하는 데 성공했군요…? 야, 이 이이 참말로 이렇게 쉽게 풀릴 줄이야?"

보안 장교가 이때다 싶어

"검사님께서는 그놈들 모두 도망치도록 내버려 둘 작정입니까?"

검사가 긴급전화기 쪽으로 가면서

"어림도 없는 소리… 두 분께서는 제가 알제리 태생 프랑스 사람이라는 사실을 모르시는 말씀이시오. 우리는 일을 하면 끝장을 꼭 보고 마는 성격이지요."

## 7. 최후의 순간

부조종사가 "비행기 속이 흡사 찜통같이 덥군요."

너무나 잘 생겼고 또 검은 머리카락이 치렁치렁한 여승무원 한 명이 우리 곁에 서 있으면서 "날씨가 매우 더워서 승객들 모두 여간 불평불만이 많은지 모르고 계셨습니까?" 나처럼 머리에 스타킹으로 복면을 한 시몽이 또 한 번 이 아가씨한테 눈길을 보낸다. 이때 내가 오른쪽 출구에 서 있었지.

"마실 거리를 승객들 모두에게 갖다 주도록 해 주세요."

"어린이들한테만 줄 반 잔 만큼밖에 없습니다."

"그것이라도 애들한테 갖다 주도록 하시오. 조금만 더 참고 있으면 모든 일이 순조롭게 해결될 것입니다."

깡마른 체구의 영국인 부조종사가 내 말을 듣고서 인상을 찡그린다. 우리가 인질로 삼고 있는 승객들을 쉽게 풀어주지 않을 것이라고 이 친구가 생각하는 것 같고, 또 우리를 무서워한다. 사실 나는 게라디가 내 제안에 어떻게 응해올지 전혀 알 수가 없으므로, 이 친구에게 따뜻한 말 한마디조차 확실히 해 줄 수가 없는 형편이었지. 혹시 게라디가 내 제안을 일언반구의 가치조차도 없다고 딱 잘라 거절한다면…?

다른 문을 지키고 서 있던 알렉스가 "대장님…!" 하고 소리치길래, 철문 뒤에 몸을 숨기면서 내가 알렉스 곁으로 다가가자, 내가 지키고 섰던 오른쪽으로 시몽이 나 대신 지킨다.

"대장님, 밖을 보십시오. 군인들 모두 철수하고 있는데요."

"자네 말이 정말로 맞네."

내가 망원경으로 밖을 살펴보니 철수하는 군병력이 더 또렷하게 내 눈에 들어온다. 방탄조끼와 철모를 덮어쓴, 중무장한 군인들의 대오가 흩어짐 없이 질서 정연하게 차례차례 일어서더니 철수하기 시작한다. 꿈에 나타나는 영화 주인공처럼 레이다 안테나 기지 앞에서 카빈총을 어깨총 자세를 취하여 이들은 보무당당하게 본관으로 이동하는 병력과 격납고 쪽으로 가는 병력으로 나누어서 철수하고 있었다. 동시에 우리가 타고 있는 비행기, 전·후방에서도 똑같은 광경이 목격된다. 내가 재빨리 인원수를 헤아려보니, 철수한 병력 숫자가 무릇 42명이나 된다.

"저놈들 모두 철수한 것 같습니다."

"왜 저놈들이 철수했다고 하는가?"

"게라디가 우리들의 제안에 수락한 모양이겠지요…?"

"끝장이 나 봐야 결과를 알 수가 있지."

여승무원 몇 명이 찬 마실 거리를 조그마한 손수레에 담아서 우리 옆으로 굴리면서 스쳐 지나간다.

파드로니가 현재 조종사 문을 지키고 있는 곳으로부터 부조종사가 밖에 나갔다가 다시 들어오고 있는 시점이 낮 1시였다. 벌써 1시간 반 동안, 우리는 비행기에서 놈들과 대치상태를 하고 있었던 것 같구나. "우리가 조급하게 굴 것이라고 저놈들이 예상한다면 그것은 큰 오산이지." 파드로니 같은 친구가 얼마나 끈덕지게 질긴지 저놈들은 아무도 모를 거다. 나나 시몽도 또한 파드로니와 다를 바 없지. 필요하다면, 기다리지, 기다리지 말고, 식음 전폐한 채 눈 한숨 붙이지 않고, 오직 총 방아쇠만 당길 수 있도록 그런 자세를 유지하면서 24시간 48시간 62시간 아니 더 시간이 지나간다 해도, 우리는 이 일이 마무리될 때까지 참고 기다리지.

잠시 후 조종실에서 나를 부르길래. 내가 그쪽으로 가 보니.

파드로니가 간단명료하게 "무전기를 보십시오!" 무전기 쪽에서 이 게라디 음성이 흘러나오고 있었다.

"나, 게라디요. 우리 모두 귀측의 요구조건에 동의하기로 작정했소. 아마 당신도 우리 측 병사들이 모두 철수하는 것을 눈 똑바로 뜨고 보셨을 테지요."

내가 "본인도 어떤 장소에서 쌍방간 교전이 일어나지 않길 진심으로 바라는 바이지요."
무전기에서 갑자기 조용하다가 한참 후, 이 검사의 음성이 아까와는 전혀 딴판으로 냉담하게 말을 계속하길

"5분 지나면 차 3대가 그쪽으로 다가가게 될 거요. 세 대 중, 첫 번째 자동차를 내가 직접 손수 운전하겠소. 그런 다음 내가 제일 먼저 비행기 계단에 올라갈 것이요."

"좋소, 참 돈 가지고 오는 것을 잊지 마시오!"

"어림도 없는 소리!" 하면서 성질을 꽥 부리고는 말을 끊는다.

5분이 조금 지나자 사나이 한 명이 첫 번째 왼쪽 문 쪽으로 이동용 고가사다리를 몰고 와서, 여기에 갖다 대고는 쏜살같이 뒤쪽으로 걸음아 날 살리라 하면서 도망친다. 내가 주위를 살펴보라고 알렉스한테 비행기 밑으로 내려가도록 했지. 그런 방법으로 우리 일행 중에서 프랑스 땅에 알렉스가 첫발을 디딘 주인공이 되었지. 이 친구가 미처 비행기 속으로 되돌아오기도 전에 차 3대 모두 도착해서, 내가 또 루버한테 밑으로 내려가도록 하면서

"경찰관 두 놈하고 저 검사를 먼저 몸수색하고, 나중에 차 속에 무전기나 무기 따위를 숨겨 놓았을지 모르니 경찰관이 탄 차를 비롯한, 차 3대에 관해 모두 샅샅이 수색해보게…!"

또 5분이 지나서야 아무런 이상 조짐이 없다는 것이 비로소 판명되었지. 경찰관 두 녀석은 각각 자기 차에 타고 앉아있고, 비행기 밑으로 내려간 알렉스가 이리저리 기웃거리며 주변을 샅샅이 살펴보는 동안, 게라디가 손가방을 손에 쥐고 비행기 바닥을 향해 올라오고 있었지.

"돈 여기 가져 왔소."

"보여주시오."

내가 이 검사를 믿을 수가 없어서, 돈이 이 가방 속에 들어있는지 확인하니 순수히 내 말에 순응한다. 게라디 역시 이 문제를 풀기 위한 뾰족한 다른 수가 없다고 스스로 인정하는 것 같다. 내가 헌 지

폐 꾸러미 5개를 확인했지. 2만 프랑 뭉치가 5개였다. 이 돈을 말할 것 같으면, 백만장자에게는 새 발의 피겠지만 우리한테는 엄청난 거금이다. 그것도 단 5일 동안 대가치고는.

“좋소. 당신은 잠시만 비행기 속에 남도록 하시오. 시몽, 클레버를 풀어주고, 그를 밖으로 데리고 나가서, 파드로니, 시몽을 도와주도록 하게나. 선결 조건이 하나 더 있소. 죽은 내 동료 시체 한 구가 이 비행기 속에 놓여 있소. 죽은 지가 얼마 되지 않기 때문에 해부할 수 있으면 해부를 하든지 또 다른 방법이 있다면 나한테 그 방법을 가르쳐주시오. 나는 이 친구를 무덤 속에서 편안히 잠들게 해주고 싶기 때문이요.”

게라디가 불쾌하다는 듯이 인상을 찡그리면서 “역시 국고금으로 이 일을 해야 되겠구먼.”

“이 친구에게 무명의 묘지를 만들어 주시요. 알아들었소? ‘무명의 테러리스트’ 처럼,

“천만의 말씀, 전혀 불가능하오.”

“이 친구가 내 친구이기 때문에, 내 사비가 들더라도 꼭 내가 이 친구의 무덤을 만들어주고 싶소.”

결국, 이 검사가 내 말에 순종하면서 “할 수 없지요. 당신이 정 원하신다면 그렇게 해 드리리다.”

이 검사의 두 눈을 보는 순간, 원인 모를 불안이 나를 엄습한다. 동시에 나도 시간이 워낙 급한 관계로 이 문제에 대해서 이 검사하고 더 왈가왈부할 수가 없었지. 시몽하고 파드로니 두 사람이 클레버를 데리고 내 곁으로 다가온다. 옛날에 ‘연대장’ 이었던 이 친구는 허공만 물끄러미 쳐다보고 있었지. 내가 이 녀석을 속였기 때문에 호랑이처럼 최후발악을 할 것이라고 잔뜩 기대하고 있었는데 웬걸 너무나 고분고분해서 오히려 내가 더 이상하다.

그러나 현재 클레버는 종이호랑이에 불과하다. 한방만 쳐도 이놈은 지금 금방 뻗어버릴 것 같은 그런 약골로 변했다. 24시간 전만

해도 어떤 외딴섬, 밀수업계의 황제이고 바린고스 상류층 신사중 한 명이라고, 자타가 공인하는 그런 인물이라고 스스로 믿고, 또 믿었는데, 난데없이 바다 밑에서 용솟음치는 화산처럼 자신의 과거가 수면 위로 갑자기 솟아올랐시.

게라디는 클레버 쪽으로 힐끔 힐끔거리며 쳐다보고는 그냥 계단 쪽으로 걸어 나가자, 시몽하고 파드로니가 게라디 뒤를 따라간다. 현재 알바트로스 비행기 안에는 나 혼자만 남아있었지. 내가 검은 머리칼로 치장한 여승무원을 손짓으로 부르면서

"우리는 지금 당장 이 비행기에서 떠나게 될 것이요. 조금 지나서 당신이 조종사에게 이 모든 사실을 알려주도록 하시오. 그렇게 되면, 아마 당신들이 어떻게 해야 할지 관제탑에서 지시사항이 하달될 거요."

이 여승무원이 "예, 선생님." 하면서 가만히 서 있는데, 이 아가씨의 입가에서 환희의 기쁨을 억지로 감추고 있었다. 자 지금부터 우리는 모두 '테러리스트들' 한테서 자유의 몸이 되겠구나.

사장실에 있는 전화기 여러 대에서 불나듯 계속 소리가 난다. 어떤 직원이 통화하는 소리가 단파 라디오에서 흘러나오는데, 주로 비행기 주변의 어떤 낌새를 보고하고 있는 것을 듣고 있던 사장이 때마침 자기 직통전화가 울리자, 약간 울화가 치미는 투로 보안 장교보고 "전화 안 받고 무엇을 하시오!"
보안 장교가 사장의 지시에 따라 수화기를 들고 몇 마디를 알아차리고는 갑자기 얼굴이 돌처럼 굳는다.

이 친구가 "내무부 장관이십니다!" 그리고는 덧붙이길 "장관님께서는 사장님과 직접 통화하시고 싶답니다…"

"예, 장관님, 제가 바로 사장올시다." 결의에 찬 목소리로 장관은

"게라디 특별검사, 그 친구가 지금 어디 있소?"

"장관님, 비행기 곁에 머무는 중입니다. 그들 모두 차 3대에 분

승해서 지금 시내로 출발할 모양입니다.”

“그놈들을 초토화할 방법은 찾았습니까?”

“예, 장관님, 검사하고 특수테러진압부대 지휘관과 이 일에 대해 의견일치를 보았습니다.”

“당신은 특수테러진압부대 지휘관을 지금 당장 찾을 수 있겠소?”

“각하, 무전으로 연락해서 몇 분 이내로 찾아낼 수가 있습니다.”

“마음에 드오, 내 친구, 어디 한 번 내가 잘 지켜보겠소…”

조금 전에 익명의 전화 한 통이 내무부 장관실로 걸려 온 것이다. 웬 여자가 게라디하고 테러리스트 모두 한통속이라는 사실은 온 천하가 다 아는 사실이라고 전화상으로 내무부 장관에게 알려준 것이었지.

“장관님, 저도 그 사실을 알다마다요. 하지만, 이 모든 일이 장관님의 특명에 따라 추진되지 않았습니까?”

“내 말을 끝까지 들어보고 말하시오! 이 외국인인 테러리스트 놈들이 야당계 신문에 폭로하려고 이 모든 일을 꾸미고 있단 말이오.”

“그럼, 저희의 모든 계획을 원점으로 되돌려야 되겠군요.”

“친구, 그 점에 관해 신경 쓸 필요가 없소. 우리는 이 일이 마무리될 때까지 처음의 계획대로 밀고 나가는 대신 약간 수정만 하면 될 거요.”

“수정이라니, 그것이 무슨 말씀입니까?”

“사태를 잘 지켜보도록 하시오. 내가 즉시 이야기해 줄 테니…”

승무원 전용 출구 곁에서 아무리 눈뜨고 찾아봐도 미심쩍은 행동은 없구나. 커다란 출구가 열리자, 우리가 전후방 모두 살펴봐도 경찰이나 총을 가지고 우리를 지켜보는 녀석들은 정말로 보이지 않는다. 차 3대 모두 출발하자, 우리는 오를리 공항을 뒤로하고 쏜살같이 차를 몰았지. 맨 뒤차에는 경찰관 두 명만 타고 있고, 앞·뒤차 호위를 받으면서 중간 차에는 넓적다리에 기관단총으로 총을 한시라도 쏠 준비를 하면서 파드로니와 알렉스가 타고 알렉스가 직접 운전대를 잡고 있고, 알렉스 옆 좌석에는 두 손이 결박된 채, 클레버가 앉고, 파드로니가 클레버 뒤쪽 의자에 앉아서 클레버를 한눈팔지 않고 감시를 한다. 우리 모두 미리 약속한 대로 공항에서 빠져나오자마자 머리에 덮어쓴 검은색 스타킹을 모두 벗어버리니까 눈앞에 전개되는 모든 세상이 그사이에 변한 것 같고, 심지어 우리 얼굴조차도 많이 변모한 것 같구나.

그러나 긴장을 풀 사이도 없이 나는 본능적으로 위험이 어딘가 도사리고 있다는 것을 느꼈다. 나는 게라디 옆, 1호 차 뒷좌석에 타고 있었고 반면에 검사는 내내 침묵만 지키고, 시몽은 본래 모습대로 행동한다. 루버는 변함없이 껌을 쩍쩍 씹으면서, 거리낌 없이 자동차 창문 밖으로 기관단총 총구를 불쑥 내밀고 있었다.

내가 시몽보고 "속력을 최대로 내게!" 수백 대 차량이 달릴 수 있는 널따란 도로 위로 이리저리 미꾸라지처럼 빠지면서 전속력을 내고 있었지. 몇 분 동안 그렇게 속력을 내다 보니, 우리를 추적하는 차가 보이지 않는 그 찰라, 시몽이 갑자기 말문을 여는데

"알렉스가 차량 불빛으로 무슨 신호를 보내고 있습니다."

내가 고개를 돌려 뒤쪽을 쳐다보니, 알렉스 차가 우리 뒤쪽에 거의 바짝 붙어서 쫓아오는데, 위쪽 하늘을 가리킨다.

잠시 후 나도 헬리콥터 한 대가 공중에 떠 있는 것을 보았지. 어림짐작으로 고도 300미터쯤 되는 지점에서 거의 움직이지 않고 한길 위쪽, 상공에 정지 비행을 하고 있었다. 태양이 헬리콥터 금속유리로 된 몸체를 비추자, 빛이 반사되어 온 천지에 무지개 색깔이 난무한다.

내가 이 검사보고 "저놈들이 지금 하는 짓이 당신과 아무런 관계가 없길 나는 믿고 싶소." 그렇게 내가 물어봐도 이 검사는 묵묵부

답이다. 우리는 근교에 있는 자동차 전용도로 쪽으로 진입하다가 나중에 더 북쪽을 향해 차를 몰았지. 내가 오른편에 있는 판테온 둥근 지붕을 쳐다보자.

시몽이 "성 마이크 쪽으로 차를 몰까요?"
내가 재빨리 대답하길,

"아닐세, 가능하다면, 자네가 왼쪽으로 차를 몰도록 하게나."

게라디는 주위를 살펴보지도 않고, 우리가 어느 쪽으로 달려가는지 미리 짐작한 모습으로 그냥 가만히 앉아만 있었다. 우리 차가 벌써 **불르바르 라스뺄**을 통과하고, 내가 언젠가 시몽한테 이야기해 준 적이 있는 **노트르담샹** 전철역이 보이기 시작한다. 우리가 탄 차가 인도 가에 차를 세우자, 루버가 껌 씹다가 갑자기 중단하여 차 문을 열고 밖으로 나가더니 측면과 후면 차량 소통 흐름을 살펴보고는 아무런 이상 조짐을 전혀 발견할 수가 없었지.

우리 뒤쪽에서 우리를 따라오던 차 2대도 영문도 모르는 채 우리 차 뒤에 덩달아 멈춘다. 내가 알렉스보고 경찰관 2명이 탄 차를 앞쪽으로 오도록 신호를 보내자, 동시에 애들이 인도 쪽으로 클레버를 데리고 간다. 우리 중에서 어떤 친구도 말을 하는 사람이 없다. 아하, 이것이 진짜 무언극이구나. 게오르그 클레버, 다른 이름은 '프랜취' 인 이 프랑코 녀석은 하늘 한 번 쳐다보고 땅 한 번 쳐다본다. 아마 이때까지도 이놈은 굴레에서 석방되길 바라는 눈치였을까? 아니면 자기 자신이 이미 파리 땅을 밟고 있다는 사실 자체를 못 믿고 있단 말인가? 그러면서 집요하게 두 입술이 피가 나도록 꽉 깨물면서 장승처럼 꼿꼿하게 서 있었지. 경찰관 두 녀석이 차 속으로 클레버를 밀어 넣고는 우리 시야에서 사라진다. 우리 모두 경찰관이 탄 자동차가 완전히 없어질 때까지 하염없이 서서 지켜보고 있는데, 시몽이 돌연히 나를 쳐다보며,

시몽이 "까떼린 때문에…"

게라디가 나한테 손가방을 건네주면서 "스카겐, 당신네 돈 여기

있소.” 나는 손가방에서 2만 프랑을 두 번씩이나 끄집어내고 있었지. 루버는 아주 냉담하게 이 돈뭉치를 다른 차에게로 가지고 간다. 그가 하루 일당으로 4천 프랑을 호주머니 속에 챙기는 것과 똑같이, 창문으로 그렇게 돈뭉치를 각각 받아 쥔다. 창문을 쳐다보니 알렉스 이 녀석은 좋아서 어쩔 줄 모르고, 파드로니는 즉시 돈 액수를 헤아려보고 있다.

내가 예의를 갖추면서 이 검사에게 “게라디, 모든 것이 다 해결되었소. 다만 당신은 아직도 우리 곁에 남아있었으면 좋겠소. 우리 두 사람 약속에 따라 얼마 동안 우리 곁에 남아서 함께 떠나야 할 것 같소.”

검사가 “그렇게 하도록 하시구려.” 솔직히 말해서 이 검사 새끼의 교활하고 음흉한 속셈이 영 내 마음에 안 든다. 아니면, 이 친구가 얼이 빠졌나? 절대로 그럴 녀석이 아니야. 그런데 이 검사는 우리하고 말할 기분이 전혀 안 나는 모양이다. 루버가 차에 타자, 우리는 쏜살같이 차를 몰기 시작했다. 그 사이에 우리는 또 남아있는 6만 프랑을 똑같이 분배했었지. 내가 가끔 하늘에 떠 있는 헬리콥터를 쳐다볼 때마다 신경이 날카로워진다. 이 비행기가 집 뒤쪽에서 사라지다가 또다시 출현한다.

갑자기 게라디가 역정을 내며 “제기랄, 당신이 외부인들한테 이 사건을 이야기했지요.” 마리가 이 사건에 연루되었다는 사실을 이 검사가 인제야 눈치를 챈 모양이구나.

“무슨 이유 때문입니까?”

“파리에는 우리 일을 방해하려는 적들이 수도 없이 많이 있지요.”

“그렇다손 치더라도, 공항에 내 친구들 몇 명 있는 것하고 당신과 무슨 관계가 있소? 우리 동료 중에서 어떤 놈이 우리들의 계획이 실패로 돌아가도록 온갖 공작을 자행하고, 심지어, 내무부장관 그놈까지 나한테 압력을 가하고 있다고 한번 상상이나 해보시오.”

우리는 **뤼드 새브르**까지만 차를 몰고 간 뒤, 여기에서 내가 시몽한테 오른쪽으로 차를 운전하도록 지시했지. 그사이에 내가 게라디를 힐끔 쳐다보니 이 검사 얼굴에 핏기가 하나도 보이지 않는다.
그런 표정을 쳐다보고 내가 화드득 놀랬다.

"검사님, 어디가 편찮으십니까?"

"아, 아니요… 참, 아까 당신이 무슨 말을 했지 싶은데… 당신의 공범자가 정말로 내무부 장관에게 전화로 고자질했소?"

"확실히 그렇소. 우리가 공항에서 아무 탈 없이 무사히 멀리 탈출하기 위해서, 다른 방법으로는 절대로 정부 당국이 우리를 순수히 놓아줄 것 같지 않아서 그랬소? 내무부 장관이 우리와 맞서서 싸울 경우, 모든 사건 전모가 신문 지상에 상세히 보도되면, 자기 출세에 지장이 있을 것으로 생각할 테고, 또 장관도 몸조심하게 될 테니까요."

이 말을 듣더니 갑자기 게라디가 부르르 떨며 경련을 일으키며 몸 중심을 제대로 가누지 못해 내 팔을 꽉 잡고는

검사가 죽을상을 지으면서 "당신이 지금 무슨 짓을 했는지 아는가. 이 얼간 망둥이 같은 친구여…! 지금 우리 모두 죽은 목숨이나 다를 바 없어!"

"무슨 이유 때문입니까?"

"스카겐, 내무부 장관은 여태까지 이 일을 까맣게 모르고 있었던 거야. 그 측에서는 단순한 테러리스트들의 소행으로만 믿고 있었던 거지…. 그러나 만약 당신이 클레버 그놈을 파리로 데리고 온다는 사실을 당신 동료가 이놈들에게 알려주었다면, 그것은… 옛날 은밀하게 배후에 숨어서 음모 술수를 자행하는 단체 하나인 오 에이 에스 소속인 고위층 정치가 몇 놈도 이곳 파리에 버젓이 살아있다는 말이요. 클레버가 자신이 옛날에 죄지었던 사건을 국민한테 말하지 못하도록 그놈들은 온갖 수단과 방법을 총동원할 것이 뻔하잖아.

스카겐 당신은 이 일 때문에 클레버를 죽음의 길로 몰아넣었고,

그 클레버 뿐만 아니라, 우리 모두! 우리 모두 이 사실을 알고 있으므로 놈들은 우리를 결코 그냥 살려두지 않을 것이다!"

"도대체 그런 썩어빠진 정치인 놈들은 누구입니까?"

"그중에서도 특히… 딱 집어서 말하자면 내무부장관 그놈이지. 내무부 장관을 굉장히 못마땅하게 생각하는 정직한 정치인들 몇 명이 돈을 모아 나한테 주면서 클레버 그놈을 납치해 와 모든 진상을 밝히고자 부탁한 걸세…."

게라디는 지금 옛날하고 전혀 딴판인, 낯선 사람으로 변하고 안절부절못하고 있었다.

검사가 "차 세우게! 나는 차 밖으로 나가겠네!"

내가 "제발 좀 진정하십시오…" 그렇게 말하면서 검사의 두 눈을 쳐다보니 굉장한 두려움 때문에 사시나무가 떨듯이 그렇게 떨고 있었다. 불현듯 내가 전혀 예측할 수 없는 모종의 흑막이 있음을 본능적으로 느꼈지.

검사가 미친 듯이 큰 소리로 "스카겐, 당신이 이 모든 일을 쑥대밭으로 망쳐 놓고 말았소! 지금 저놈들은 우리를 모두 몰살시키려고 혈안이 되어 있을 것이요! 오직 자신의 영달만 쫓아 내무부장관 그놈은 목격자 중 우리 중에서 한 사람이라도 살아있게 되면 두 다리 쭉 펴고 잠도 제대로 못 자게 될 테니까!…"

우리 차량이 때마침 크루와-루즈하고 쌩 쉴삐스 중간쯤 빨강 신호등 때문에 급정거했다. 우리가 위쪽을 쳐다보니 더 헬리콥터는 보이지 않는다. 내가 애들을 진정시키려고 말문을 여는 그 찰라. 차 여러 대가 급정거하면서 내는 찌-익 파찰음 소리를 들었지. 갑자기 차 한 대가 우리 차 앞에 수직으로 가로막고, 또 다른 차가 오른쪽에서 급정거한다. 자동차 창문 하단부 뒤쪽에서 내가 기관단총 총구 몇 정을 보고 있었지. 그것은 만 분의 일 초 정도 되는 찰나였지.

나는 본능적으로 몸을 움직였지. 아니 생각조차 할 수 없는 너무나도 짧은 순간적인 일이었지. 나는 냉혈인간이 물론 아니지마는 다른 애들에게 경고해 줄 시간적 여유가 사실 없었다. 너무나도 눈 깜짝할 사이에 일이 벌어졌다. 맨 먼저 자동차가 급정거하는 소리를 듣자마자 나는 너무나 재빠르게 왼손으로 자동차 안쪽 문고리를 잡아당겼다. 우리 차 옆에는 신호등에 초록색 불이 들어올 때까지 전방을 주시하면서 차들이 줄지어 정지하고 있었지.

첫 번째 총성이 나자, 나는 이미 차에서 뛰어나와 아스팔트 도로에 어깨와 넓적다리가 서로 부딪치면서, 한 바퀴 더 돌아 옆에 정지하고 있는 자동차 밑으로 굴러 들어갔다. 자동차 차대와 아스팔트 사이의 공간은 생각보다 너무 좁았다. 그래서 차 밑쪽으로 조금 더 포복해서 들어가자 매연이 내 얼굴을 향해 확 덮친다. 뒤쪽에 화물차 한 대가 정차해 있어서 내가 이 화물차 밑으로 포복해 들어가 있는 줄 그 누구도 모르지. 인도로 걸어가는 여자 몇 명이 지르는 비명도 들리고, 진열창이 우당탕 깨어지는 소리도 또한 들려온다. 확실히 누군가는 총 쏘아대는 놈들을 목격했을 수도 있겠고, 아니면 총소리 때문에 놀라 미친 듯이 피신했겠지. 나는 우리 애들을 구해 줄 수 없다는 것을 직감했지. 이미… 구사일생으로 나 혼자만 목숨을 부지하였다. 놈들이 우리를 향해 기습공격을 감행해서 우리 애들은 벌써 한순간에 영원히 이 지구상에서 사라졌겠구나…

불타는 냄새가 온 천지를 뒤덮는다. 나는 차대를 구성하고 있는 쇠막대기 두 개가 튀어나온 지점을 결사적으로 꽉 잡고 여기에 내 몸이 대롱대롱하도록 매달렸지. 양손 모두 기름 범벅이 다 되었다.

웬 사내 한 명이 “빨리 떠나자, 빨리!” 하는 고함치는 소리가 들려오고, 자동차 몇 대가 서 있는 그 가운데에서 나는 경찰 복장을 하면서 급히 도망치는 사람 다리 몇 개를 쳐다보고 있는데도, 총성은 끊임없이 계속 울린다. 자동차 행렬이 움직이고, 나 역시 화물차 밑에서 매달린 채 … 내가 한쪽 발을 쇠막대기에 걸치는 데 성공했지만, 또 다른 발은 허공에 매달린 상태였지.

내가 매달린 이 화물차가 요동을 치자, 나는 간신히 중심을 잡을 수가 있었지. 이런 방법으로써 내가 다음번에 도로 구석까지 매달려서 갔고, 우리 뒤쪽에는 매연하고 시동이 돌아가는 소리만….

내가 그제야 무슨 변괴가 일어났는지 알 수 있었지. 아까 그 헬리콥터가 하릴없이 공중에서 우리를 감시하고 있었겠는가? 우리 모두 몰살시키기 위해 특수 테러진압부대 요원들이 지상과 공중에서 합동작전을 하면서 우리에게 공격을 감행했지. 하늘에 떠 있던 헬리콥터가 지상에 있는 특수테러진압부대 요원 놈들에게 우리들의 이동상황을 수시로 연락을 해 주었을 테고, 지상에 있는 이놈들은 민간인 차에 탑승한 채, 우리가 갈 길목에다 진을 치고 있다가 공격할 시간과 장소를 노려 우리 차 진행 방향으로 전속력을 내며 우리 차 곁에 차를 급정거한 뒤, 전광석화처럼 우리를 덮친 거지. 놈들이 자기도 그냥 내버려 두지 않는다는 게라디 말이 과연 틀린 말이 아니구나. 참말로 놈들은 한 사람의 목격자도 살려두지 않고 잔인하게 모두 죽였지. 내무부장관 그놈 역시 옛날 알제리에 기반을 둔 오 에이 에스단체에서 클레버 그놈하고 천인공노할 만행을 저지른 사실은 영원히 미궁에 묻히겠구나….

이 순간부터 프랑스 경찰 모든 병력은 내가 살아있다는 것을 알게 되면 아마 지구 끝까지라도 찾아 헤매겠는데, **마빌롱** 전철역 부근에서 이 생각을 하다 보니, 이 화물차가 또 빨강 신호등에 걸려 멈추자, 이때를 노려 차대 밑에서 빠져나와 전철역 지하도로 냅다 달렸지. 사람 몇 명이 내가 입고 있는 옷이 기름 범벅이 된 것을 보고 왜 저럴까 하는 눈치로 쳐다본다. 임시방편으로 내 옷에 묻은 기름을 얼렁뚱땅 제거한 다음, 전철을 타고 수십 정거장을 거쳐 전철에서 도로 내려 전철역 내에 있는 화장실로 가서 대강 내 몸을 씻고, 얼굴에 색안경을 끼고, 주위를 살피면서 **뤼 리볼리** 쪽으로 갔었지. 한 상점에 들러 내 평생 한 번도 입어본 적이 없는 바지, 저고리 하며 또 모자까지 샀지. 내 몸을 청결하게 한 다음 새 옷으로 산뜻하게 갈아입고 옛날에 입던 기름 범벅이 된 옷 모두 도로변에 있는 쓰레기통에 쑤셔 넣었지. 조금 지나서 내가 택시를 잡아타고 쌩 쉴삐스 쪽으로 가자고 부탁했지. 택시를 타고 가면서 라 뤼드 비이유-꼴롱비이가 닫혀 있고, 인도에는 아직도 꽤 많은 보행자가 웅성거리며 서 있고, 내가 언뜻 보니 경찰 자동차 위쪽에 붙어 있는 푸른 발광체가 이리저리 움직인다.

내가 탄 택시 옆에서 사내 하나가 "저놈들이 진짜 테러리스트들이다!"

입에 거품을 물고 웬 수다쟁이 여자 하나가 "군인들이 저놈들을 잡기 위해 함정을 팠기 때문에, 저놈들은 총 한 방도 제대로 못 쏘고 찍소리도 못한 채, 전원 모두 개죽음이 되었지요!"

내가 반쯤 열린 자동차 창문으로 "혹시 당신은 구급차가 여기로 온 것을 본 적이 있습니까?"

"천만에요 한 대도 여기에 안 왔는데요. 대신 영구차 몇 대만 여기로 왔지요."

택시 운전기사가 "손님, 어디로 모실까요?"

나는 눈을 지그시 감고 생각에 젖어 있다가.

내가 간단명료하게 **"개르드래스트** 쪽으로 갑시다."

택시가 움직이고 있구나. 택시 운전기사가 좁은 골목길에서 방향을 바꾸자, 곧 센강 위로 진입하고 있었다. 내가 넘실거리는 강물을 쳐다보니 내 앞에 서 있는 시몽 얼굴이 아른거리고 또 파드로니하고, 루버, 브랑코, 알렉스, 머베이 모두 차례차례 나타난다.

땅거미가 저녁노을 저편으로 사라진 다음, 그때야 비로소 나는 라셀지방의 외딴 산골 마을 어귀에 다다를 수 있었지. 나는 기진맥진해서 몸도 제대로 가눌 수 없을 만큼 공허함을 느꼈다. 2만 프랑 돈뭉치가 내 호주머니 속에 잠자고 있는 것을 내가 그때야 깨달았지.

기차역에는 한 사람도 없었다. 이 촌락은 평온하기 그지없다. 내가 산골 마을 사이로 들어가니 오솔길이 나온다. 친구네 별장까지 가려면 아직도 수 킬로미터나 더 가야 될 만큼 그렇게 먼 곳에 있었지. 그곳으로 가려면 한 치 앞을 보지 못할 만큼 빽빽하게 산림이 우거진 골짜기 길이 유일한 통로이지. 또 친구네 별장은 끝도 밑도 없는 울창한 숲 한가운데에 있지. 벌써 나는 소나무에서 풍겨오는 향기로운 산림욕을 즐기고 있었지.

가을철이 되면, 내 여비서 마리하고 여기에서 즐거운 휴가를 보내려고 내가 오래전부터 마음을 먹고 있었지.

나는 결국 자정이 조금 못되어서 이 별장에 도착해 보니 이 별장 안이 마치 대낮처럼 불빛이 새어 나오는 것을 먼발치로 멍하게 쳐다보고 있었지. 이 별장 가까이에 가서 내가 두 번씩이나 집 주위를 살펴보고는 인기척 소리에 귀를 기울여 보니 방안이 쥐죽은 듯이 조용하다. 이 집은 산림의 한 부분이고, 빽빽한 숲 한가운데 자리 잡고 있어서 여기를 찾기란 하늘에 별 따기지. 잠시 후 내가 벽 쪽에 찰싹 붙어 있었지. 사실 이 별장 안에는 심신을 위로해 주는 뜨거운 용광로 한 대가 창살 뒤편에 있었지.

한참 더운 여름날이었지.

결국, 내가 이 별장에는 아무런 이상이 없다는 것을 확인한 후, 내가 늘 하던 방식대로 네 번은 짧게 한번은 길게 문 앞에서 똑똑 두드리자,

마리가 재빨리 문을 열자마자, 아무 말도 하지 않은 채 와다닥 내 품에 파묻힌다. 나는 습관처럼 자물쇠 모두 차례차례 빗장을 걸었지.

마리가 눈물을 글썽거리며 "선생님께서 한밤중이라도 꼭 여기에 오실 거라고, 저는 믿고 있었지요. 어, 어쩐 일이십니까? 선생님께서 요즈음 젊은 애들처럼 얼굴에 염색까지 다 하시고요?"

내가 오늘 일어난 기삿거리를 넌지시 비추면서 "지금 그것은 시작에 불과하지. 참 텔레비전에서 뭐 좀 볼거리가 있기는 있던가요?"

"자동차 2대가 불타서 형체조차 알아보기 힘들었습니다. 그리고 또 선생님의 친구분들 사진도 보여주던데요."

"게라디는 어떻게 되었소…?"

"특수테러진압부대 요원들이 테러리스트들을 죽이기 위해 총을 쏘다 보니, 그분은 '우연히' 총에 맞아 죽었다고 다들 그렇게 떠들고 있던데요. 또 따지고 보니 그 부자 모두 선생님으로 볼 때 희생양인 셈이지요."

"클레버 그놈은 어떻게?"

"그 사람에 대해서는 일언반구조차 없던데요. 그쪽 사람들은 선생님의 일에 결부시키지 않기 위해서, 며칠만 지나면 저절로 해결될 것이라고 장담하는 것 같습니다."

"그래, 맞아. 클레버 그놈 역시 비밀공작을 했기 때문에 테러리스트 일당 모두 전멸시켰다고 아마 지금쯤 축배를 들고…"

"소문에 특수테러진압부대 요원 마흔 명이나 선생님을 죽이기 위해 공격을 시도했다고 하던데요. 그래서 그 테러리스트들은 제대로 총 한 방조차 못 쏘아보고 즉시 모두 사살되었다고 합니다."

내가 자리에 앉자, 너무나 피곤해서 죽을 것 같다. 불쌍한 친구들, 알렉스, 루버, 시몽, 파드로니, 또 프랑코, 머베이 모두 잘 가게나.

마리가 일어서서 마실 거리를 준비해 가지고 와서 내 손에 그것을 올려놓는다. 그리고 이것을 모두 마실 때까지 얌전하게 앉아서 나를 바라본다.

"사람들이 텔레비전에서 '데니엘 스카겐, 나이는 쉰 살' 이라고 하며 선생님 사진을 커다랗게 보여주면서, 아마 선생님께서 살아있을지도 모른다고 이야기하기도 하고…" '그 사람은 몸에 총을 가지고 있다' 라고 그렇게 이야기한다며

마리가 입술을 파르르 떨며 "경찰이, 데니를 알바트로스 항공 납치범 테러리스트의 주동자로 생각하며 끝까지 추적하겠다고 하던데요."

마리가 말을 다 마치자 가만히 있고, 나 역시 조용히 듣고만 있다가, 불현듯 내가 벌떡 일어나면서 남포등 심지에 붙어 있는 불을 껐다.

내가 창문을 통해 가장 가까이에 서 있는 소나무 몇 그루를 쳐다

보자, 미풍이 나뭇가지를 살랑살랑 어루만지는구나.

"마리, 당신은 나라는 인간을 어떻게 생각하시오? 나는 결국 포기하지 않는다는 사실을, 당신은 그 누구보다 잘 알고 있지 않소… 당분간 여기에 몸을 숨기고, 얼마 동안 이렇게 숨어지내도록 합시다. 얼마 안 가서 내가 이 사건 전모에 관해 상세한 자료를 보든 신문사에 팔게 되면, 그 정보 대가로 엄청난 돈이 우리 수중에 굴러 들어올 것 같소. 그런 다음 파리로 가서 위조여권을 산 다음, 우리 두 사람은 이란으로 가서, 당신은 당분간 이란에 머물고 그곳에서 얼마 동안 나 역시 머물다가 내가 아프리카로 날아가서 또 애들 몇 명을 긁어모아야 하지 않겠소. 그런 후에 우리는 또다시 프랑스로 되돌아옵시다."

마리가 소곤거리며 "선생님께서는 그 내무부장관 그놈하고 맞서서 끝까지 복수하시겠다는 말씀이신가요?"

"물론이죠."

칠흑 같은 이 한밤중에 나무들도 피곤한지 잠을 자고 있구나.

마리가 "데니, 저는 선생님 때문에 항상 불안한 삶을 살아야 하는 것 같습니다."

내가 "나는 절대로 빚지고는 못살아."

내가 어떤 일이든지 한다고 하면, 그것이 끝장날 때까지 꼭 하고야 마는 성질이지. 우리 조직사회에서 데니엘 스카겐은 이 분야에서만 타의 추종을 불허하지만 내가 좋아하는 작가 나리께서는 '그것은 이미 전혀 별개의 이야기' 라고 말씀하실 테지.

# 작가 소개(부산일보 인터뷰)
# - 헝가리 국민작가 이스트반 네메레[1)]

## '시대의 위험 일찍 알리는 것이 작가 역할'

사진: 헝가리 대평원 숲 속에 집을 짓고 사는 이스트반 네메레 작가가 가족과 다름없는 개와 함께 포즈를 취하고 있다.

1분에 200명의 아이가 태어난다. 이들 중 영어를 모국어로 하는 아이는 12명뿐이다. 전 세계 인구의 고작 6%다. 나머지

1) *역주:[출처:부산일보] (http://www.busan.com/view/busan/view.php?code=20070602000178).

는 다른 모국어를 갖고 있다. 그런 까닭에 세상에는 영어 이외의 모국어로 된 문학작품이 더 많다. 하지만 현실은 그렇지 않다. 영문학이 주류고 비영문학은 비주류다. 헝가리 국민작가인 이스트반 네메레(63·Istvan Nemere)도 그런 문학인 중 하나다.

그럼에도 불구하고 그는 헝가리에서 가장 많은 책을 펴냈고 가장 많은 책을 판매한 작가다. 헝가리 전체 인구가 1천만명인데 헝가리 국내에서 팔린 그의 책이 무려 1천100만권이다. 하지만 그의 책은 아직 국내에 단 1권도 소개되지 않았다. 이유가 뭘까.

그 이유 중 하나는 한국만큼 영어로 된 책을 좋아하는 나라도 없기 때문이다. 우리가 그만큼 영어에 경도돼 있다는 얘기다. 아마 영어 이외의 언어라고 해도 일어와 중국어, 불어, 독일어, 스페인어 등의 범주를 벗어나지 못한다. 우리가 정녕 관심을 둬야 할 지구촌 언어가 5~6개에 불과하다는 사실은 이런 이유로 우리 스스로를 더욱 슬프게 한다.

그와의 접속은 이런 판단에서 이뤄졌다. 접속 언어는 한글도, 헝가리어도, 영어도 아닌 에스페란토였다. 그는 "헝가리어와 폴란드어, 에스페란토를 모두 모국어처럼 잘 사용할 수 있다"고 말했다. 모두 4차례에 걸쳐 34개의 질문을 던졌고, 그는 그때마다 장문의 답변서를 보내왔다.

"의외의 e-메일에 놀랐습니다." 그는 부산일보 독자들과의 e-메일 대화를 무척 즐겁고 행복하게 생각했다. 하지만 답변에 앞서 그는 헝가리 문학에 대해 한국민들이 좀 더 많은 관심을 가져줄 것을 주문했다. 그것은 헝가리 작가를 위해서 뿐만 아니라 한국민들을 위해서도 바람직한 일이라고 그는 주장했다.

"세상에는 영어 외에도 100여개의 흥미로운 언어로 쓰인 문학이 있습니다. 한국 문학도 그중의 하나일 겁니다. 그 문학은 영어권 작품보다 훨씬 더 다양하고, 훨씬 더 알찹니다."

질문은 일상에서부터 시작됐다. "오전 5시에 일어나고 오전 6시부터 글을 씁니다. 글쓰기는 대략 오후 2시나 2시30분까지 계속되죠. " 지난 1980년 이후 전업작가로 활동하면서 굳어진 습관이라고 했다. 하루 8시간씩 거의 매일 반복되는 작업이었다.

이런 이유로 그는 헝가리에서 가장 많은 책을 출간한 작가로 유명했다. 그는 이달 말로 467권의 책을 펴냈다고 했다. 믿을 수 없었다. 467권이라니! 첫 책이 출간된 것은 1974년이었다. 설핏 계산해도 매달 1권 이상을 펴냈다는 얘기였다. " 물론 늘 글을 쓴 것은 아닙니다. 어떤 작품은 5~6년 동안 소재만 모으기도 했죠." 그럼에도 불구하고 그는 "20여권의 작품을 이미 6~7개 출판사에 건넸고 곧 출간될 예정"이라고 말했다.

그는 82년 유럽 최고의 SF 문학상 중 하나인 '유로콘(유럽 SF 컨벤션) 상'을 받았다. 최근엔 노벨 문학상 후보로도 거론됐다. 하지만 이런 소문을 그는 꽤 부담스러워했다. 앞서 지난 2002년 같은 헝가리 작가인 임레 케르테스(78)가 먼저 노벨 문학상을 받은 이유에서였다. 그럼에도 그는 여전히 유력한 노벨 문학상 후보로 거론되고 있다. 이유는 그가 120년 전통의 에스페란토 문학계에서 상당한 권위를 부여받고 있기 때문이었다. 국제에스페란토펜클럽이 그를 적극 지원하고 있고 최근 유럽연합(EU)의 공식 공용어로 에스페란토가 부상하고 있는 까닭이었다. 그는 이런 배경을 감안했는지 "내 조국이 내 언어가 아니라 내가 쓰는 언어가 내 조국"이라며 에스페란토에 내해 특별한 의미를 부여했다.

그는 다작의 작가인 만큼 다양한 직업을 전전했다. "평생 18가지의 직업을 가졌죠. 그 직업을 통한 경험이 다작의 원천이 됐습니다." 노무자와 구급차 응급구조사, 책 외판원, 군인, 시체해부 보조원, 엑스트라 배우, 사서원, 보험설계사, 숲 관리사 등이 모두 그의 직업이었다.

관심 분야를 물었다. "첫 작품은 범죄소설이었죠. 하지만 지금은 역사와 초자연 현상에 더 많은 관심을 두고 있습니다." 수없이 전전했던 직업만큼이나 그의 관심 분야도 상당히 다양했다. 과학과 사회심리, 모험, 우주, 죄, 인류 등이 그가 쓴 소설의 주제였다.

하지만 그는 유난히 공산주의에 대해 강한 반감을 드러냈다. 옛 소련 치하의 헝가리를 기억하기가 싫은 탓인 듯했다. "이 세상에 존재했던 가장 잔인하고 반인륜적인 체제가 공산주의입니다." 그는 헝가리의 공산화 45년에 대해 치를 떨었다.

"하지만 저는 여전히 좌익 지식인으로 분류되고 싶습니다." 공산주의를 반대하는 것은 분명하지만 "지성인이라면 모름지기 우익을 찬양해서도 안 된다"고 그는 주장했다. 인권과 노동권, 자유, 연금제도, 건강보험 등의 가치를 지구촌에 뿌리내리게 한 것은 우익이 아니라 좌익 투쟁의 산물이었다고 그는 평가했다.

대화를 좀 더 진전시켰다. 세계화를 어떻게 보느냐고 물었다. 헝가리가 오는 2010년 EU에 합류함을 전제로 한 질문이었다. 그는 하지만 다른 의미의 세계화에 무게를 뒀다. "인류가 가장 중요하죠. 누구나 이 범주에 들어갑니다. 그 다음이 헝가리라는 국가이고, 또 그 다음이 지역입니다. 가족은 마지막 순서에 놓여집니다. 하지만 많은 사람들은 이런 평범한 가치를 역순서로 이해하려고 합니다. 갈등은 이런 사고방식에서 늘 발생하죠."

그는 지난 2001년부터 헝가리 대평원 숲에 집을 지어 아내와 살고 있다. "집 주변에 나무를 많이 심었는데 지금은 거의 숲 수준에 이르고 있다"고 그는 말했다. 마지막으로 작가의 역할에 대해 물었다. 그는 자신의 작품 중 하나인 '침묵은 외친다'의 한 구절을 언급했다. "다가올 시대의 위험을 좀 더 일찍 알려주고 뒤나 옆을 되돌아 볼 수 있게 하는 것이 작가의 존재 이유죠."

백현충기자 choong@busanilbo.com
에스페란토 번역=장정렬 한국에스페란토협회 교육이사

# 편집자의 글

작가 이스트반 네메레는 고등학교 때 에스페란토를 배워, 2019년 말 현재 726권의 저서를 발간한, 세계에서 가장 많은 작품을 발간한 작가라 할 수 있습니다. 사건의 실마리를 풀어 나가고, 이야기를 끌어가는 능력은 특별하고도 아주 효과적입니다. 그의 작품은 대부분이 헝가리어로 발간되고, 소설, 역사, 공상과학, 아동을 위한 작품으로 분류할 수 있습니다. 그러나 에스페란토 원작품도 19개나 들어 있습니다.

이번에 한국 독서계에 소개하는 『사는 것은 위험하다』의 에스페란토 제목은 『Vivi estas Danĝere』(1988)입니다.

이 책 이전에 출간한 『밤은 천천히 흐른다』와 『메타 스텔라에서 테라를 찾아 항해하다(원제: TERRA)』는 작가 자신이 가장 아끼는 에스페란토 작품이라고 그의 <La Balta Ondo>잡지 인터뷰(https://sezonoj.ru/2020/01/nemere)에서 말하고 있습니다.

이 책은 『DGSE(프랑스 비밀첩보국)』(박미홍 옮김, 파랑새열쇠, 2002년, 대구, 276페이지)이라는 제목으로 자비인쇄 되었지만, 옮긴이의 동의와 저자의 허락을 받아, 이번에 오타와 오류를 대폭 수정하여 정식으로 출판하였습니다.

게라디 특별검사의 부탁으로 범죄집단의 괴수를 잡아오는 임무를 맡은 대통령 경호원 출신 특수요원 데니엘 스카겐이 주인공입니다. 비행기 납치까지 하면서 맡은 바 일을 처리하지만, 결국 정치적인 음모 때문에 테러진압부대 요원들이 나타나 스카겐이 모집한 모든 동료들을 죽이고 특별검사마저 죽습니다. 스카겐은 마지막까지 살아남아서 복수를 다짐하고 소설은 후일담을 기약하고 끝납니다.

애독자 여러분! 프랑스 비밀첩보국이 동원된 살인과 납치, 비행기 탈취와 정치적 음모 등 흥미진진한 세계로 떠나보시죠.

2022년 4월 편집자(오태영)가 수정재에서

# 옮긴이 소개

박미홍(Donkiĥoto) 선생님은 대구에서 사업장과 연구실을 운영하고 영천에서 거주하며 에스페란토 계에서 훌륭한 역할을 감당하고 있습니다.
이 책을 2002년에 처음으로 번역하여 『DGSE(프랑스 비밀첩보국)』(박미홍 옮김, 파랑새열쇠, 2002년, 대구, 276페이지)라는 제목으로 자비인쇄 하였습니다.
지금도 에스페란토 단어연구에 심혈을 기울이고 있습니다.
그동안 『창작동화 세라 이야기』, 『만화판 에스페란토 단어집』, 『만화 에스페란토 기초문법』 『열쇠업 창업 지침서』 『열쇠 기초 이론』 책을 출간했습니다.
20여 년 만에 이 책을 수정·보완해서 출간하는 데에 대해 매우 기뻐하시며 흔쾌히 자료들을 보내 주셨습니다. 감사드립니다.

지난 2016년에는 그동안 발간한 세 권의 책에 대한 저작권을 포기하는 인터뷰를 한 적이 있습니다.

박미홍(Donkiĥoto) 자신의 책 저작권을 기부
– 2016년 10월 19일 김가람(Masoris) 씀
한국에스페란토협회 대구지부의 박미홍(Donkiĥoto) 선생님께서 자신의 그림책 3권의 저작권을 기부하였다.
이제 박미홍 선생님께서 지으신 다음 책 3권은 누구나 복사, 수정, 재판매 등의 행위를 자유롭게 할 수 있게 되었다.
– Fundamenta Gramatiko de Esperanto Bildstria (2016)
– 창작동화 세라 이야기 (Rakonto de Sera) (2015)
– Bildstria Esperanta Vortareto (2012)

# 추천사

**“가장 맛난 과일은 가을에 익는다.”**
**- 작가와 역자와의 추억을 되살려 보는 작품**

장정렬(Ombro)

어느 날, 프랑스 특별검사 게라디가 직업소개소의 스카겐 소장을 찾아와, 1961년 봄 프랑스 정부가 알제리에서 철수하면서 잡지 못한 전범 한 사람을 찾아달라고 거액의 돈으로 거래를 한다. 중남미 카리브해 연안의 바린고스로 그를 찾으러 떠나며 시작되는 흥미 만점의 에스페란토 원작 소설 『사는 것은 위험하다 Vivi estas Danĝere』(1988년)를 애독자 여러분은 만나고 있습니다.

역자 박미홍(Donkiĥoto) 님이 젊은 시절 번역한 작품 『사는 것은 위험하다』를 살펴보는 즐거운 순간이 왔습니다. 그이는 특이한 에스페란토 사용자입니다. 우리 에스페란토 사용자를 일반인들은 특이한 사람으로 볼지 모르지만, 그이를 왜 특이하냐고 하면, 제가 보기엔, 남들이 알아주든 알아주지 않든, 자신이 목표로 한 일을 매일매일 실천해 오고 있기 때문입니다. 그이는 남들이 잘 시도하지 않는 분야 –에스페란토 문법 이해와 이를 재창조해 문장 만들기를 통해 큰 에스페란토 사전 만들기– 를 인생 목표로 삼고, 이를 거침없이 완성해 가는 끈기와 창조의 아이디어를 가졌습니다. 그런 에스페란토에 대한 생각과 함께 우리 국어를 아주 사랑하는 사람입니다. 대구는 특출한 에스페란티스토들을 많이 배출했습니다. 그 성함들만 생각해도 존경심이 절로 나오는 분들이십니다. 홍형의–이원식–최봉렬–이종하–이종영–김영명–이낙기–곽종훈 등 그 계보를 이어가는 에스페란토 작가이자 번역가 박미홍 님.

<2017년 세계에스페란토대회장(서울, 한국외국어대학교)에서 역자와 함께 찍은 사진> 왼쪽 두 번째가 번역자, 오른쪽 끝이 필자

1980년대 초반 우리는 청년기에 만나, 그 만남이 오늘날에도 이어지니, 한 세대가 흘렀어도, 박미홍 님은 한 분야를 함께 펼쳐가는 마음속 지기로 생각하고 있습니다. 그의 에스페란토 작품활동을 보면, 마음속으로 또 드러내놓고 자랑할만한 에스페란티스토라고 여깁니다.

<코로나 19>가 오기 전에,
저는 부산 교문사에서 저자 박미홍의 『그림과 함께 배우는 문장

연습서/La Ekzercaro de Esperanto en Bildstrioj』 (자멘호프 박사의 『Ekzercaro』를 분석하고, 이를 그림으로 표현한 책)를 포함해 2권의 작품을 만든 적이 있습니다. 첫 작품은 『그림과 함께 배우는 에스페란토 문법서/Baza Gramatiko de Esperanto en Bildstrioj』 이었습니다.

저는 박미홍 님의 에스페란토 저술 활동이 늘 궁금했습니다. 그래서 어느 해에는 그가 작업하는 현장을 방문해 그 실험실 같은 공간을 관찰할 기회가 생겼습니다.

대구의 어느 시장통의 좁은 열쇠 집.

열쇠 제작하는 작업대를 제외하고는 사방이 국내외 여러 사전을 찢어내, 한 장, 한 페이지씩 널어놓은 실험실이자 연구실이자 낱말공장이었습니다. 박미홍 님은 에스페란토 알파벳 28자로 에스페란토 문장을 만들고 있고, 그의 옆에는 묵묵히 박미홍 님이 만든 문장에 맞는 그림을 한 컷 한 컷 만들어 주는 동료 그림쟁이 최재영 님이 있었습니다. 그 두 사람이 만들어내는 낱말, 문장, 그림은 에스페란토를 배우는 이들이 쉽게 에스페란토 문법체계를 이해할 수 있도록, 오랫동안 에스페란토 사용자가 되어주기를 바라는 마음으로 충만해 있었습니다. 그이가 만든 에스페란토 문장은, 우리가 일상생활에서 글이나 말로 표현할 수 있는 간결하면서도 배우기 좋은 문장들이었습니다. 당시 박미홍 님은 온전히 에스페란토 문장에 몰두하면서, 자멘호프 박사의 『Ekzercaro』를 해체하여, 그것을 자신의 '나의 창작 문장'으로 만든 것임을 알 수 있었습니다.

그이의 업무 공간 한 곳에 에스페란토 문장이 써진 책장들을 바닥에 늘어놓고, 그 속에서 좋은 문장을 찾아내려는 모습은 정말 에스페란토 문장, 낱말, 문법 연구자의 모습 바로 그것이었습니다.

당시 그이는 컴퓨터를 활용하지 않고, 직접 손으로 문장을 만들고, 이 문장을 옆에서 화가인 조수가 열심히 그림으로 표현하는 모습을 대하면, 그 작업의 순간은 어릴 때 자멘호프도 이런 식으로 에스페란토 문장을 만들었을까 하는 생각을 들게까지 했습니다. 그러면서, 경북 청도 남강 서원에서 열리는 남강 에스페란토 학교 행사 때 출판 홍보용 사진을 만들려고 가까이서 그이를 사진으로 담을 수 있었습니다.

그이의 에스페란토 활동의 한 모습을 보면 이렇습니다. 그이는 늘 뭔가 몰두해 있다가도, 자신의 주변에 에스페란토 사용을 주저하는 초보자가 있으면, 그에게 조용히 다가가, 이렇게 하면 에스페란토 사용이 쉽다며, 에스페란토 창안자 자멘호프 연설문 한 구절을 따라 해 보게 합니다. 그런 설득은 대개 성공하는 것 같습니다. 그 초보자도 제법 에스페란토 문장을 말할 용기를 가지는 사례를 제가 여럿 보았으니까요. 그이는 초심자들에게 에스페란토를 입말로 사용하기를 권유하는, 조용한 은근한 격려자입니다.

역자는 열쇠업자로서도 실력가이기도 하지만, 그의 심중의 사업은 에스페란토 문법을 잘 분석해서, 에스페란토를 더욱 잘 표현할 수 있는 교재 작업에 있다고 할 수 있습니다. 에스페란토 창안자 자멘호프 연설문은 물론이거니와, 유명 작가의 작품을 구해서, 이 작품 속의 문장들을 분석해서, 자신의 문장으로 만들어내려는 이입니다. 그래서 아마 오늘 여러 애독자 여러분이 손에 쥐고 있는 번역서를 읽게 되는 계기가 되었습니다.

"삶은 계속됩니다. 태어났기에 글을 씁니다. 살아있기에 글을 씁니다. 내 머리에서 나온 이야기가 독자 누군가에게는 필요하다고 확신하기 때문에 나는 글을 씁니다."(작가 홈페이지에서)

오늘 소개하는 헝가리 작가 이스트반 네메레(István Nemere:1944년 생)의 작품『사는 것은 위험하다 Vivi estas Danĝere』를 지난 2001년 역자가 자비로 번역 출간했는데, 당시 책 제목은 『DGSE(프랑스 비밀첩보국』임을 나중에 알게 되었고, 역자는 그 책을 제게 한 권 선물로 주었습니다. 저는 프랑스와 알제리를 연결하는 탐정과 추리 소설과 같은 이 작품을 서가에 꽂아 두었는데, 이번에 진달래 출판사에서 책으로 다시 펴낸다고 합니다. 한 작가의 작품을 여러 에스페란티스토가 번역에 관심을 가지는 것은 좋은 일입니다. 저는 당시 작가 이스트반 네메레의 작품 『밤은 천천히 흐른다』와 『메타 스텔라에서 테라를 찾아 여행하다』를 번역해 출판사를 찾고 있었습니다.

작가 이스트반 네메레는 오늘날도 한 달에 한 권씩 책을 발간하고 있습니다. 작가의 홈페이지를 보면, 이미 750여 권의 저서가 발표되었습니다. 주로 헝가리어로 작품활동을 하지만, 에스페란토 원작도 20권이나 됩니다. 헝가리 작가의 다양한 관점의 작품을 읽어가면, 인생에서 소중한 점, 다양한 경험의 필요성, 이웃과 자연과 지구를 사랑하면서, 이 시대를 함께 살아가며 고민하는 작가라는 생각을 더욱 갖게 됩니다.

지난 2007년, 저는 부산일보의 백현충 기자가 연재하는 "지구촌 이메일 인터뷰"에 여러 에스페란토 작가들을 소개한 적이 있었는데, 이 작가도 부산일보에 소개했습니다. 작가는 학창시절에는 학교생활에 상당히 적응하기가 어려웠다고 합니다. 하지만 학창시절에 배운 에스페란토가 그의 삶에 중요한 일부가 되어, 에스페란토 사용자를 반려자로 맞기도 했습니다. 작가의 아버지는 의사이었고 어머니는 요리와 바느질을 아주 잘 했다고 합니다.

작가 이스트반 네메레는 학업을 마친 1963년 여름부터 일을 시작해, 다양한 직종에서 일했습니다. -기계 공장의 보조 노동자, 임업 일꾼, 발라톤 호수에서 구명정 안전요원, 서점 점원. 군인, 국가 지도 제작소 측량기사, 병원 부검 보조원, 통계직원 등등. 이런 직업 활동이 작품활동에도 당연히 영향을 미쳤겠지요!

"고등학교 때 에스페란토를 배웠기 때문에 외국 에스페란티스트들과 곧 연락이 닿았습니다. 1964년 여름, 젊은 폴란드 교사가 친구들과 함께 헝가리 발라톤 호수 기슭에 왔습니다. 저는 그들을 위해 통역을 해 주었습니다. 나중에 우리는 그 여성과 더욱 친교를 넓혀, 그해 겨울에 -내 생애 처음으로- 체코슬로바키아, 폴란드로 외국 여행을 할 수 있었습니다."(작가의 홈페이지에서)

30대였던 1974년, 헝가리 범죄 이야기를 다룬 첫 책을 출간한 이래 청소년 소설, 범죄 소설, 정치 모험 소설, SF 소설, 사회 심리학 소설도 썼습니다. 1990년대에 두 번 연속 국제 에스페란토 펜(PEN) 클럽 회장으로 선출된 이유로 스웨덴 한림원은 매년 그 작가에게 묻습니다. "다음 노벨 문학상 후보로 누구를 지명했으면 하는가…?"

에스페란토로 된 책은 동서양에서 출판되었고, 이 작가의 책은 한국어 네덜란드어, 독일어, 이탈리아어 등으로 번역되어 12개국에서 최소 100만 부 이상 해외 출판이 되었습니다.

소설의 줄거리를 간략히 소개하면 다음과 같습니다.

작전개시- 한 번도 기억에서 사라지지 않은 사건이 시작된 11일(수) 게라디 특별검사가 직업소개소 소장 스카겐을 방문하다. 1961년 봄 프랑스가 알제리에서 철수하면서 생긴 일로, 전범을 찾아달라는 요청을 한다. 그를 산 채로 데려와 달라고.
오를리 공항의 프랑스 항공 12번 창구에 스카겐 소장이 불러 모은 체포조(관련 전문가들)

전투- 카리브해 어느 지점(바린고스)에 도착한 체포조. 미행당한다. 일행이 찾는 프랑코라는 이가 클레버 라는 이름으로 활동하고 있음을 안다. 전범이 이 나라에서는 정치인과 활발하게 교류한다. 바린고스에 자리 잡은 밀수업자들과 현지 악당들의 전투가 벌어진다. 프랑코의 오른팔인 비스토 애인의 주소를 알아내다. 비스토 애인 집을 들이닥친 체포조

위기일발- 스카겐 일행이 이번에는 이곳 당국에 체포되다. 달아나는 스카겐과 뒤쫓는 경찰. 다시 프랑코를 찾기 위해 비스토 애인을 방문하다. 쫓고 쫓기는 추격전.

반격-프랑코에 대한 수소문에 성공하다. 영국법을 따르는 고린도스 법관. 클레버를 만나기 위한 준비. 프랑스 기자로 위장한 시몽 갈랭이 법원 상황을 무전기로 알려준다. 15일 구류 형을 받은 사람을 파드로니가 빼낸다. 클레버를 생포하다.

기습- 비행기를 통해 귀환하려고 하다. 석간신문에 실린 시체 2구의 사진. 알바트로스 항공의 항공권을 준비하다. 해안의 배를 통해 이동하는 체포조. 비행기를 납치하다.

납치범- 비행기 속에서 납치범 행세를 하는 체포조. 전범을 파리로 이송하려는 체포조. 아침 7시 오를리 공항에 도착한 게라디 특별검사는 6시경에 정체불명의 테러리스트들이 케이프타운행 알바트로스 항공기 소속 보잉 747기를 공중 납치했고, 기체 안에서

총격전이 벌어져, 최소 1명의 테러리스트가 중상을 입었다고 보고를 받는다. 비행기가 레이다 망에서 사라지다. 파리 상공에 갑자기 나타난 그 보잉 747기. 체포조의 스카겐이 착륙지시를 한다. 5일 만에 돌아온 체포조. 복면을 벗은 시몽이 다가온다. 검사를 만난 체포조. 협상. 자신들의 요구조건을 말하는 체포조

최후의 순간–정치적인 음모 속에 협상과 반전이 진행되다가 스카겐(51세)을 제외한 특별검사, 체포조가 모두 죽고 주인공만 어디론가 사라진 뒤 복수의 칼을 가는데….

궁금하지 않으세요, 그 안에서 치밀하고 민첩한 체포조의 움직임이…….

끝으로 다시 한번 『사는 것은 위험하다 Vivi estas Danĝere』의 번역출간을 축하합니다. 흥미진진한 프랑스–알제리 관련 작품세계로 한번 빠져보기를 애독자 여러분께 추천합니다.

2022년 4월 중순에.